Vivez votre escapade en vélo… comme personne !

La Belle Échappée, Magog, Cantons-de-l'Est (Photo : Sandra Fabris)

530 ÉTABLISSEMENTS CERTIFIÉS

www.gitesetaubergesdupassant.com
2000 photos et 4 moteurs de recherche performants

« Gîtes et Auberges du Passant^MD au Québec »

Édition 2004 disponible en librairie
Vous pouvez aussi la commander au (514) 252-3138 ou par Internet.

17,95$

BEST-SELLER

GÎTES et AUBERGES du Passant^MD CERTIFIÉS

On vous ouvre notre monde !

TABLE DES MATIÈRES

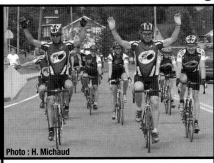

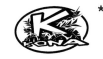

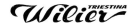

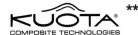

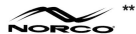

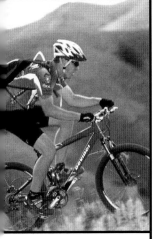

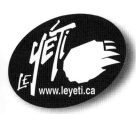

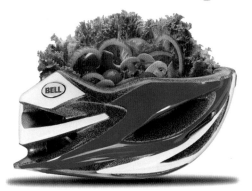

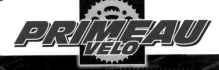

INDEX PAR MUNICIPALITÉS

PAGE 114

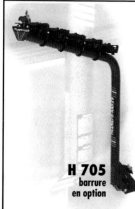

INDEX PAR VOIES INTERMUNICIPALES ET PARCS

INDEX DES ANNONCEURS

LES MODÈLES DE VOIES CYCLABLES

L'expression « voie cyclable » est utilisée pour désigner une voie aménagée en fonction d'une circulation cycliste exclusive ou partagée avec d'autres modes de déplacement. Dans le présent répertoire, vous trouverez quatre types de voies cyclables :

Piste cyclable

Voie exclusive à la circulation cycliste, indépendante de toutes voies de circulation ou séparée par une barrière physique.
Note : La piste cyclable peut faire partie de l'emprise d'une route mais doit être aménagée à l'extérieur de la plate-forme routière.

Bande cyclable unidirectionnelle ou bidirectionnelle

Voie généralement aménagée en bordure de la chaussée, réservée à l'usage exclusif des cyclistes et délimitée par un marquage au sol ou par une barrière physique continue.

Chaussée désignée

Chaussée officiellement reconnue comme voie cyclable, recommandée aux cyclistes et caractérisée par une signalisation simplifiée et l'absence de corridor réservé exclusivement aux cyclistes.

Accotement

Sur certaines routes principales, les accotements sont asphaltés sur une largeur minimale d'un mètre. Les cyclistes peuvent y circuler en toute sécurité.

Piste cyclable

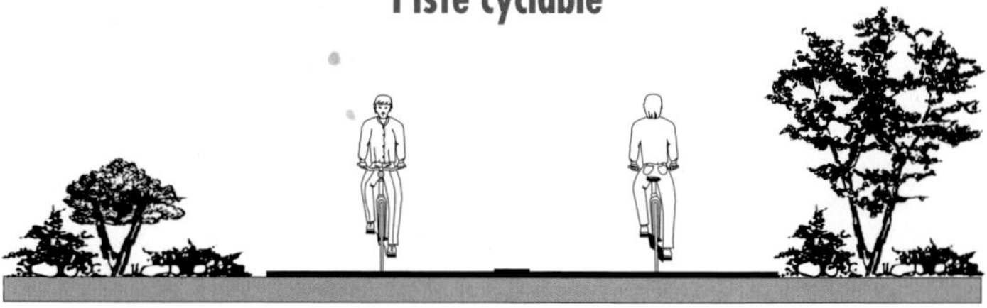

Bande cyclable

Chaussée désignée

LÉGENDE

- Piste cyclable asphaltée
- Piste cyclable poussière
- Bande cyclable
- Chaussée désignée
- Accotement
- La Route verte (carte régionale)
- Hydrographie
- Île
- Parcs municipaux, nationaux et réserves fauniques
- Rue
- Route
- Autoroute
- Frontière
- Voie ferrée
- Accueil
- Villes cartographiées
- Stationnement
- Annonceurs
- Numérotation des voies cyclables
- Numéro de route et d'autoroute
- Toilettes
- Camping
- Téléphone
- Eau potable
- Période d'ouverture
- Halte
- Navette
- Traversier

FUSIONS MUNICIPALES

Vous trouverez les nouvelles villes en majuscule avec celles fusionnées en minuscule. Exemple : **TROIS-RIVIÈRES (Cap-de-la-Madeleine)**

FUSIONS MUNICIPALES

La présentation des voies cyclables des villes de **Montréal, Laval, Québec, Longueuil, Gatineau** et **Shawinigan** est différente de celle que vous retrouvez ailleurs dans ce guide. C'est une vue en continu (par types de pistes). Le total de kilomètres est indiqué pour chaque arrondissement.

La **Route verte** est identifiée sur les cartes par ce logo. Le numéro de l'axe y est indiqué. Pour plus d'informations, consultez le Guide Vélo Mag «La Route verte du Québec»

Note sur l'échelle des cartes régionales Le rapport entre la distance et sa représentation sur la carte peut varier sensiblement.

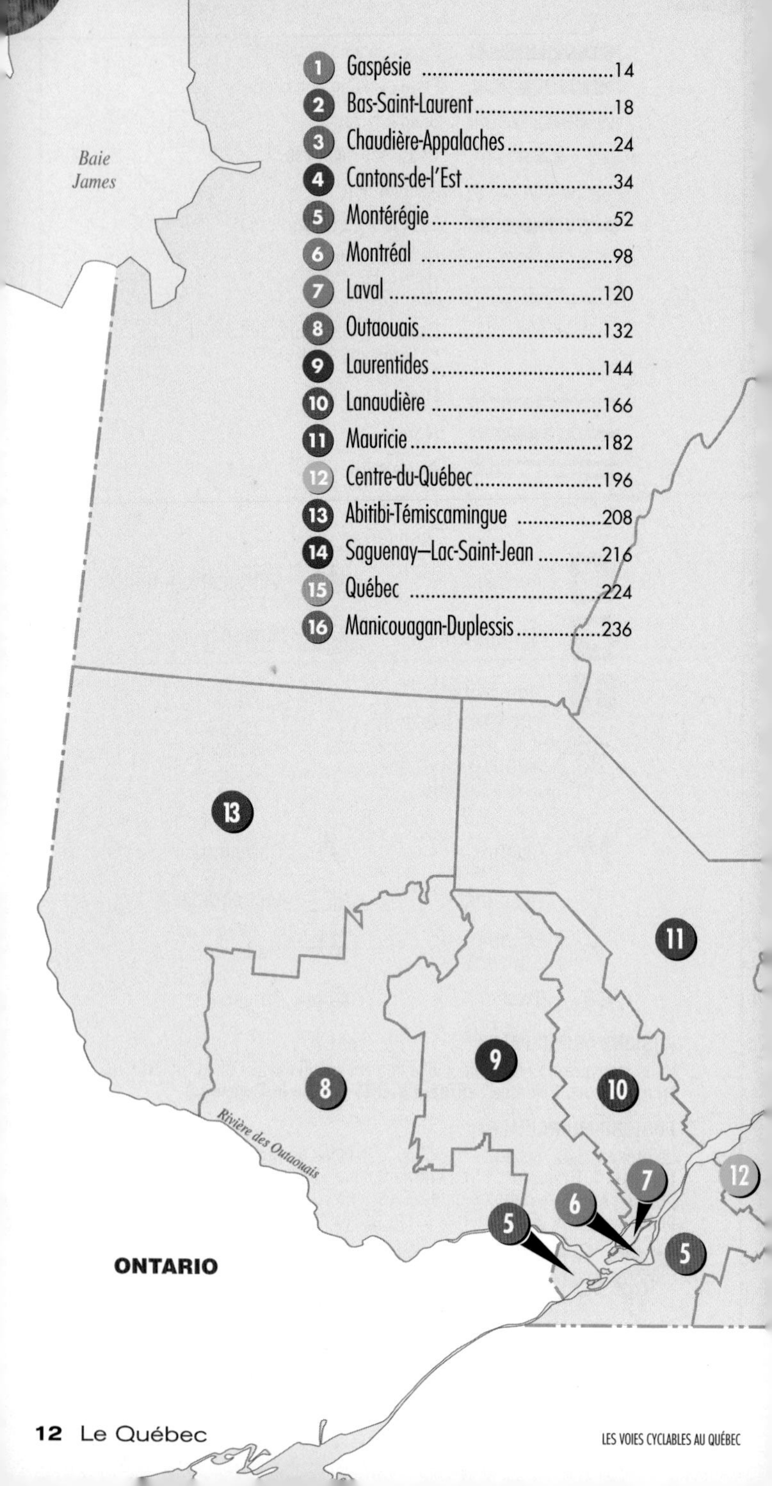

Baie James
13
11
9
8
10
Rivière des Outaouais
7
6
12
5
5
ONTARIO

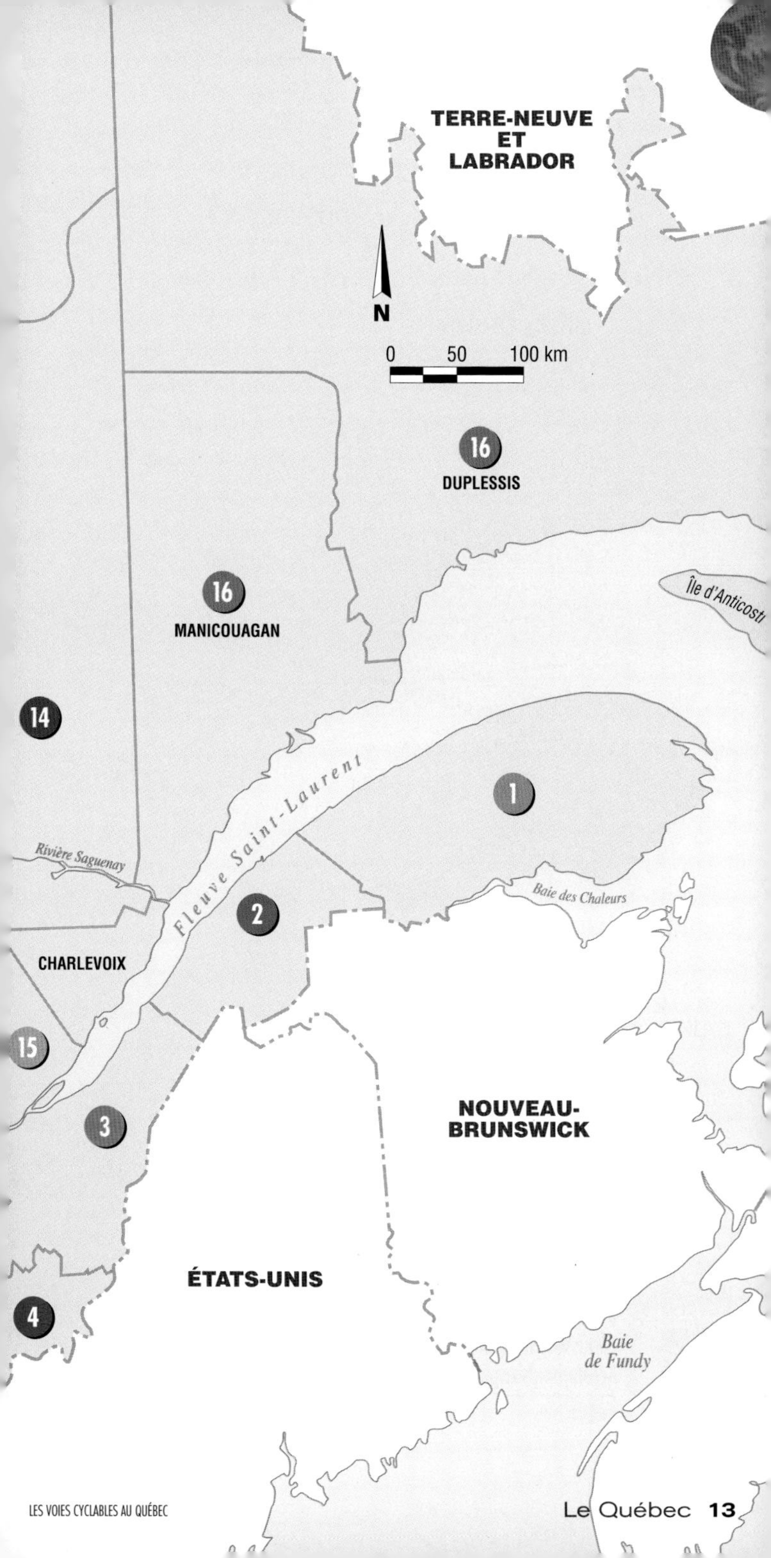
TERRE-NEUVE ET LABRADOR
N
0 50 100 km
16
DUPLESSIS
Île d'Anticosti
16
MANICOUAGAN
14
Fleuve Saint-Laurent
1
Rivière Saguenay
2
Baie des Chaleurs
CHARLEVOIX
15
3
NOUVEAU-BRUNSWICK
ÉTATS-UNIS
4
Baie de Fundy

1 Gaspésie – Îles de la Madeleine

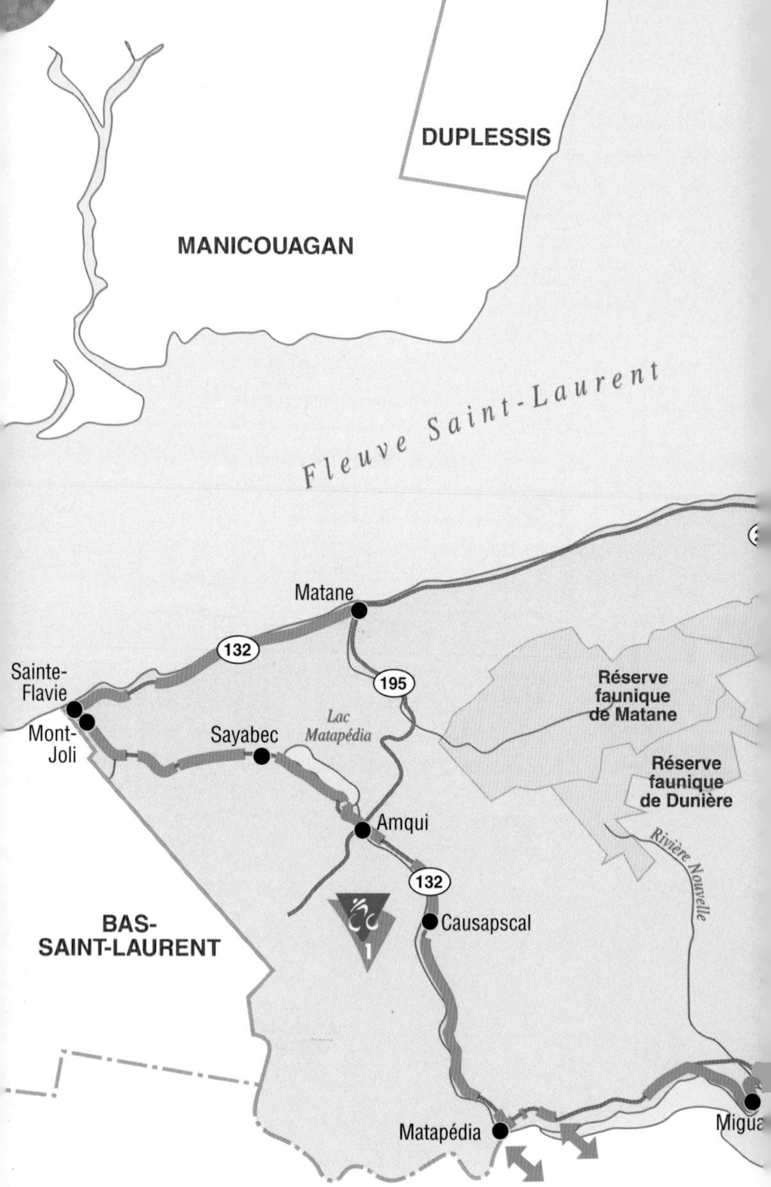

LA ROUTE VERTE

Pistes cyclables	20 km
Bandes cyclables	10 km
Chaussées désignées	199 km
Accotements asphaltés	290 km
Total	**519 km**

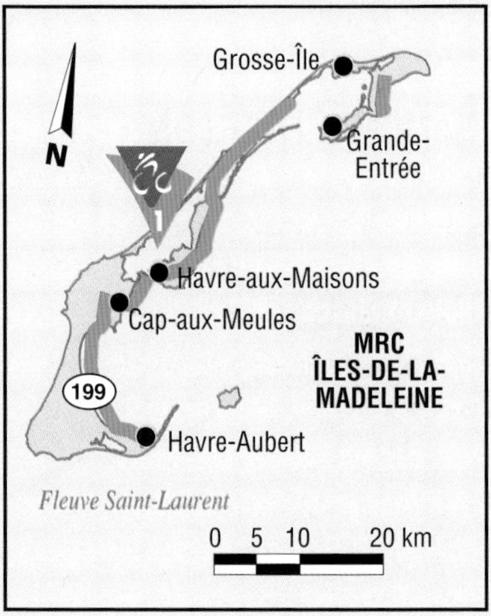
Grosse-Île
Grande-
Entrée
N
1
Havre-aux-Maisons
Cap-aux-Meules
MRC
ÎLES-DE-LA-
MADELEINE
199
Havre-Aubert
Fleuve Saint-Laurent
0 5 10 20 km

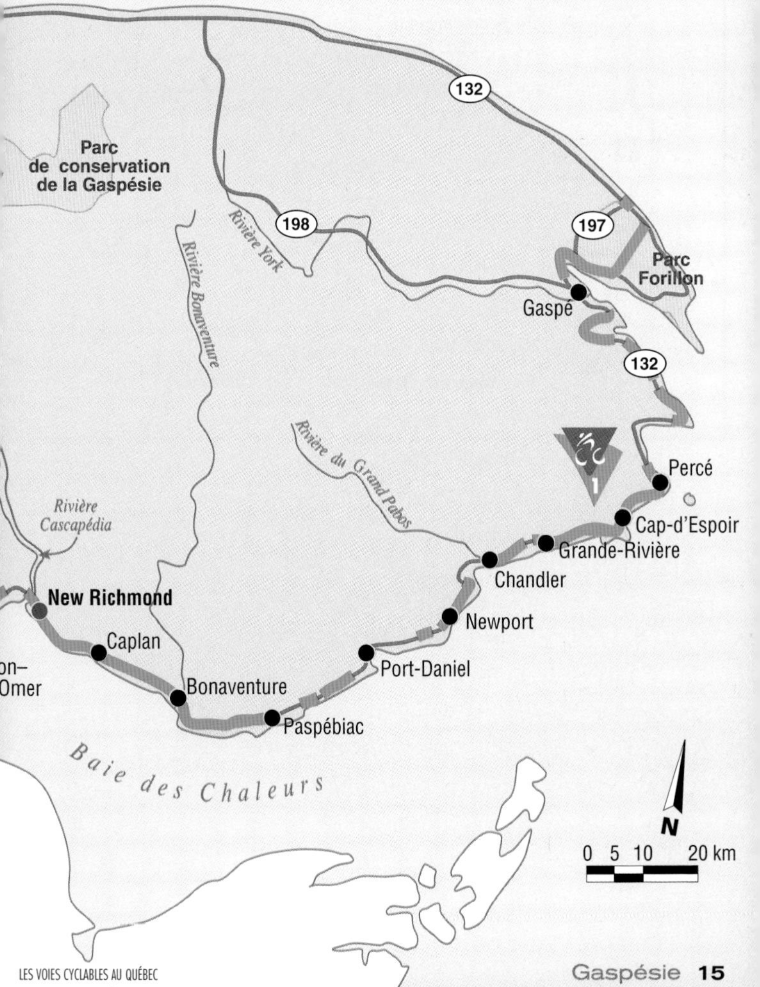
132
Parc
de conservation
de la Gaspésie
198
Rivière York
Rivière Bonaventure
197
Parc
Forillon
Gaspé
132
Rivière du Grand Pabos
1
Percé
Cap-d'Espoir
Grande-Rivière
Chandler
Rivière
Cascapédia
New Richmond
Newport
Caplan
Port-Daniel
on–
Omer
Bonaventure
Paspébiac
Baie des Chaleurs
N
0 5 10 20 km

PARC NATIONAL FORILLON

📞 (418) 368-5505
🚲 Mai à novembre

	KM	PISTE CYCLABLE ■	BANDE CYCLABLE ■	CHAUSSÉE DÉSIGNÉE ▪
1 Le Portage	11,0	11,0		

PARC NATIONAL FORILLON

Vers Sainte-Anne-des-Monts

Golfe du Saint-Laurent

PARC NATIONAL FORILLON

132

1

Vers Gaspé

N

Baie de Gaspé

| 2 | 1 | 0 | 2 | 4 | 6 km |

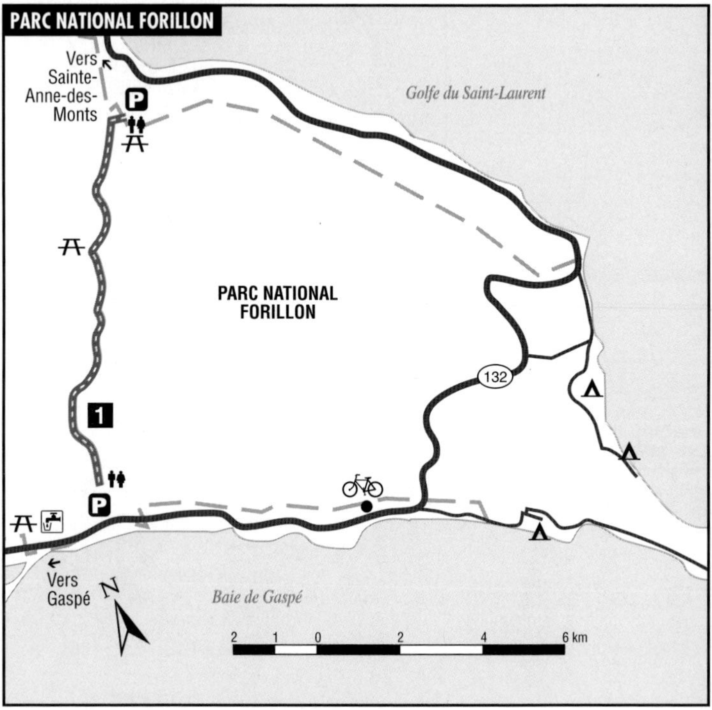

NEW RICHMOND

☎ (418) 392-7000
🚲 Avril à novembre

	KM	PISTE CYCLABLE ■	BANDE CYCLABLE ■	CHAUSSÉE DÉSIGNÉE ▪
1 Boul. Perron	5,3		5,3	
2 Chemin Cyr	1,6		1,6	
3 Desjardins	1,4	1,4		
Total	**8,3**			

Map labels: NEW RICHMOND · ←Vers Carleton · 132 · Riv. Petite Cascapédia · Av. des Ponts · Chemin Campbell · Chemin Cyr · Chemin Saint-Edgar · Route Fair · 132 · Vers Sainte-Anne-des-Monts ← · Boul. Perron O. · Boul. Perron E. · Baie des Chaleurs · 0,5 0,25 0 0,5 1 1,5 km · N

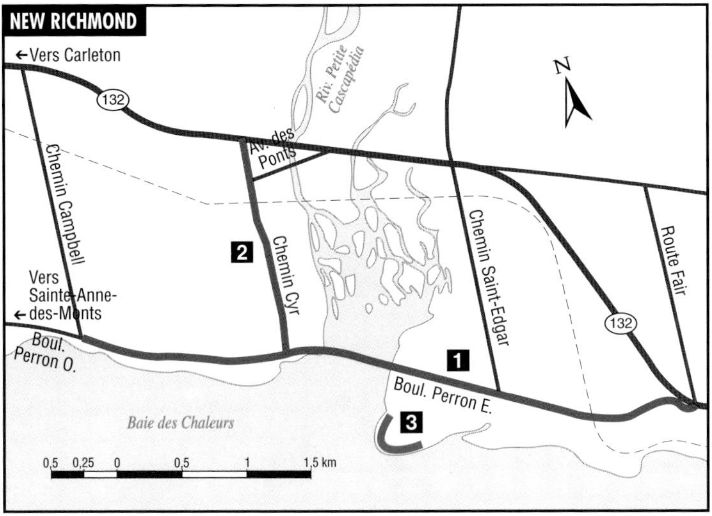

2 Bas-Saint-Laurent

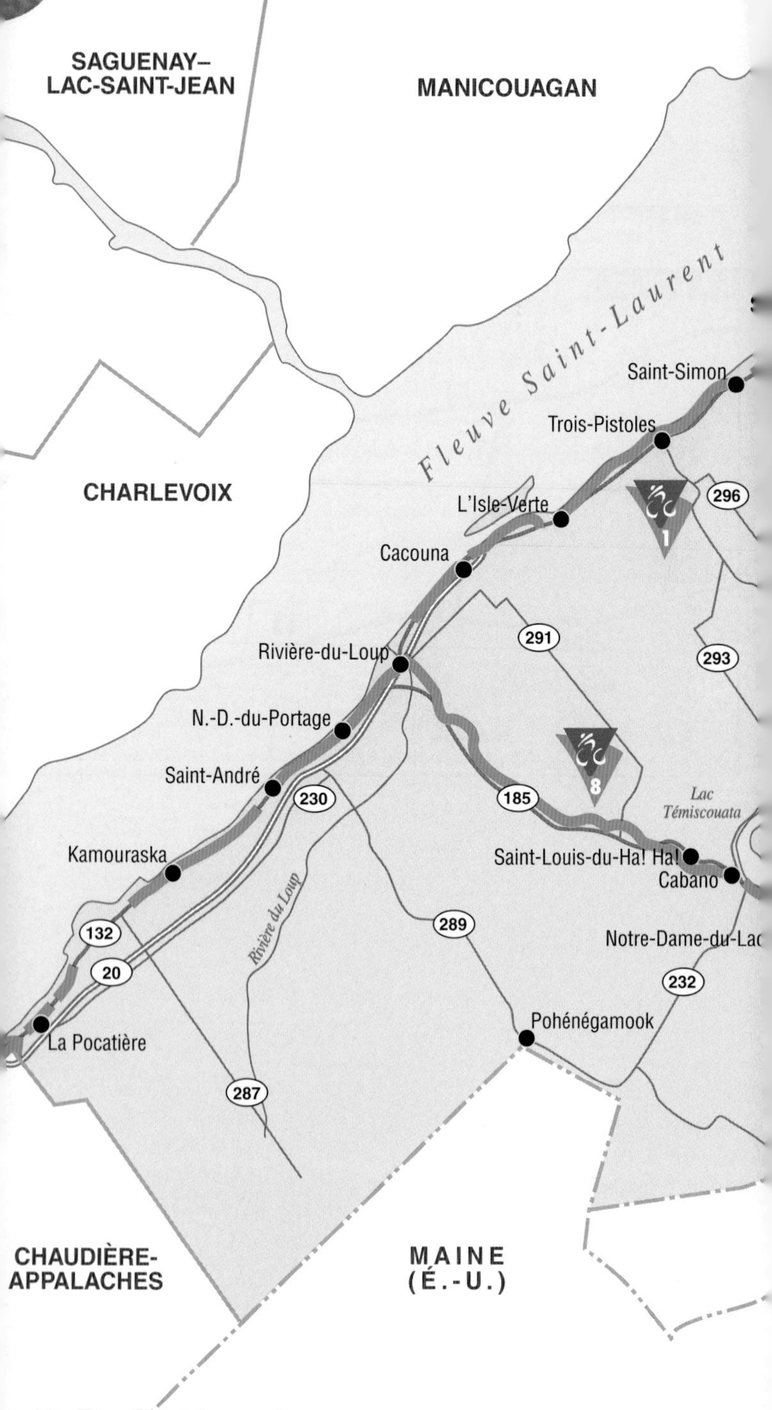
SAGUENAY–
LAC-SAINT-JEAN
MANICOUAGAN
CHARLEVOIX
Fleuve Saint-Laurent
Saint-Simon
Trois-Pistoles
L'Isle-Verte
Cacouna
1
296
Rivière-du-Loup
291
293
N.-D.-du-Portage
8
Saint-André
230
185
Lac
Témiscouata
Kamouraska
Saint-Louis-du-Ha! Ha!
Cabano
132
289
Rivière du Loup
Notre-Dame-du-Lac
20
232
La Pocatière
Pohénégamook
287
CHAUDIÈRE-
APPALACHES
MAINE
(É.-U.)

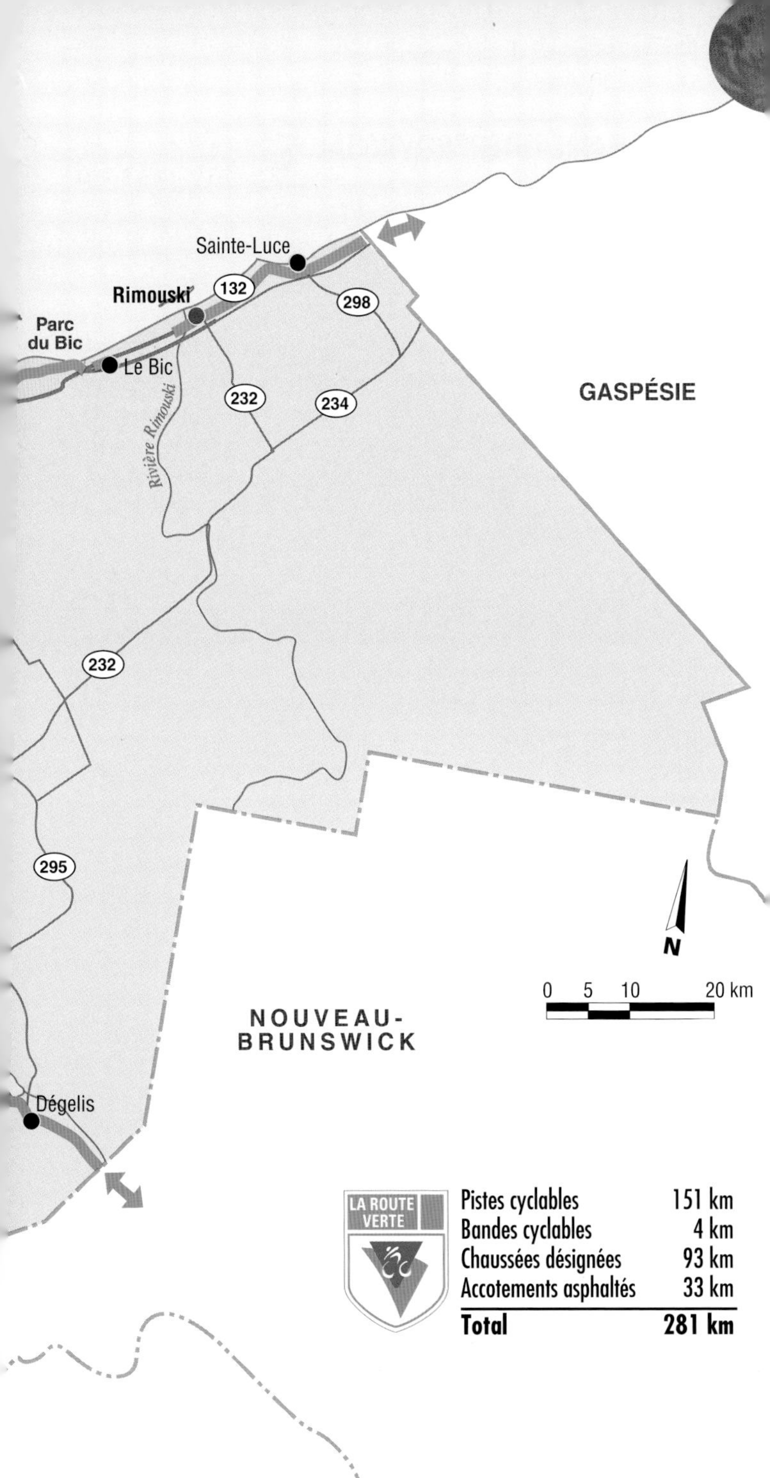

Pistes cyclables	151 km
Bandes cyclables	4 km
Chaussées désignées	93 km
Accotements asphaltés	33 km
Total	**281 km**

PARC LINÉAIRE INTERPROVINCIAL PETIT TÉMIS
VOIE CYCLABLE INTERMUNICIPALE

	KM	PISTE CYCLABLE ■	BANDE CYCLABLE ■	CHAUSSÉE DÉSIGNÉE ■
1 Petit Témis	128,0	128,0		

☎ 1 800 563-5268
(418) 868-1869
(506) 739-1992
(418) 853-3593

🚲 1er juin au 31 octobre

PARC NATIONAL DU BIC

	KM	PISTE CYCLABLE ■	BANDE CYCLABLE ■	CHAUSSÉE DÉSIGNÉE ■
A Le Portage	4,0	4,0		
B La Grève	5,0	5,0		
C La Coulée	5,0	5,0		
D La Pte-aux-Épinettes	0,7	0,7		
Total	**14,7**			

☎ (418) 869-3502
(en saison)
(418) 736-5035
(hors saison)

🚲 Mai jusqu'au début des neiges

Carte page 22

RIMOUSKI

	KM	PISTE CYCLABLE ■	BANDE CYCLABLE ■	CHAUSSÉE DÉSIGNÉE ■
1 Municipal	17,1	4,5	11,8	0,8
2 Route verte 1	20,5	10,6		9,9
3 Isidore-Albert	3,0	2,2	0,5	0,3
Total	**40,6**			

☎ (418) 724-8184

🚲 1er mai au 15 octobre

Carte page 23

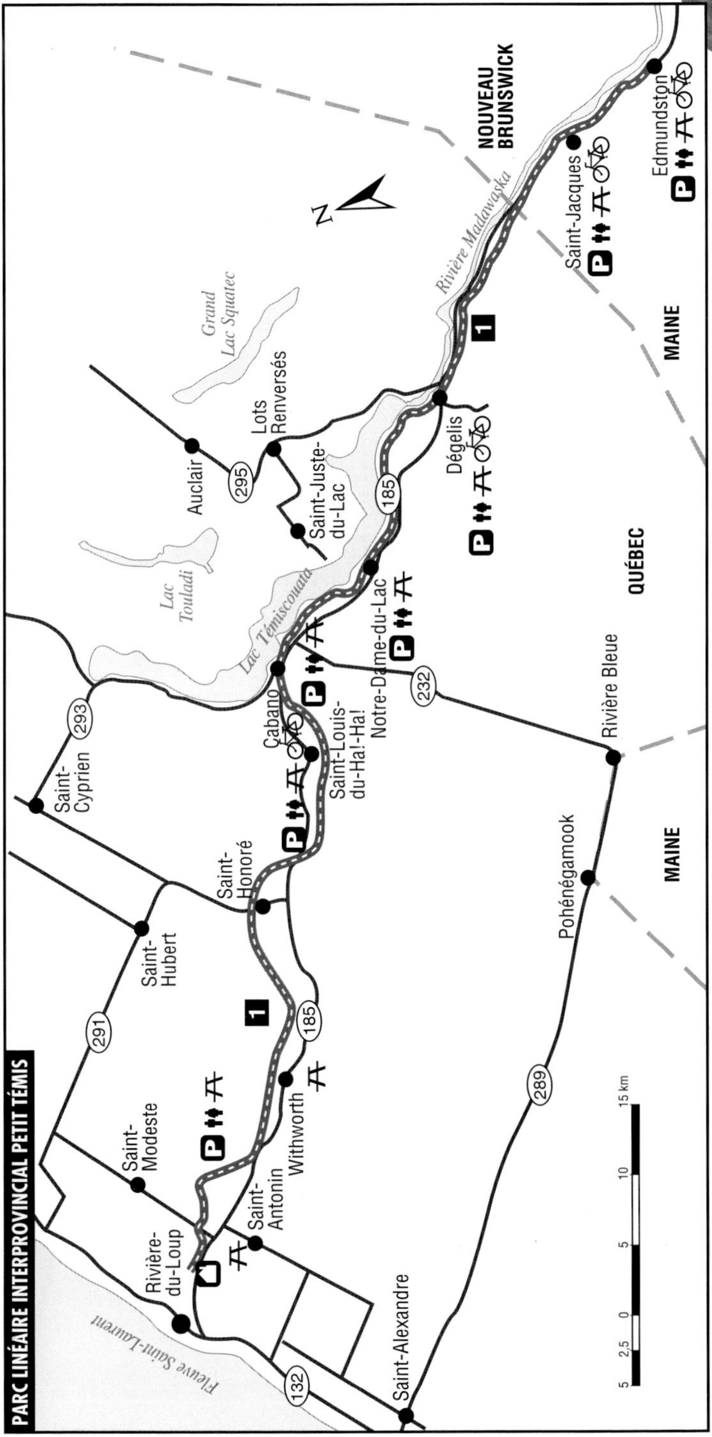
PARC LINÉAIRE INTERPROVINCIAL PETIT TÉMIS
NOUVEAU BRUNSWICK
Edmundston
Saint-Jacques
Rivière Madawaska
MAINE
Grand Lac Squatec
Lots Renversés
Auclair
Saint-Juste-du-Lac
Dégelis
Lac Touladi
Lac Témiscouata
Notre-Dame-du-Lac
QUÉBEC
Cabano
Saint-Louis-du-Ha! Ha!
Rivière Bleue
Saint-Cyprien
Saint-Honoré
Pohénégamook
Saint-Hubert
Saint-Modeste
Withworth
Saint-Antonin
Rivière-du-Loup
Saint-Alexandre
Fleuve Saint-Laurent
1
132
185
232
289
291
293
295
0
2,5
5
10
15 km

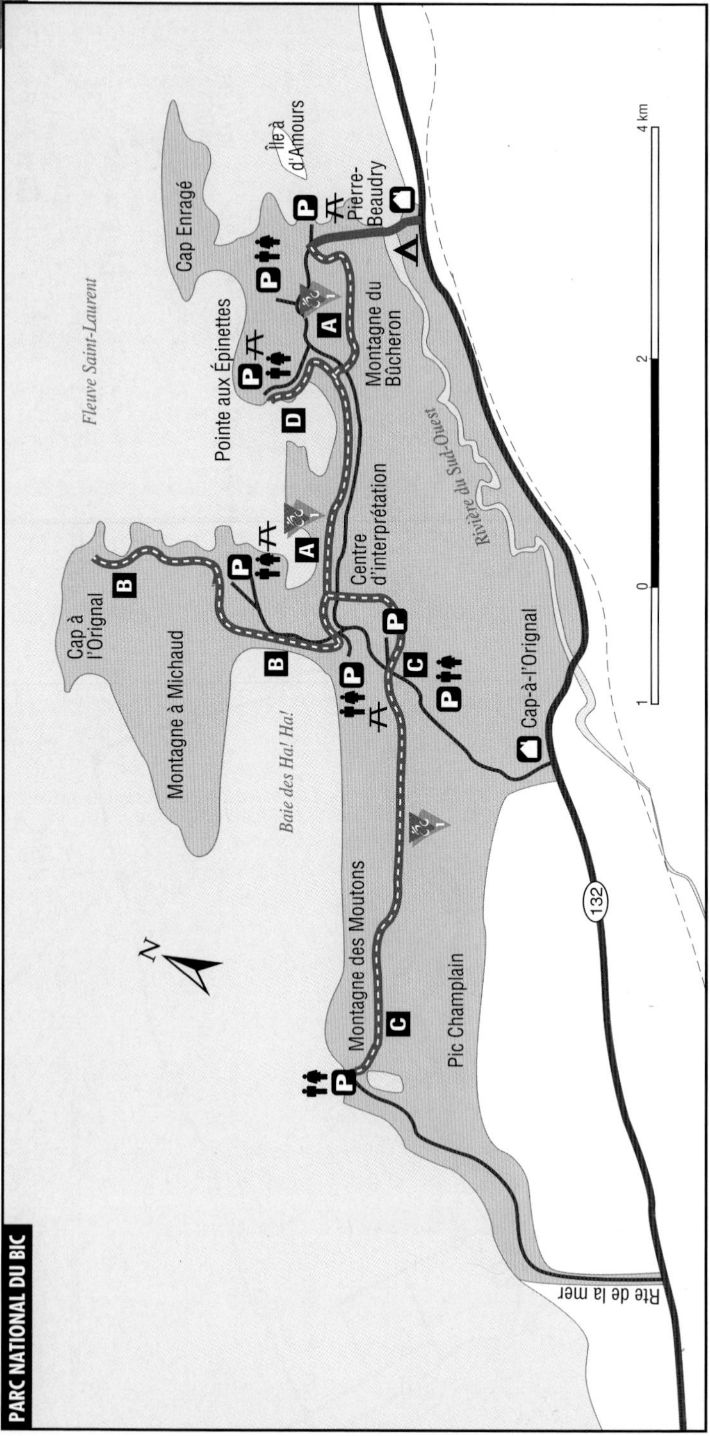
PARC NATIONAL DU BIC
Fleuve Saint-Laurent
Cap Enragé
Île à d'Amours
Pierre-Beaudry
Pointe aux Épinettes
Montagne du Bûcheron
Centre d'interprétation
Rivière du Sud-Ouest
Cap à l'Orignal
Montagne à Michaud
Baie des Ha! Ha!
Cap-à-l'Orignal
Montagne des Moutons
Pic Champlain
132
Rte de la mer
N
A
B
C
D
0
1
2
4 km

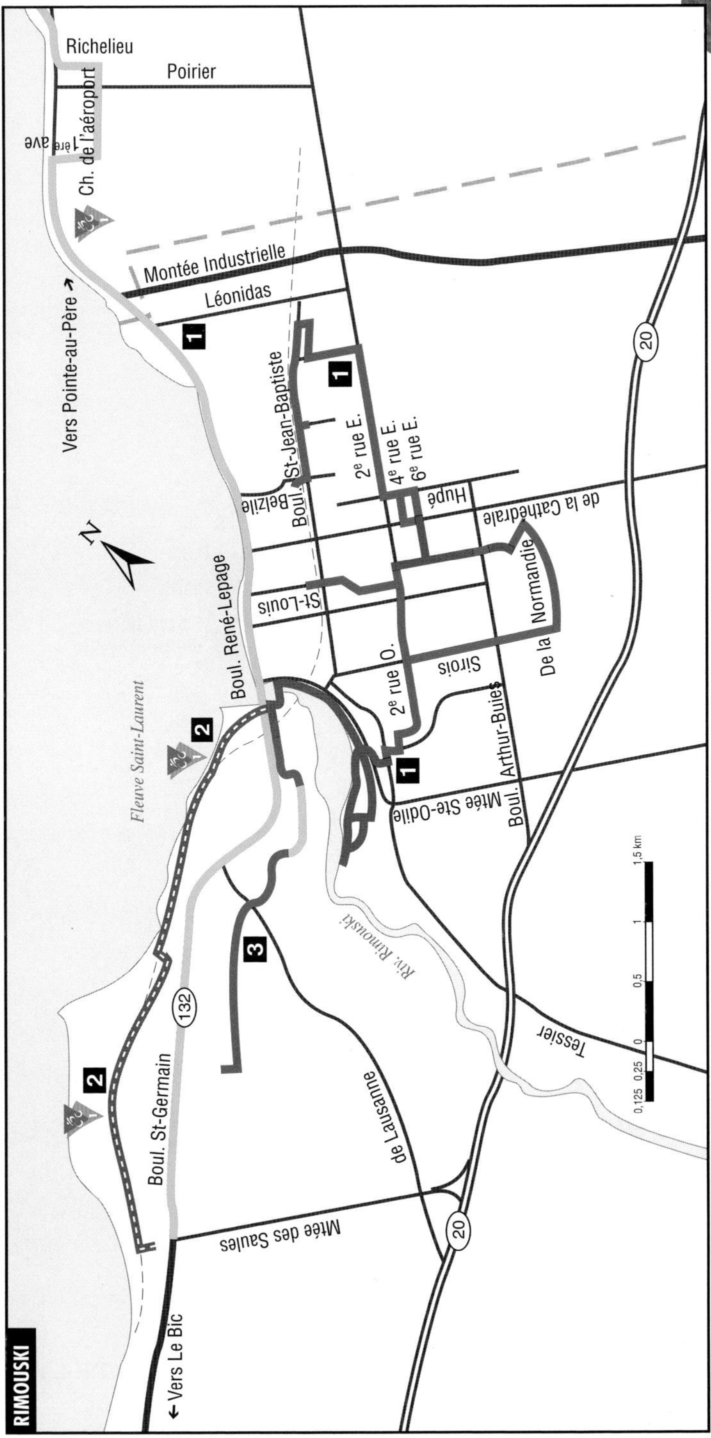
RIMOUSKI
Richelieu
Poirier
Ch. de l'aéroport
1ère ave
Montée Industrielle
Léonidas
Vers Pointe-au-Père
Boul. St-Jean-Baptiste
2e rue E.
4e rue E.
6e rue E.
Belzile
Hupé
de la Cathédrale
N
Boul. René-Lepage
St-Louis
De la Normandie
Sirois
2e rue O.
Fleuve Saint-Laurent
Boul. Arthur-Buies
Mtée Ste-Odile
Riv. Rimouski
Tessier
de Lausanne
Boul. St-Germain
Mtée des Saules
Vers Le Bic
20
132
1
2
3
0,125 0,25 0 0,5 1 1,5 km

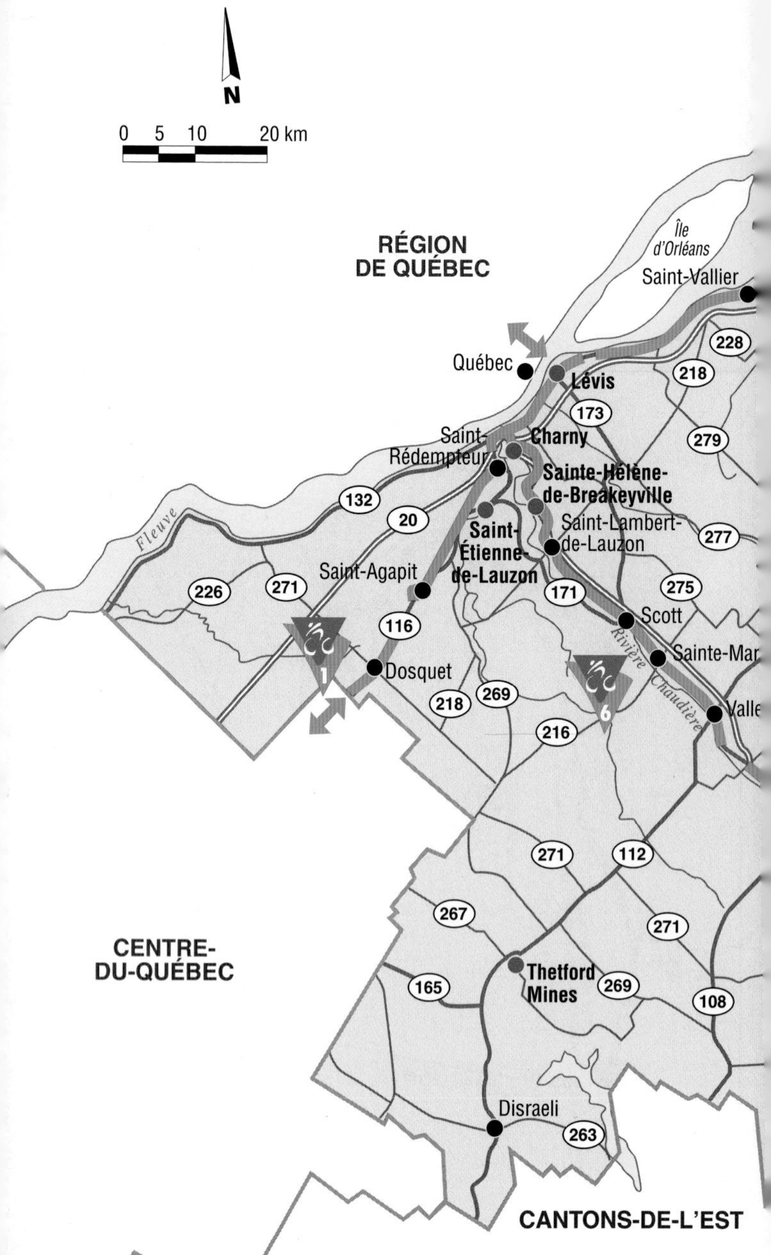
N
0 5 10 20 km
RÉGION
DE QUÉBEC
Île
d'Orléans
Saint-Vallier
Québec
Lévis
Charny
Saint-
Rédempteur
Sainte-Hélène-
de-Breakeyville
Saint-
Étienne-
de-Lauzon
Saint-Lambert-
de-Lauzon
Saint-Agapit
Scott
Dosquet
Fleuve
Rivière Chaudière
Thetford
Mines
Disraeli
CENTRE-
DU-QUÉBEC
CANTONS-DE-L'EST
228
218
173
279
132
20
277
226
271
275
171
116
269
218
216
271
112
267
271
165
269
108
263
1
6

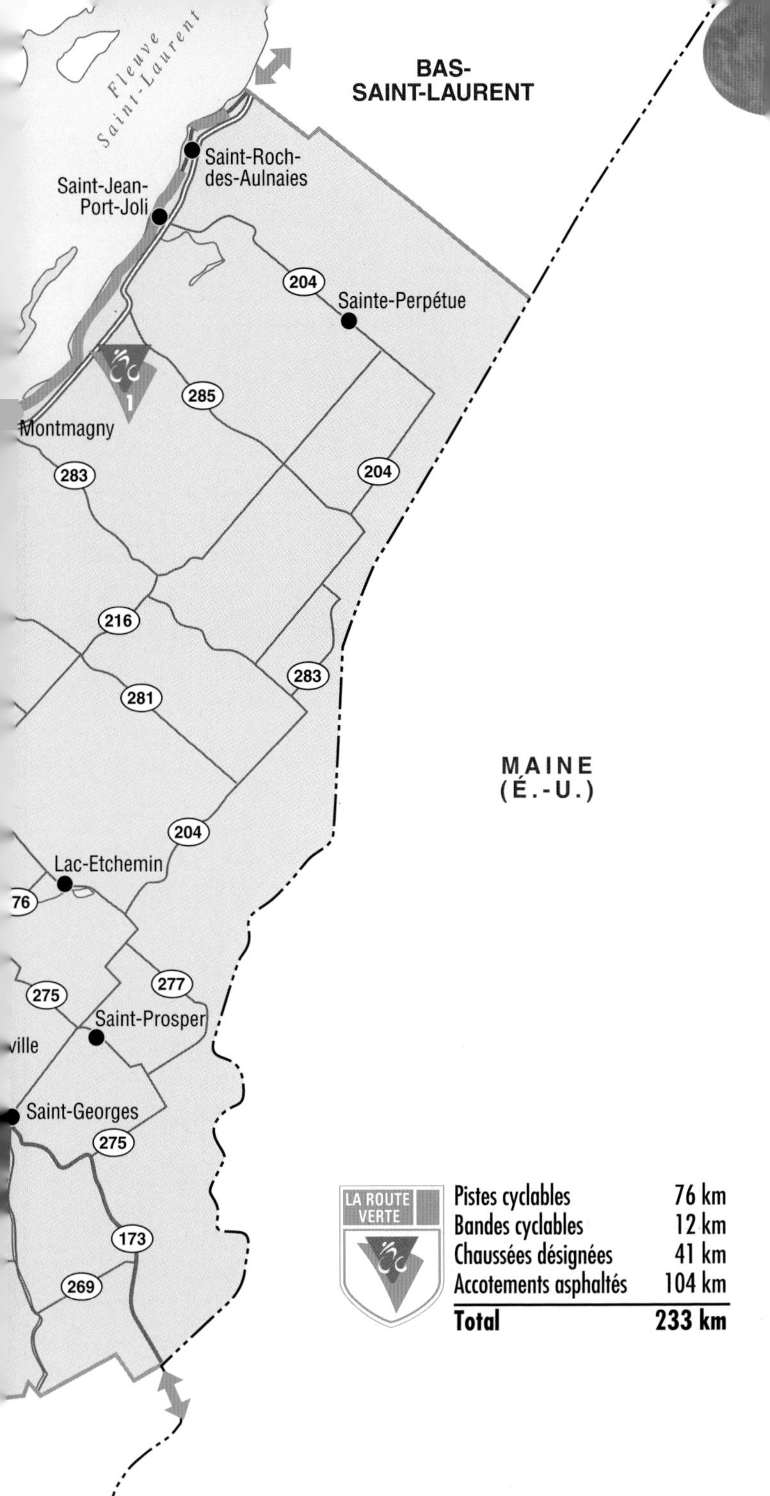

LA ROUTE VERTE

Pistes cyclables	76 km
Bandes cyclables	12 km
Chaussées désignées	41 km
Accotements asphaltés	104 km
Total	**233 km**

LÉVIS

☎ (418) 838-6026
🚲 Avril à octobre

	KM	PISTE CYCLABLE ■	BANDE CYCLABLE ■	CHAUSSÉE DÉSIGNÉE ■
1 Thomas-Chapais	3,5		3,5	
2 St-Georges	3,2			3,2
3 Pie X	1,0		1,0	
4 Vincent-Chagnon	1,1		1,1	
5 St-Omer	1,0		1,0	
6 Champagnat	1,4		1,4	
7 Parcours des Anses	14,0	14,0		
8 Route 132	0,8		0,8	
Total	**26,0**			

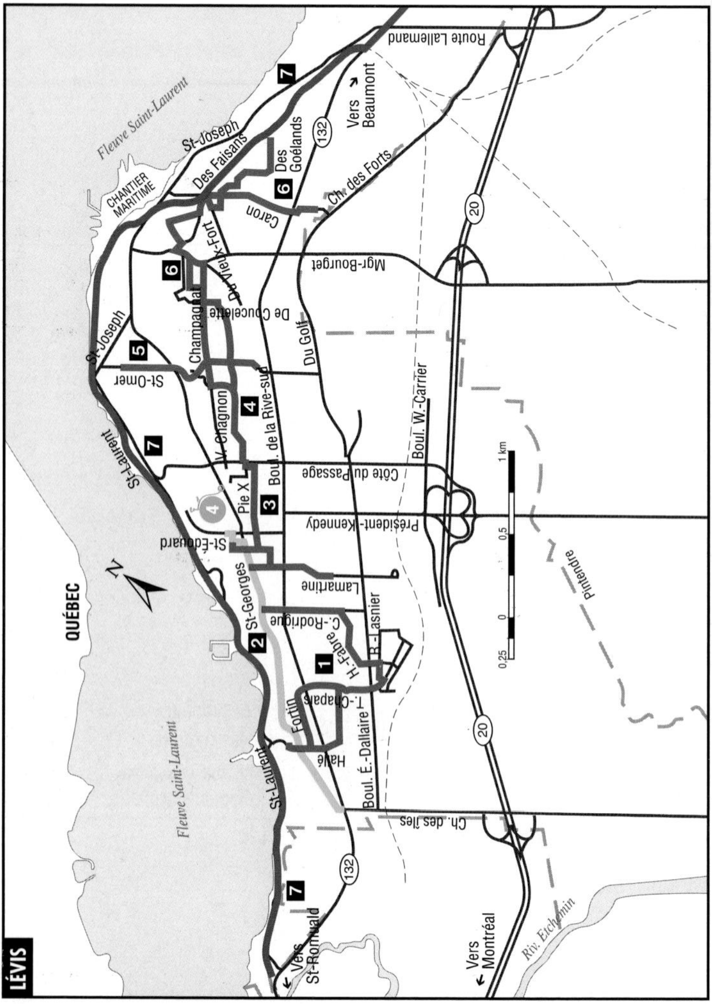

LÉVIS (Charny–St-Jean-Chrysostome)

	KM	PISTE CYCLABLE	BANDE CYCLABLE	CHAUSSÉE DÉSIGNÉE
1 Tronçon des Chutes	2,6	2,1	0,3	0,2
2 St-Romuald	0,3		0,3	
3 Parc Maréchal-Joffre	2,3	2,3		
4 St-Jean	1,6	1,6		
5 Breakeville	2,7	0,3	1,0	1,4
6 Vers la 116	1,6	1,1		0,5
Total	**11,1**			

(418) 838-6026
Avril à octobre

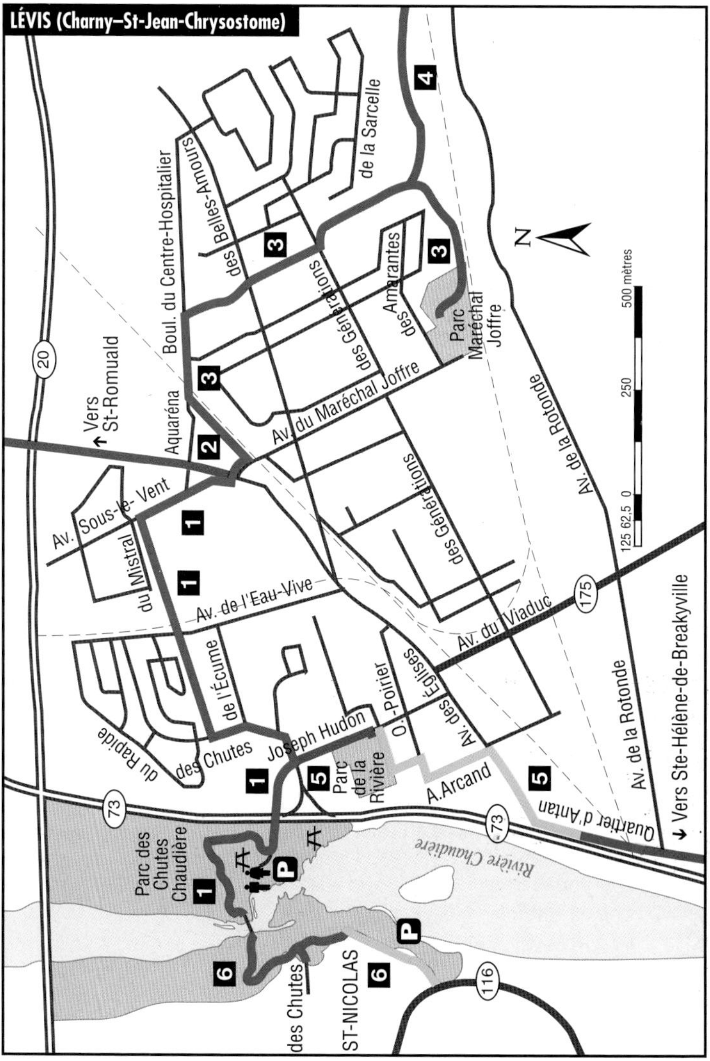

LÉVIS (MRC des Chutes de la Chaudière)
VOIE CYCLABLE INTERMUNICIPALE

📞 (418) 838-6026
🚲 Avril à octobre

		KM	PISTE CYCLABLE ■	BANDE CYCLABLE ■	CHAUSSÉE DÉSIGNÉE ▨
1	Réseau cyclable	87,4	20,2	60,1	7,1

PAGE 26 ❹

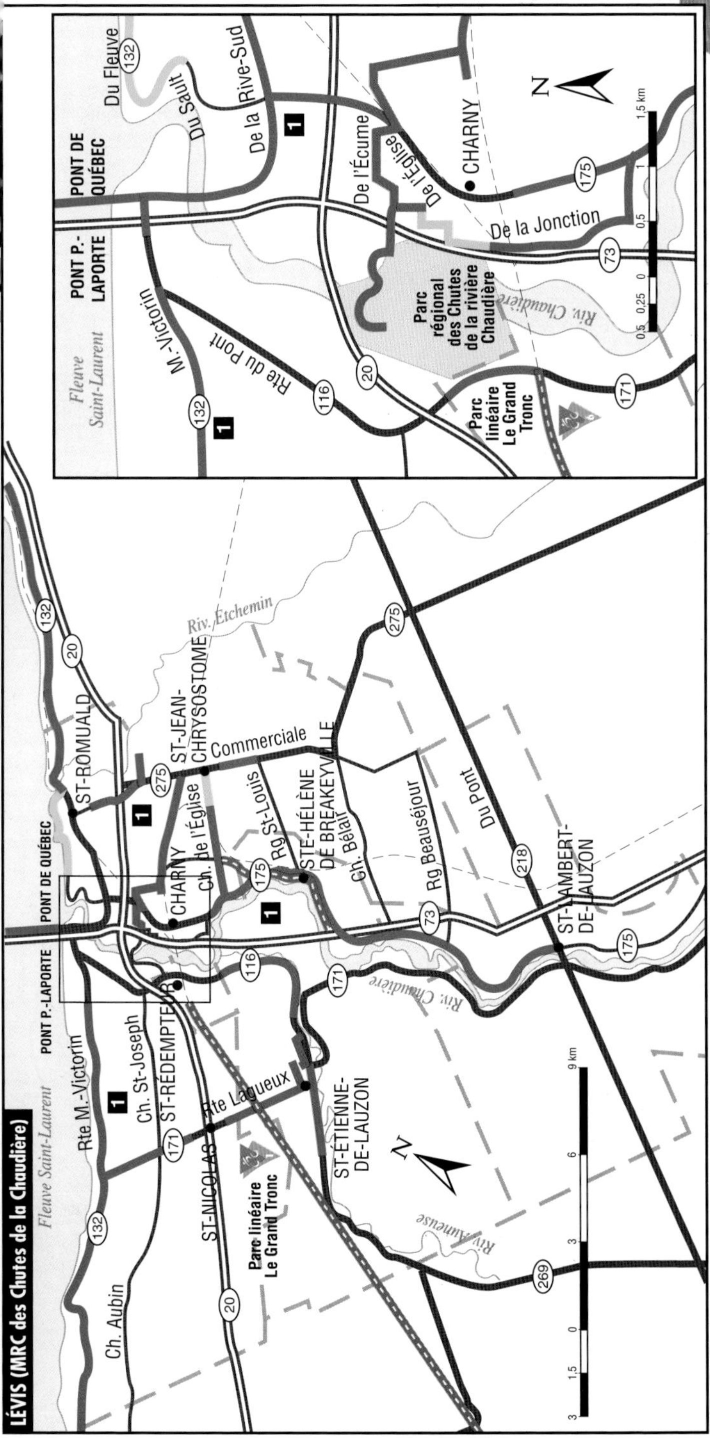
LÉVIS (MRC des Chutes de la Chaudière)
Fleuve Saint-Laurent
PONT P.-LAPORTE
PONT DE QUÉBEC
Rte M.-Victorin
Ch. St-Joseph
ST-RÉDEMPTEUR
Rte Lagueux
ST-NICOLAS
Parc linéaire Le Grand Tronc
ST-ÉTIENNE-DE-LAUZON
Riv. Aulneuse
Ch. Aubin
ST-ROMUALD
ST-JEAN-CHRYSOSTOME
Riv. Etchemin
Commerciale
Ch. de l'Église
CHARNY
Rg St-Louis
STE-HÉLÈNE DE BREAKEYVILLE
Ch. Bélair
Rg Beauséjour
Du Pont
ST-LAMBERT-DE-LAUZON
Riv. Chaudière
N
0
1,5
3
6
9 km
Du Fleuve
Du Sault
De la Rive-Sud
De l'Écume
De l'Église
De la Jonction
M.-Victorin
Rte du Pont
Parc régional des Chutes de la rivière Chaudière
Parc linéaire Le Grand Tronc
0,25
0,5
1,5 km

LÉVIS (Saint-Étienne-de-Lauzon)

	KM	PISTE CYCLABLE	BANDE CYCLABLE	CHAUSSÉE DÉSIGNÉE
1 Des rosiers	0,9		0,9	
2 Route Lagueux	2,4	2,4		
3 Albert-Rousseau	0,5	0,1	0,4	
4 Bellefeuilles	0,3		0,3	
5 Route verte 1	10,0	10,0		
Total	**14,1**			

(418) 838-6026
Avril à octobre

LÉVIS (Sainte-Hélène-de-Breakeyville)

	KM	PISTE CYCLABLE	BANDE CYCLABLE	CHAUSSÉE DÉSIGNÉE
1 Rivière Chaudière	6,3	6,3		
2 Avenue St-Augustin	8,1		8,1	
3 De la Halte	1,0		1,0	
Total	**15,4**			

(418) 838-6026
Avril à octobre

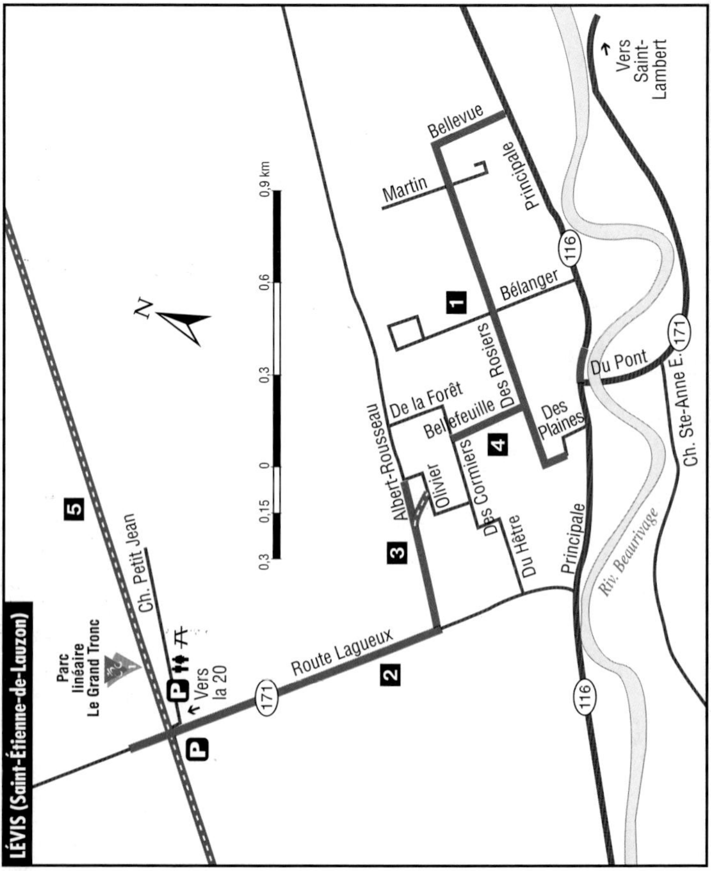

LÉVIS (Sainte-Hélène-de-Breakeyville)

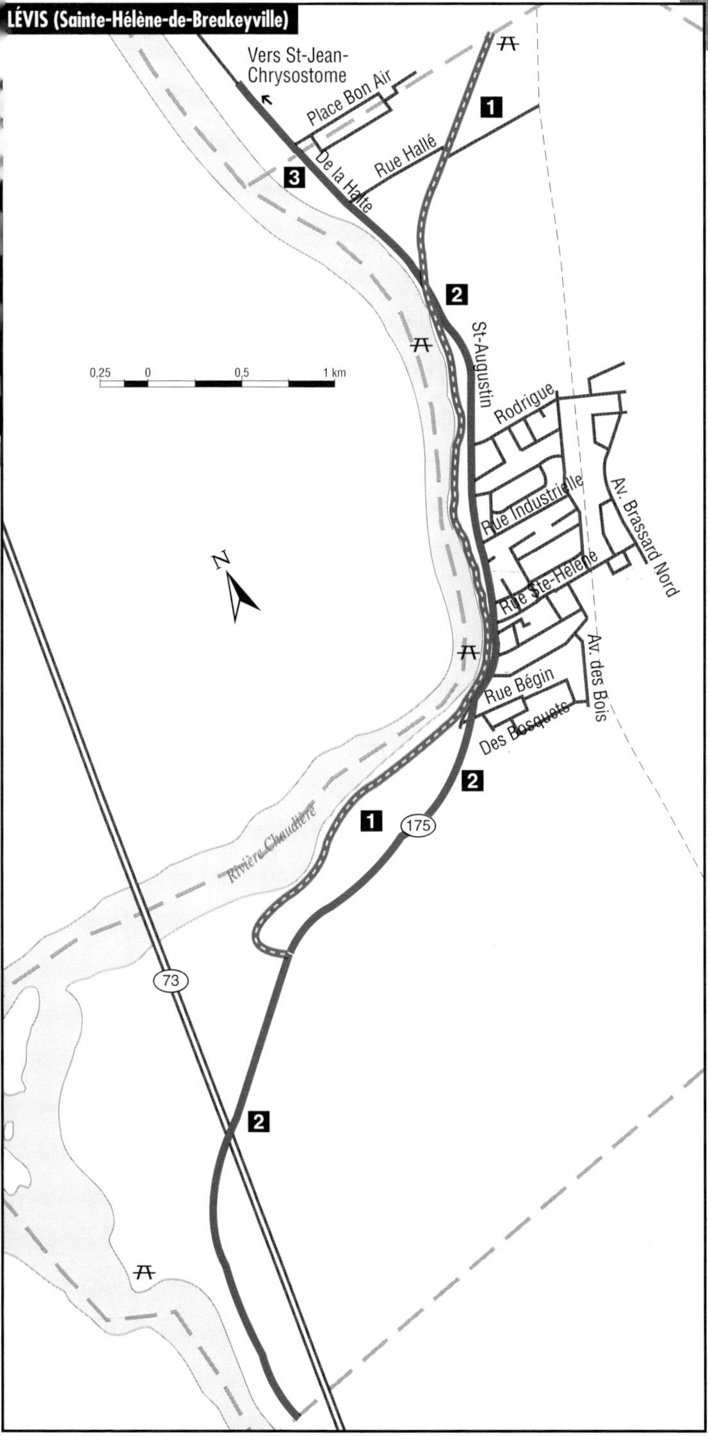

THETFORD MINES

☎ (418) 335-2981
🚲 Avril à novembre

		KM	PISTE CYCLABLE ■	BANDE CYCLABLE ■	CHAUSSÉE DÉSIGNÉE ▨
1	Thetford-Mines	10,6	10,3	0,3	
2	Thetford-Mines-Sud	1,7	1,7		
	Total	**12,3**			

THETFORD MINES (Black Lake)

☎ (418) 335-2981
🚲 Avril à novembre

		KM	PISTE CYCLABLE ■	BANDE CYCLABLE ■	CHAUSSÉE DÉSIGNÉE ▨
1	Pic Mineur	3,5	3,5		

SUITE PAGE 33

THETFORD MINES (Black Lake)

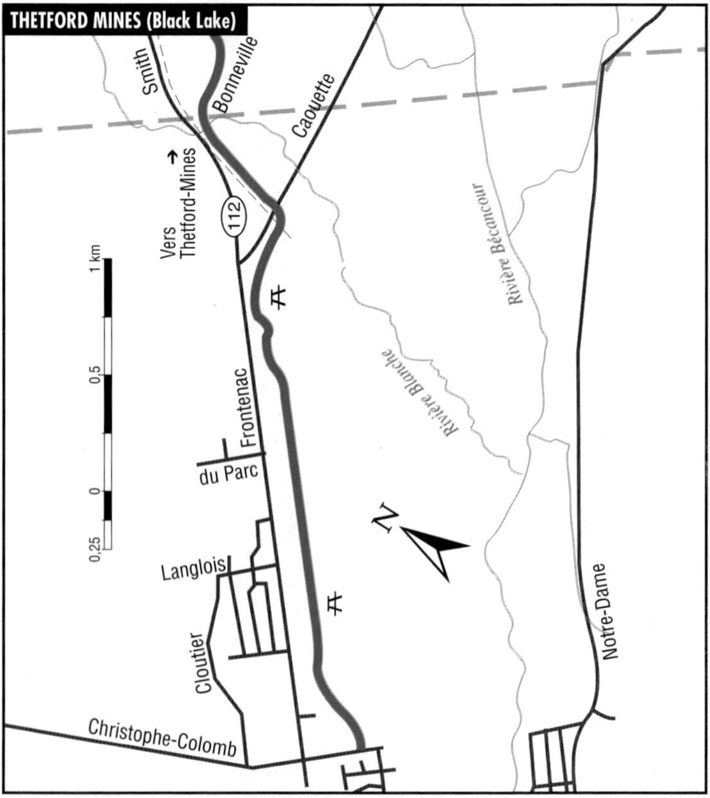

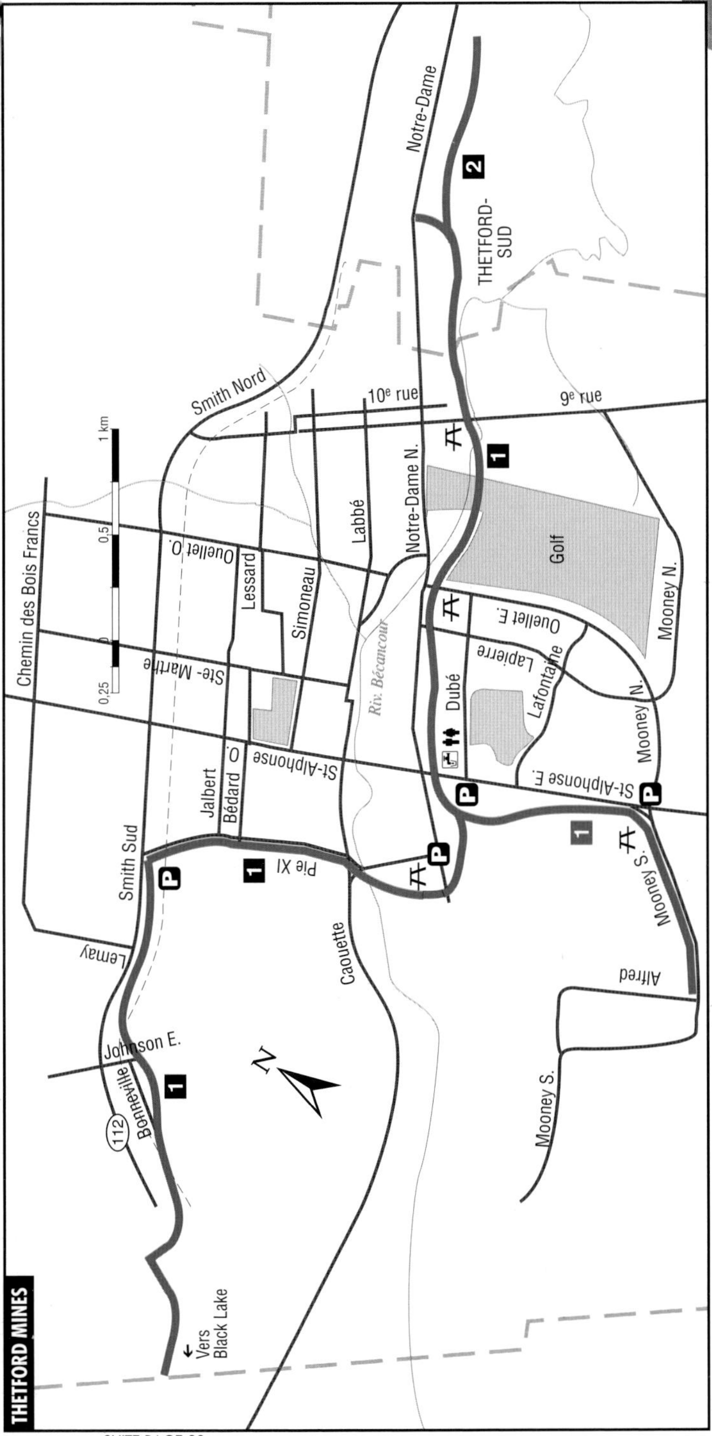

SUITE PAGE 32

4 Cantons-de-l'Est

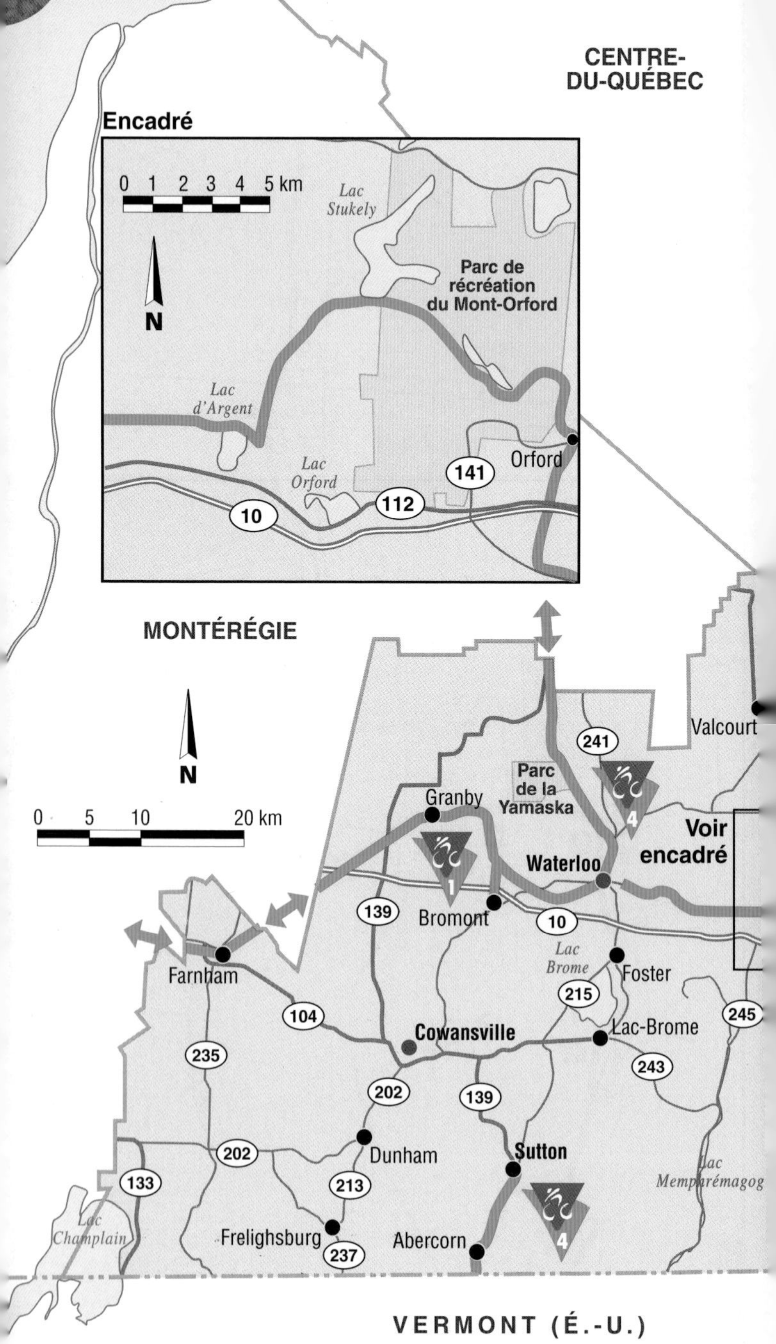
CENTRE-DU-QUÉBEC
Encadré
0 1 2 3 4 5 km
N
Lac Stukely
Parc de récréation du Mont-Orford
Lac d'Argent
Lac Orford
141
Orford
112
10
MONTÉRÉGIE
N
0 5 10 20 km
241
Valcourt
Parc de la Yamaska
Granby
4
Voir encadré
1
Waterloo
139
Bromont
10
Lac Brome
Foster
Farnham
215
104
245
Cowansville
Lac-Brome
235
243
202
139
Sutton
Dunham
202
133
213
Lac Memphrémagog
4
Lac Champlain
Frelighsburg
Abercorn
237
VERMONT (É.-U.)

Pistes cyclables	184 km
Bandes cyclables	11 km
Chaussées désignées	47 km
Accotements asphaltés	25 km
Total	**267 km**

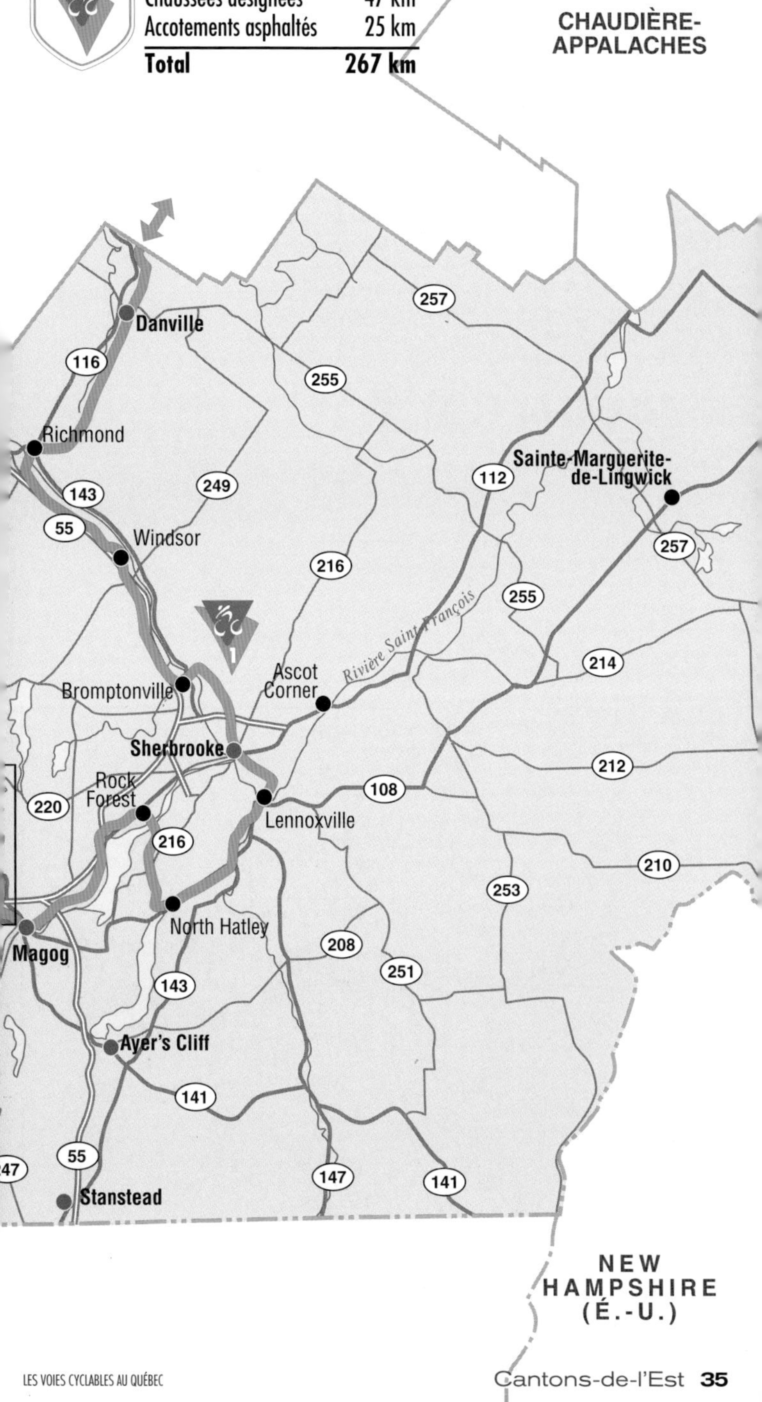

LA CAMPAGNARDE

VOIE CYCLABLE INTERMUNICIPALE

	KM	PISTE CYCLABLE	BANDE CYCLABLE	CHAUSSÉE DÉSIGNÉE
1 La Campagnarde	79,0	79,0		

(819) 477-5529
info@tourisme-drummond.com
15 avril au 15 novembre

LA MONTAGNARDE

VOIE CYCLABLE INTERMUNICIPALE

	KM	PISTE CYCLABLE	BANDE CYCLABLE	CHAUSSÉE DÉSIGNÉE
1 Stukely/Stukely Sud	20,2	8,0		12,2
2 Eastman	0,9	0,9		
3 Magog	19,1	16,1		3,0
4 Canton Orford/Parc Orford	13,0	10,0	3,0	
Total	**53,2**			

(819) 843-2744
Mai à novembre

Carte page 38

LES GRANDES FOURCHES

VOIE CYCLABLE INTERMUNICIPALE

	KM	PISTE CYCLABLE	BANDE CYCLABLE	CHAUSSÉE DÉSIGNÉE
1 Axe St-François	24	24		
2 Axe de la Clef	26	26		
3 Axe Magog	30	30		
4 Axe Dorman	14	14		
5 Axe Massawippi	14	14		
6 Axe Sommet	16	16		
Total	**124**			

(819) 821-1919
1 (800) 561-8331
1er mai au 1er novembre

SUITE PAGE 39

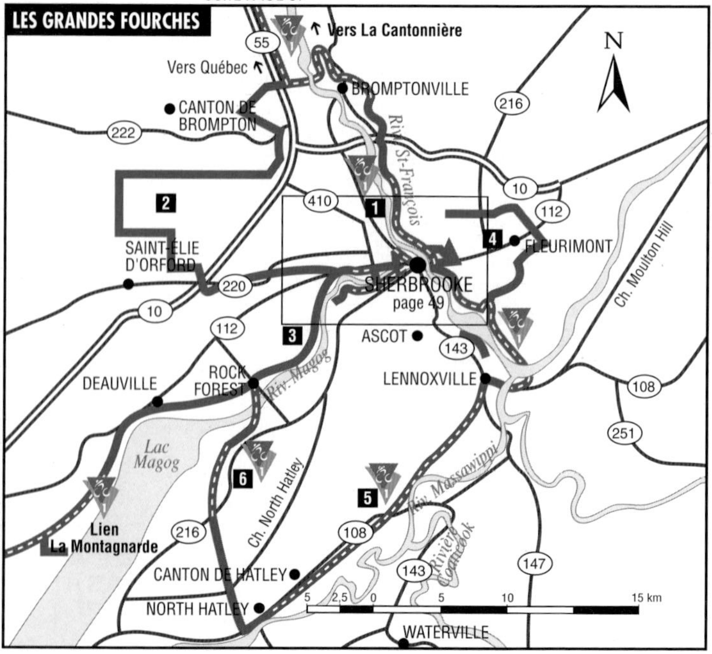

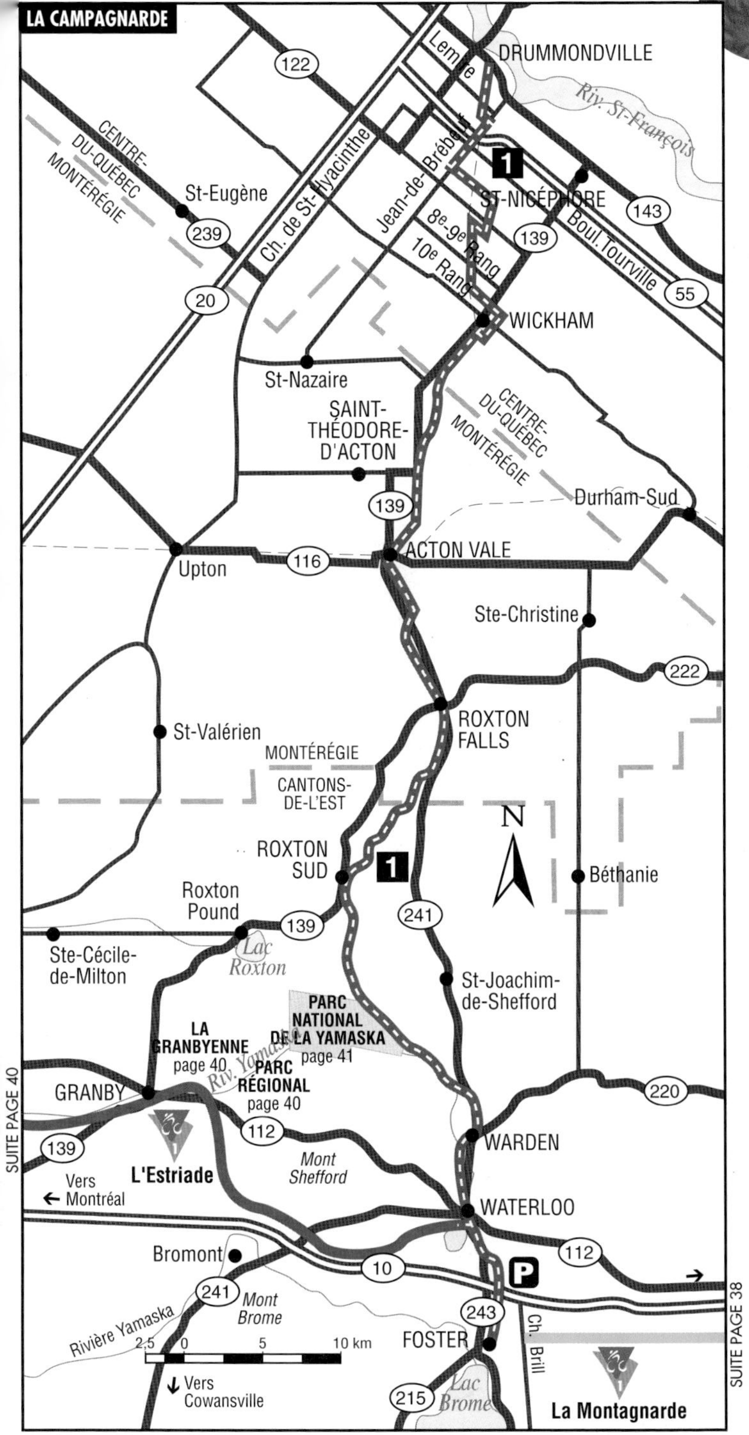
LA CAMPAGNARDE
DRUMMONDVILLE
Lemire
Riv. St-François
122
Ch. de St-Hyacinthe
Jean-de-Brébeuf
1
ST-NICÉPHORE
143
Boul. Tourville
139
8e-9e Rang
10e Rang
55
CENTRE-DU-QUÉBEC
MONTÉRÉGIE
St-Eugène
239
20
WICKHAM
St-Nazaire
SAINT-THÉODORE-D'ACTON
CENTRE-DU-QUÉBEC
MONTÉRÉGIE
139
Durham-Sud
ACTON VALE
Upton
116
Ste-Christine
222
ROXTON FALLS
St-Valérien
MONTÉRÉGIE
CANTONS-DE-L'EST
N
ROXTON SUD
1
Béthanie
Roxton Pound
139
241
Ste-Cécile-de-Milton
Lac Roxton
St-Joachim-de-Shefford
PARC NATIONAL DE LA YAMASKA
page 41
LA GRANBYENNE
page 40
Riv. Yamaska
PARC RÉGIONAL
page 40
GRANBY
220
112
WARDEN
139
Vers Montréal
L'Estriade
Mont Shefford
WATERLOO
Bromont
10
112
P
241
Mont Brome
243
Rivière Yamaska
2,5 0 5 10 km
FOSTER
Ch. Brill
Vers Cowansville
215
Lac Brome
La Montagnarde
SUITE PAGE 40
SUITE PAGE 38

SUITE PAGE 36

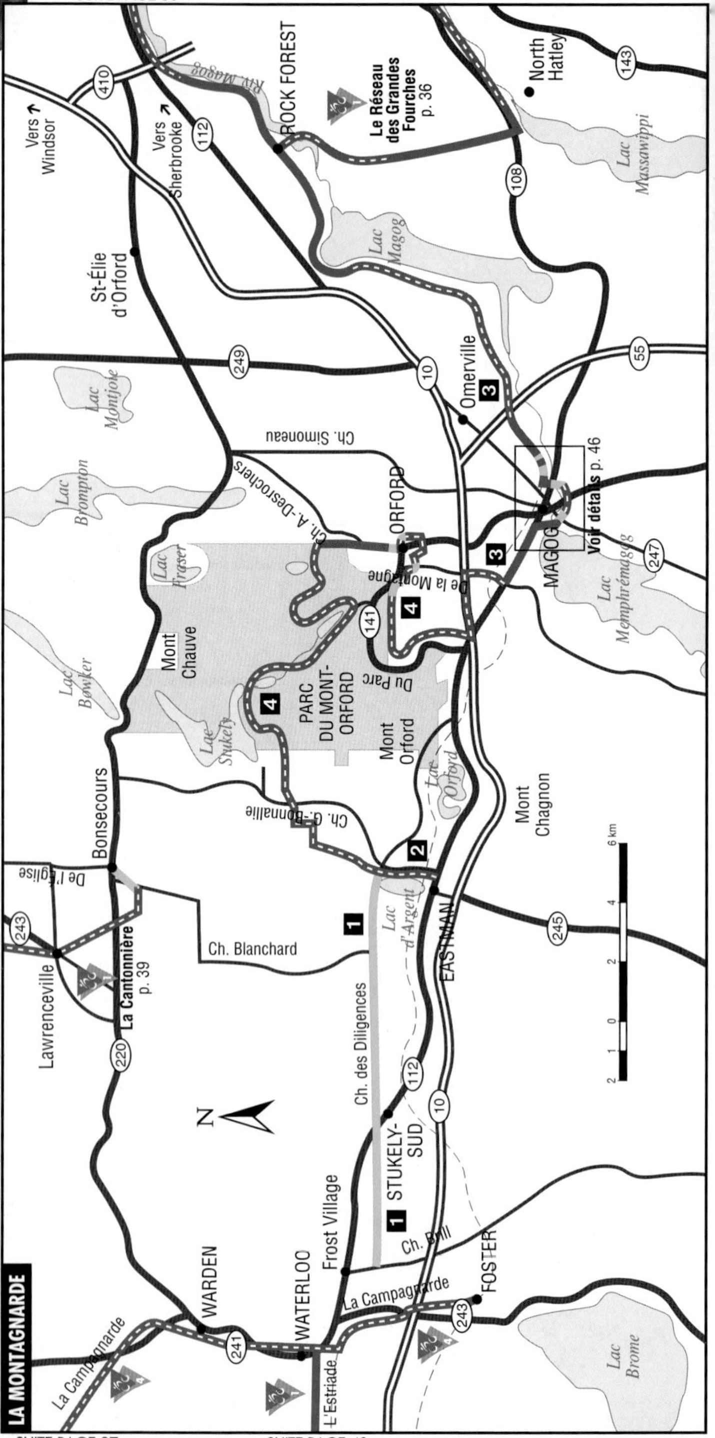
LA MONTAGNARDE
ROCK FOREST
Riv. Magog
Le Réseau des Grandes Fourches p. 36
North Hatley
Lac Massawippi
Vers Windsor
Vers Sherbrooke
St-Élie d'Orford
Lac Magog
Lac Montjoie
Omerville
Ch. Simoneau
Lac Brompton
Ch. A.-Desrochers
ORFORD
Voir détails p. 46
MAGOG
Lac Memphrémagog
Lac Fraser
De la Montagne
Mont Chauve
Lac Bowker
Du Parc
PARC DU MONT-ORFORD
Lac Stukely
Mont Orford
Lac Orford
Mont Chagnon
Bonsecours
Ch. G.-Bonnallie
De l'Église
Ch. Blanchard
Lac d'Argent
EASTMAN
Lawrenceville
La Cantonnière p. 39
Ch. des Diligences
STUKELY-SUD
Frost Village
Ch. Brill
FOSTER
WARDEN
WATERLOO
La Campagnarde
L'Estriade
Lac Brome
6 km

SUITE PAGE 39
SUITE PAGE 37
SUITE PAGE 40

LA CANTONNIÈRE

VOIE CYCLABLE INTERMUNICIPALE

	KM	PISTE CYCLABLE	BANDE CYCLABLE	CHAUSSÉE DÉSIGNÉE
1 De la Vallée	12,0	12,0		
2 De la Rive	23,8	9,0	7,9	6,9
3 De l'Ardoise	43,0	25,1	1,2	16,7
Total	**78,8**			

(819) 845-7871

15 mai au 15 octobre

SUITE PAGE 42

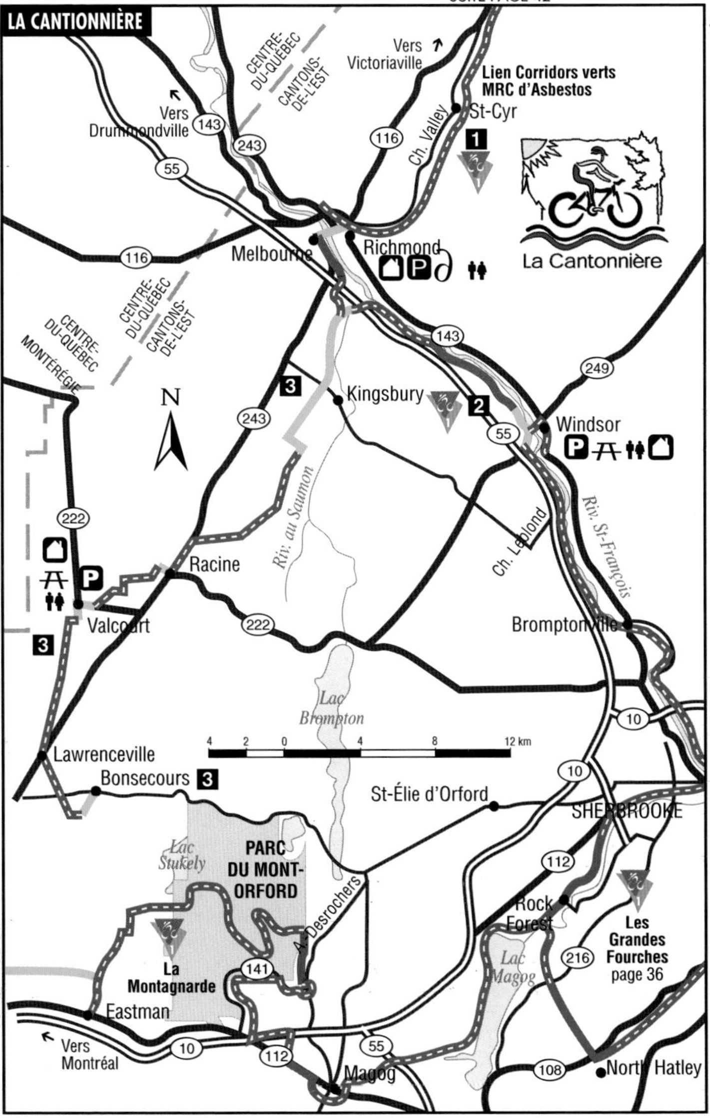

SUITE PAGE 38

L'ESTRIADE

VOIE CYCLABLE INTERMUNICIPALE

		KM	PISTE CYCLABLE	BANDE CYCLABLE	CHAUSSÉE DÉSIGNÉE
1	L'Estriade	21,1	21,1		
2	Parc régional	3,6	3,6		
3	La Granbyenne	9,6	9,6		
4	La Villageoise	2,5	2,5		
	Total	**36,8**			

1 800 567-7273

Mai à octobre

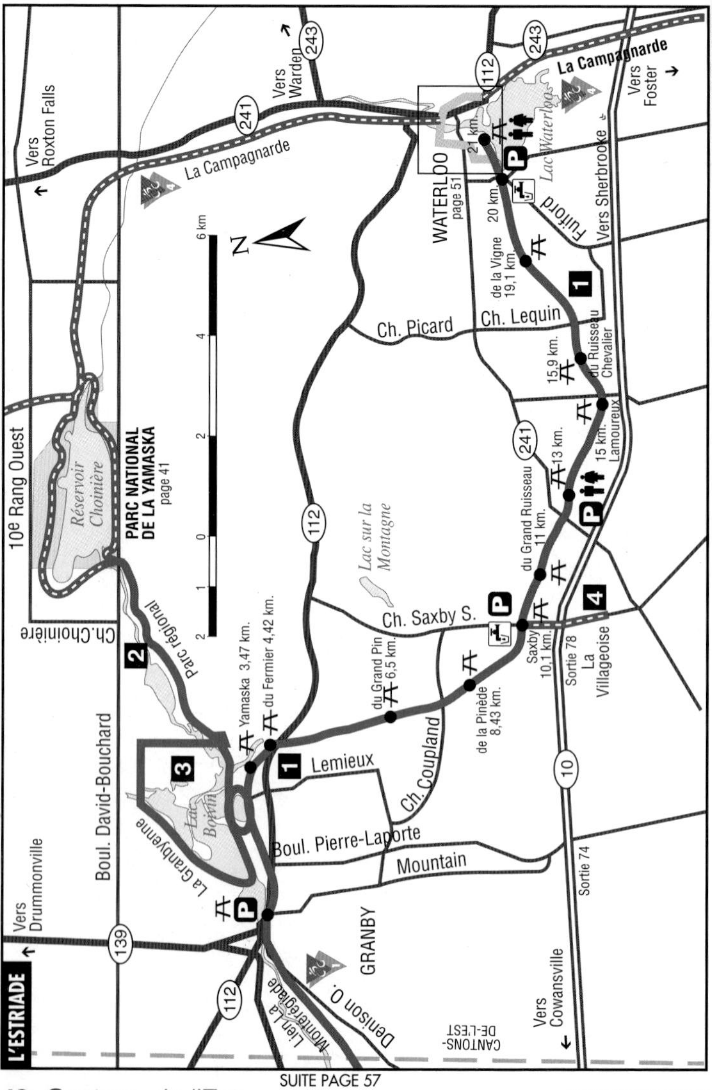

PARC NATIONAL DE LA YAMASKA

	KM	PISTE CYCLABLE ■	BANDE CYCLABLE ■	CHAUSSÉE DÉSIGNÉE ■
1 Parc de la Yamaska	18,8	18,8		

☎ (450) 776-7182

🚲 Avril à novembre

SUITE PAGE 37

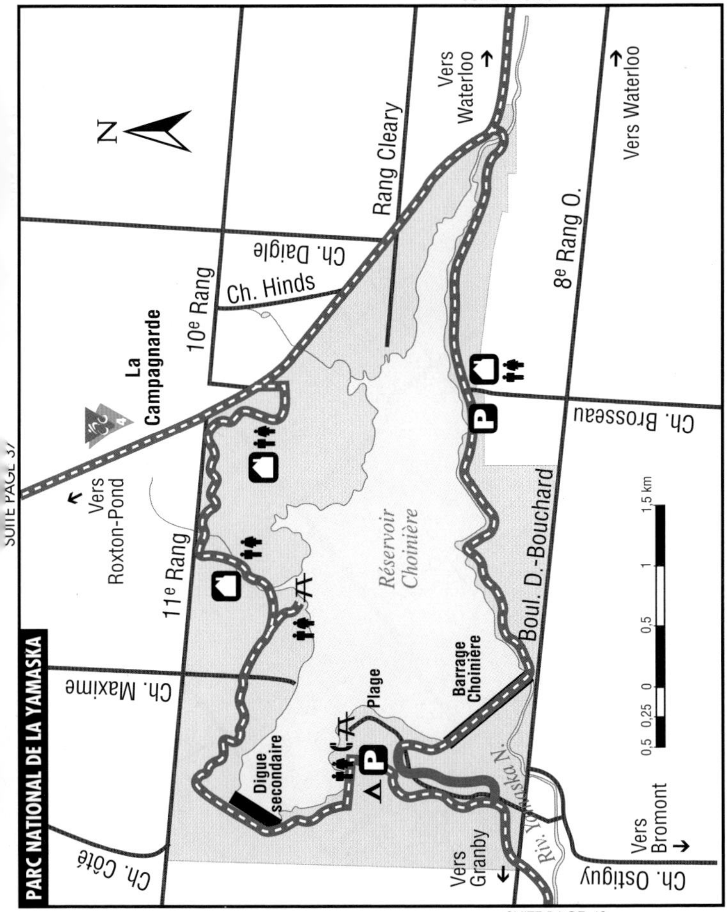

SUITE PAGE 40

MRC D'ASBESTOS

		KM	PISTE CYCLABLE ■	BANDE CYCLABLE ■	CHAUSSÉE DÉSIGNÉE ■
1	MRC d'Asbestos	58,2			58,2
2	Danville	3,1			3,1
3	Secteur Barnabé	6,2	4,2		2,0
4	Asbestos	2,1	0,2		1,9
	Total	**69,6**			

☎ (819) 879-6643

🚲 1er mai au 1er novembre

SUITE PAGE 199

Agrand. Sherb. p. page 43

SUITE PAGE 39

MRC D'ASBESTOS

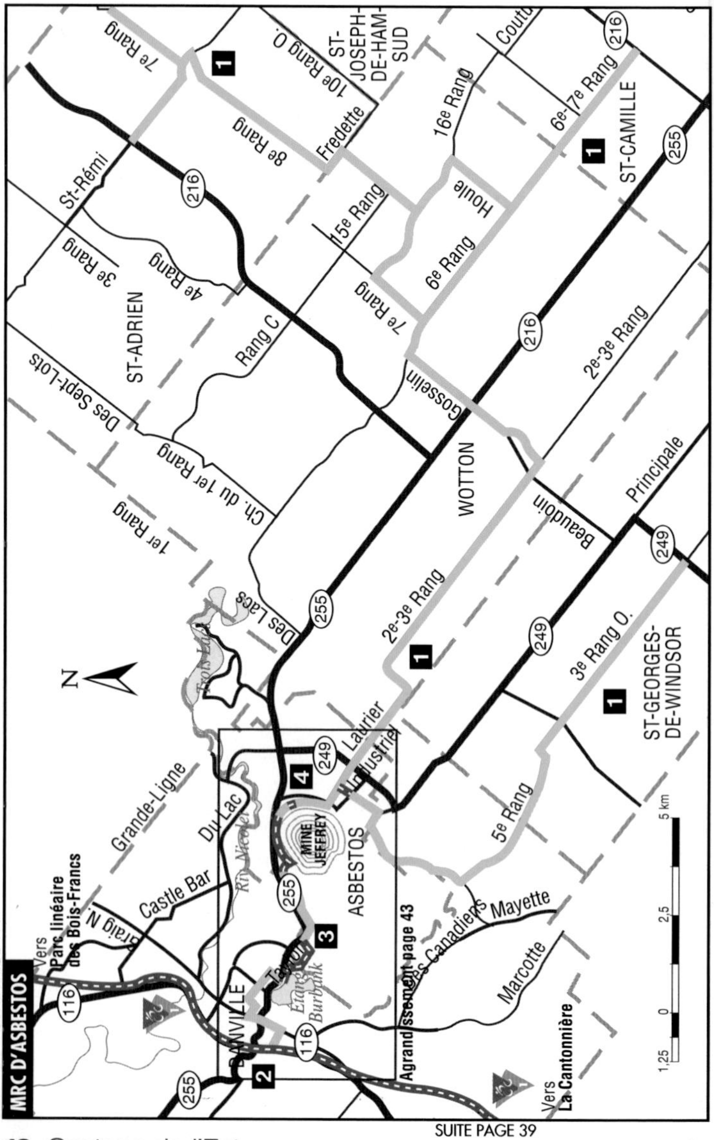

SUITE PAGE 199

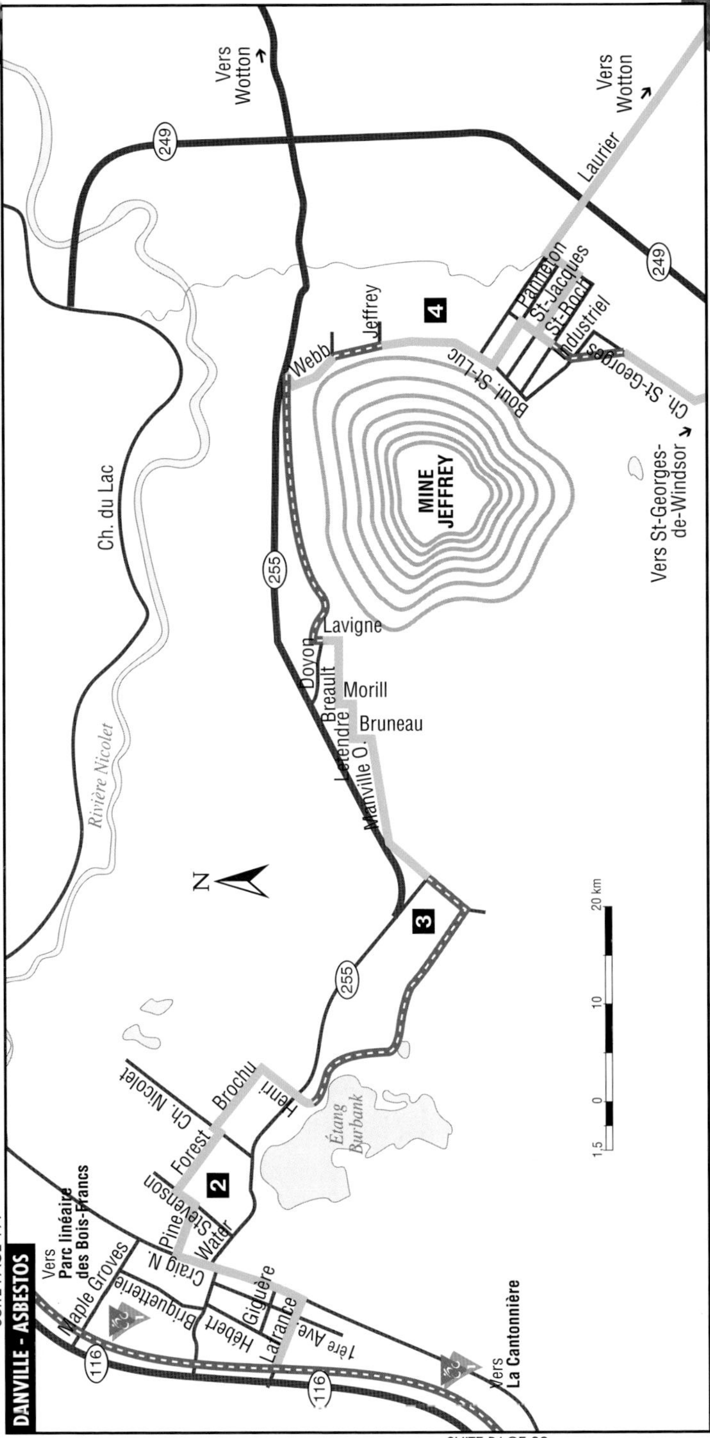

SUITE PAGE 39

AYER'S CLIFF

	KM	PISTE CYCLABLE	BANDE CYCLABLE	CHAUSSÉE DÉSIGNÉE
1 Ayer's Cliff	3,0	3,0		

(819) 838-5006
À l'année

COWANSVILLE

	KM	PISTE CYCLABLE	BANDE CYCLABLE	CHAUSSÉE DÉSIGNÉE
1 Axe Freeport	20,0			20,0
2 Municipal	8,7		8,7	
Total	**28,7**			

(450) 263-0141
1er mai au 31 octobre

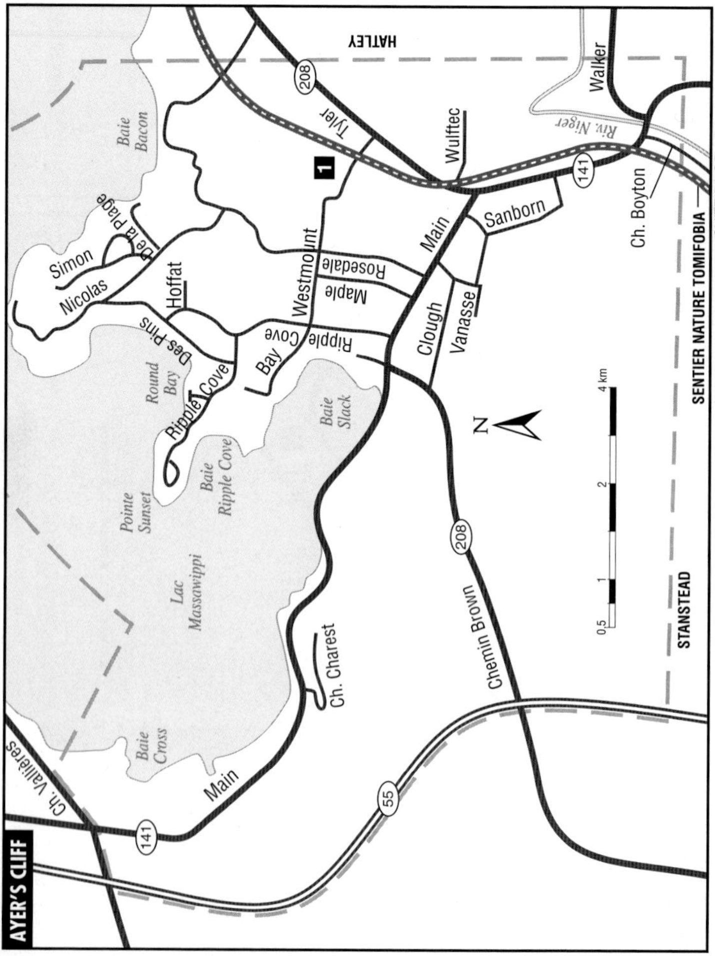

SUITE PAGE 57

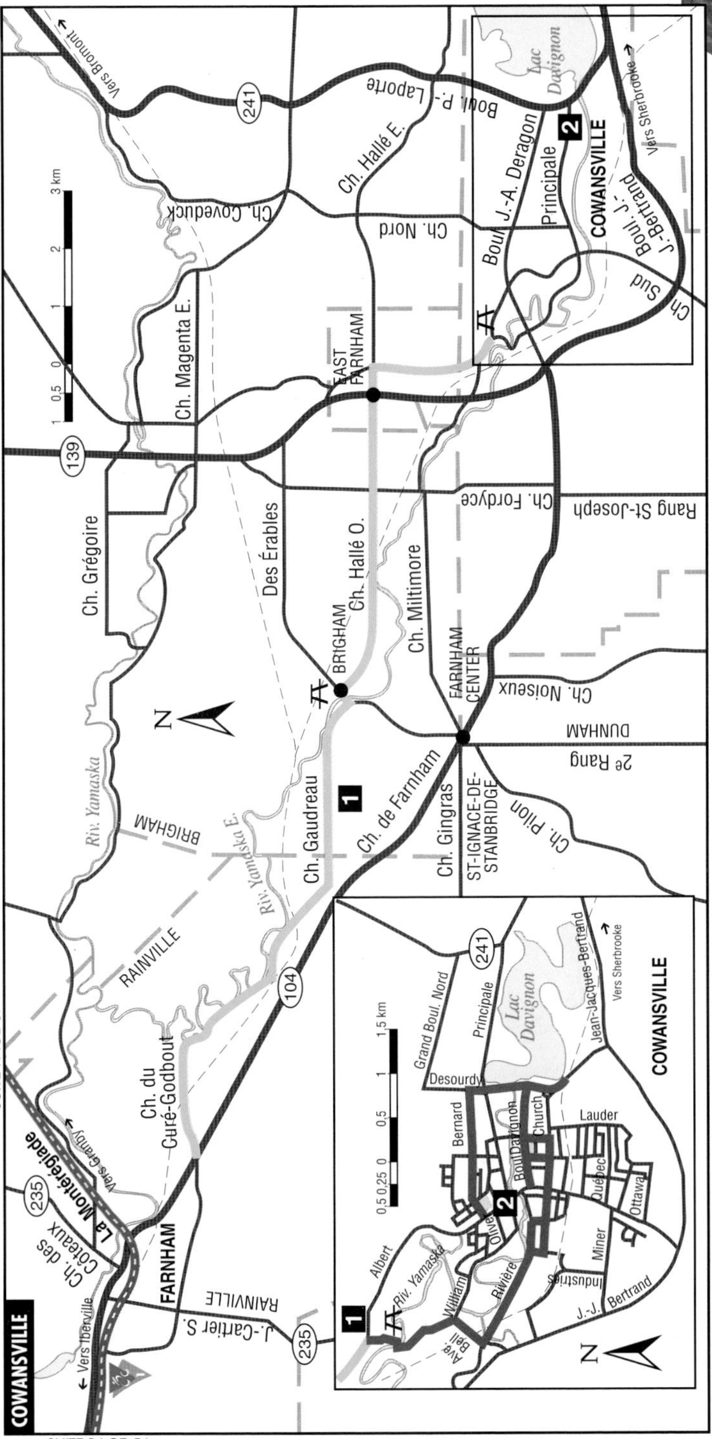

SUITE PAGE 56

MAGOG

		KM	PISTE CYCLABLE ■	BANDE CYCLABLE ■	CHAUSSÉE DÉSIGNÉE ■
1	Bowen	4,5		4,5	
2	Inter	8,6	5,6		3,0
3	Industriel	3,0		3,0	
	Total	**16,1**			

📞 (819) 843-4412
🚲 1er avril au 1er novembre

SUITE PAGE 36

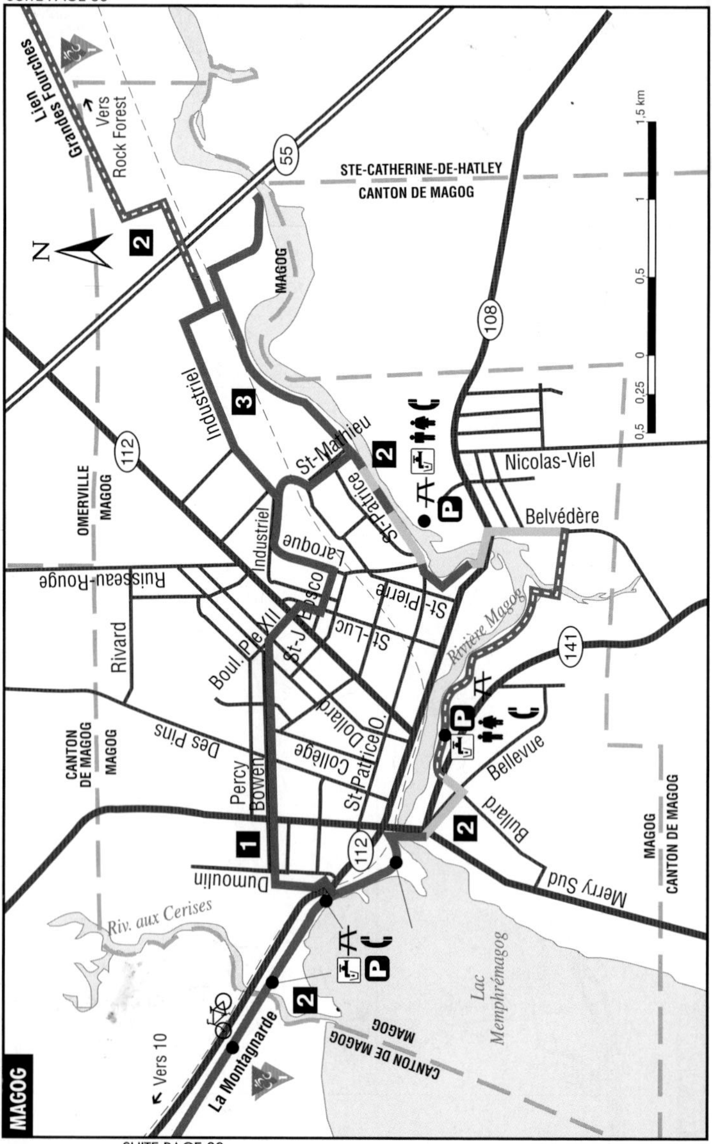

SUITE PAGE 38

SENTIER NATURE TOMIFOBIA

	KM	PISTE CYCLABLE	BANDE CYCLABLE	CHAUSSÉE DÉSIGNÉE
1 Sentier Tomifobia	19,0	19,0		

(819) 838-4365
Les Sentiers Massawippi
CP 591, Ayer's Cliff
QC J0B 1C0

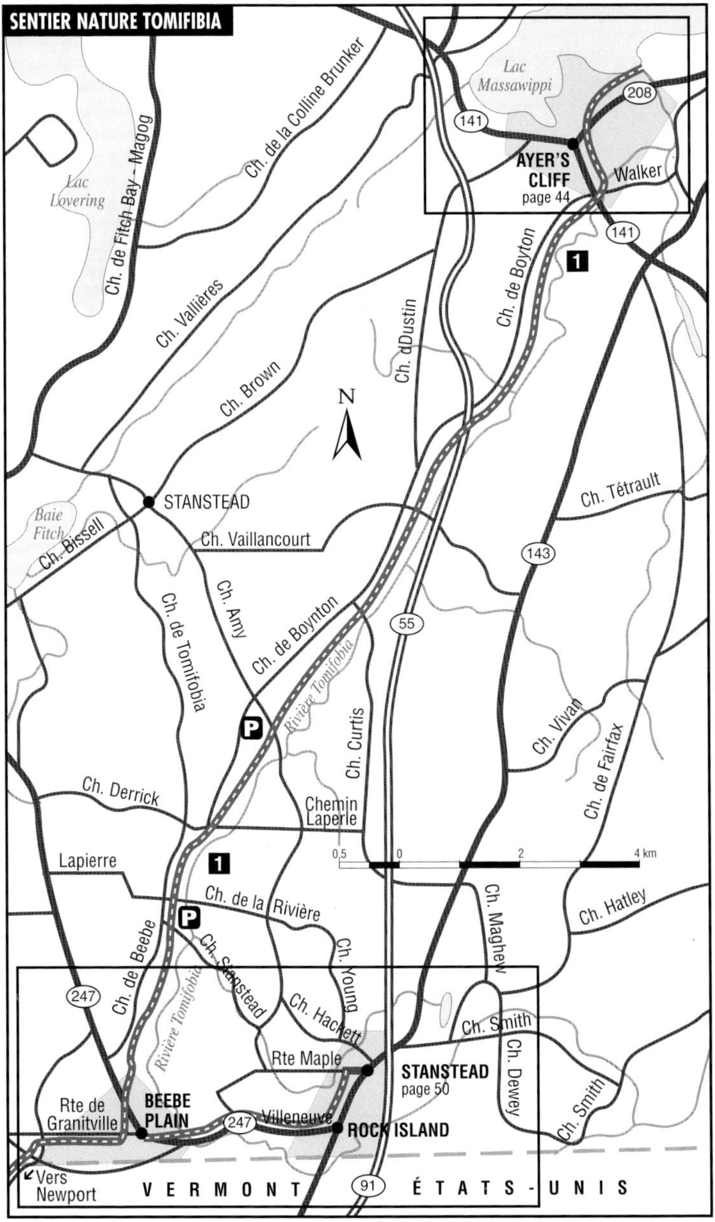

SHERBROOKE

	KM	PISTE CYCLABLE ■	BANDE CYCLABLE ■	CHAUSSÉE DÉSIGNÉE ■
1 Rivière Magog Nord	7,0	4,5	2,5	
2 Rivière Magog Sud	5,0	4,0	1,0	
3 Queen/ Pont Saint-François	2,5		2,5	
4 Sans nom	2,8	1,6	0,7	0,5
5 Boul. Saint-François	3,0	1,0	2,0	
6 Sans nom	2,0	2,0		
Total	**22,3**			

☎ (819) 821-1919
1 (800) 561-8331

🚲 15 mai au 15 octobre

STANSTEAD

	KM	PISTE CYCLABLE ■	BANDE CYCLABLE ■	CHAUSSÉE DÉSIGNÉE ■
1 Stanstead	7,4	6,9	0,5	

☎ (819) 876-7181

🚲 Dès que la température le permet

Carte page 50

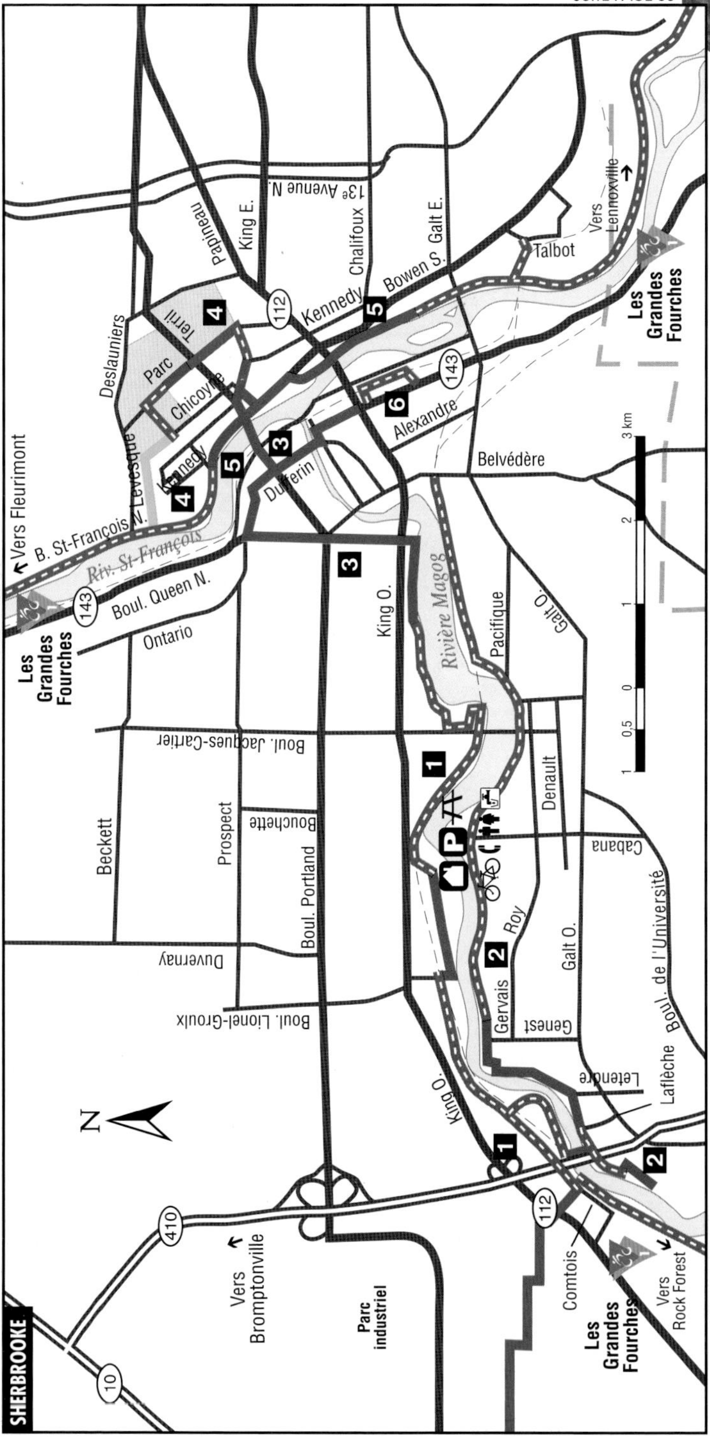
SHERBROOKE
SUITE PAGE 36
Vers Fleurimont
Les Grandes Fourches
143
B. St-François N.
Riv. St-François
Boul. Queen N.
Ontario
10
410
N
Beckett
Deslauriers
Lévesque
Kennedy
Chicoyne
Parc
Terril
Papineau
King E.
112
Kennedy
13e Avenue N.
Chalifoux
Bowen S.
Galt E.
Vers Bromptonville
Duvernay
Prospect
Boul. Lionel-Groulx
Bouchette
Boul. Jacques-Cartier
Boul. Portland
Dufferin
Parc industriel
King O.
Alexandre
143
King O.
Rivière Magog
Gervais
Roy
Pacifique
Belvédère
112
Comtois
Genest
Denault
Galt O.
Galt O.
Talbot
Vers Lennoxville
Les Grandes Fourches
Letendre
Cabana
1 0,5 0 1 2 3 km
Les Grandes Fourches
Vers Rock Forest
Laflèche
Boul. de l'Université
SUITE PAGE 36
SUITE PAGE 36

SUITE PAGE 47

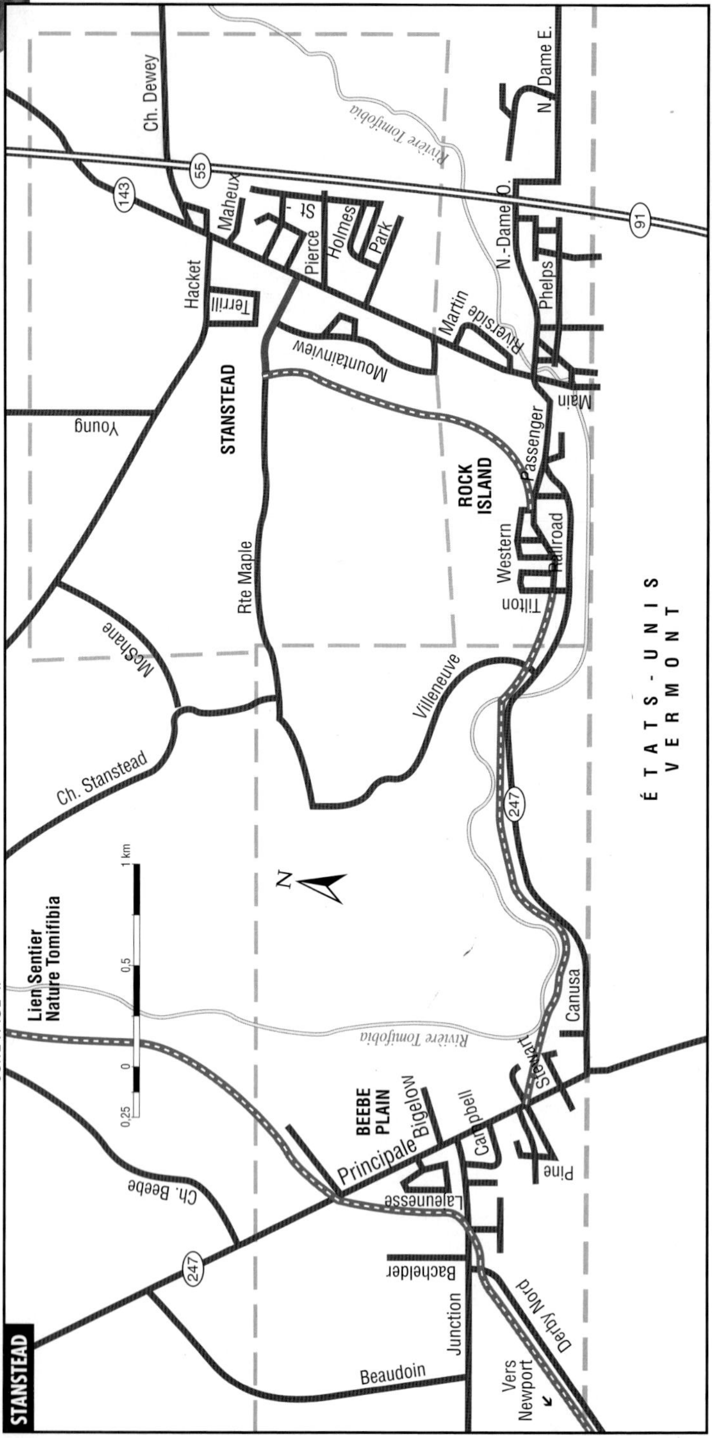
STANSTEAD
ROCK ISLAND
BEEBE PLAIN
ÉTATS-UNIS
VERMONT
Lien Sentier Nature Tomifibia
Rivière Tomifobia
Ch. Dewey
Young
McShane
Ch. Stanstead
Rte Maple
Hacket
Terrill
Maheux
Pierce
Holmes
Park
St-
Mountainview
Martin
Riverside
N.-Dame O.
N.-Dame E.
Phelps
Main
Passenger
Western
Railroad
Tilton
Villeneuve
Canusa
Stewart
Pine
Campbell
Bigelow
Principale
Lajeunesse
Bachelder
Junction
Beaudoin
Derby Nord
Ch. Beebe
Vers Newport
143
55
91
247
0,25
0
0,5
1 km
N

WATERLOO

	KM	PISTE CYCLABLE ■	BANDE CYCLABLE ■	CHAUSSÉE DÉSIGNÉE ■
1 Circuit du Patrimoine	7,0	1,8		5,2

☎ (450) 539-2282
poste 600

🚲 Début mai
à l'Action de Grâce

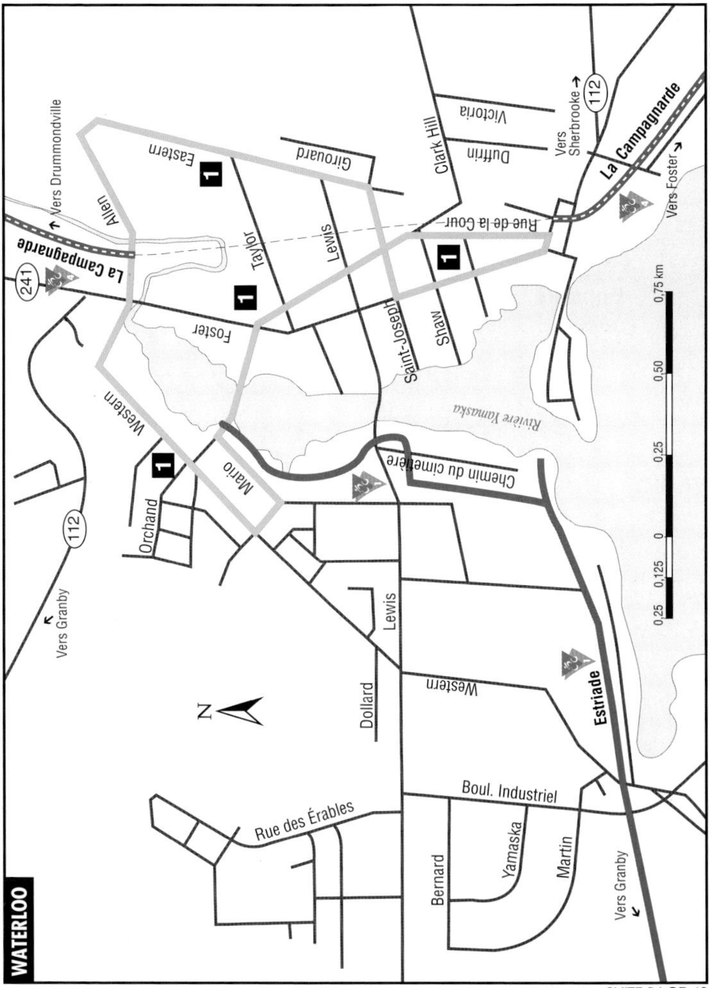

5 Montérégie

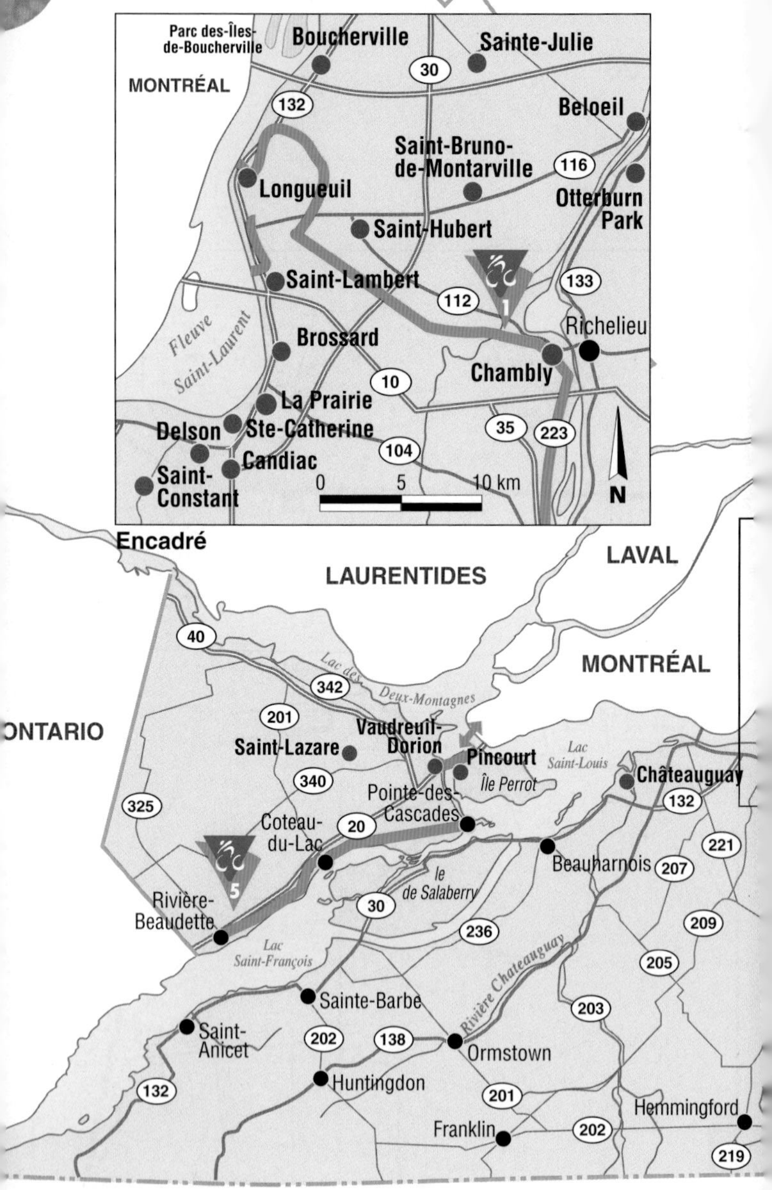

LA ROUTE VERTE

Pistes cyclables	146 km
Bandes cyclables	10 km
Chaussées désignées	28 km
Accotements asphaltés	12 km
Total	**196 km**

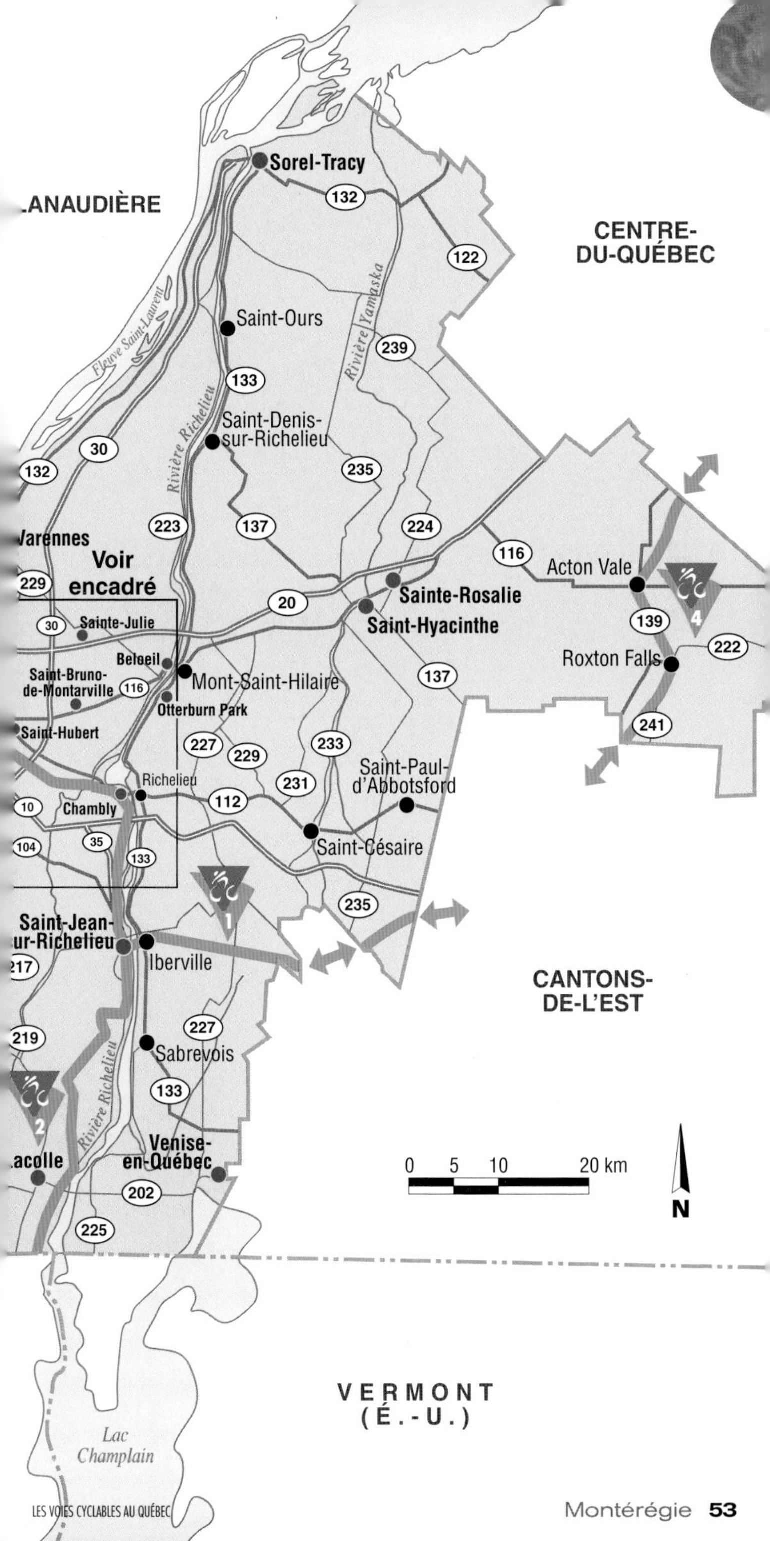
Sorel-Tracy
LANAUDIÈRE
CENTRE-
DU-QUÉBEC
132
122
Saint-Ours
Fleuve Saint-Laurent
Rivière Yamaska
239
133
Saint-Denis-
sur-Richelieu
Rivière Richelieu
30
132
235
223
137
224
116
Acton Vale
Varennes
Voir
encadré
229
Sainte-Rosalie
20
Saint-Hyacinthe
139
4
30
Sainte-Julie
Beloeil
Mont-Saint-Hilaire
137
Roxton Falls
222
Saint-Bruno-
de-Montarville
116
Otterburn Park
Saint-Hubert
227
229
233
241
Richelieu
231
Saint-Paul-
d'Abbotsford
10
Chambly
112
35
Saint-Césaire
104
133
1
235
Saint-Jean-
sur-Richelieu
Iberville
217
CANTONS-
DE-L'EST
227
219
Sabrevois
133
2
Rivière Richelieu
Venise-
en-Québec
Lacolle
0
5
10
20 km
N
202
225
VERMONT
(É.-U.)
Lac
Champlain

CANAL DE CHAMBLY
VOIE CYCLABLE INTERMUNICIPALE

	KM	PISTE CYCLABLE ■	BANDE CYCLABLE	CHAUSSÉE DÉSIGNÉE
1 Canal de Chambly	20,0	20,0		

☎ (514) 990-0139
🚲 Mai à octobre

LA MONTÉRÉGIADE I ET II
VOIE CYCLABLE INTERMUNICIPALE

	KM	PISTE CYCLABLE ■	BANDE CYCLABLE	CHAUSSÉE DÉSIGNÉE ■
1 Montérégiade I	25,0	25,0		
2 Montérégiade II	23,0	21,0	2,0	
Total	**48,0**			

☎ (450) 293-3178
🚲 Avril à octobre

Carte page 56-57

LA VALLÉE-DES-FORTS
VOIE CYCLABLE INTERMUNICIPALE

	KM	PISTE CYCLABLE ■	BANDE CYCLABLE	CHAUSSÉE DÉSIGNÉE
1 La Vallée-des-Forts	49,3		19,5	29,8

☎ (450) 542-9090
🚲 Mai à octobre

Carte page 58

PISTE CYCLABLE SOULANGES
VOIE CYCLABLE INTERMUNICIPALE

	KM	PISTE CYCLABLE ■	BANDE CYCLABLE ■	CHAUSSÉE DÉSIGNÉE ▪
1 Piste cyclable Soulanges	35,0	35,0		

☎ (450) 377-7676
1 (800) 378-7648
🚲 Mai à octobre

Carte page 59

LA RIVERAINE
VOIE CYCLABLE INTERMUNICIPALE

	KM	PISTE CYCLABLE ■	BANDE CYCLABLE ■	CHAUSSÉE DÉSIGNÉE
1 La Riveraine	53,0	42,0	8,5	2,5

☎ (450) 670-7293
🚲 Mi-avril à mi-novembre
⛴ 6 h 30 à 22 h
(514) 872-6120

Carte page 60

LA MONTÉE DU FORT-CHAMBLY
VOIE CYCLABLE INTERMUNICIPALE

	KM	PISTE CYCLABLE ■	BANDE CYCLABLE ■	CHAUSSÉE DÉSIGNÉE
2 La Montée du Fort-Chambly	28,0	21,5	6,5	

☎ (450) 670-7293
🚲 Mi-avril à mi-novembre

Carte page 61

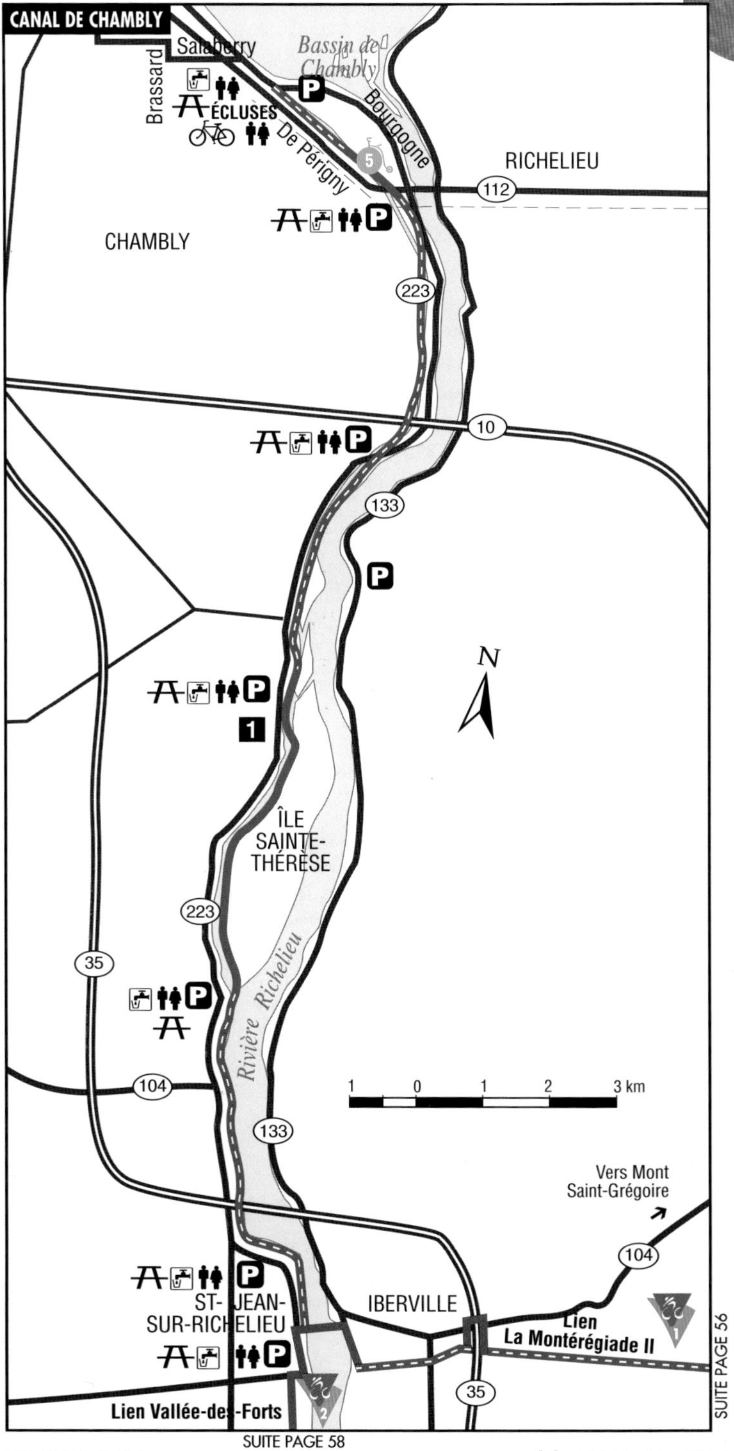

CANAL DE CHAMBLY
Salaberry
Brassard
Bassin de Chambly
Bourgogne
ÉCLUSES
De Périgny
5
RICHELIEU
112
CHAMBLY
223
10
133
N
1
ÎLE SAINTE-THÉRÈSE
223
35
Rivière Richelieu
104
133
1 0 1 2 3 km
Vers Mont Saint-Grégoire
104
IBERVILLE
ST-JEAN-SUR-RICHELIEU
Lien La Montérégiade II
35
Lien Vallée-des-Forts
SUITE PAGE 56
SUITE PAGE 58

SUITE PAGE 57

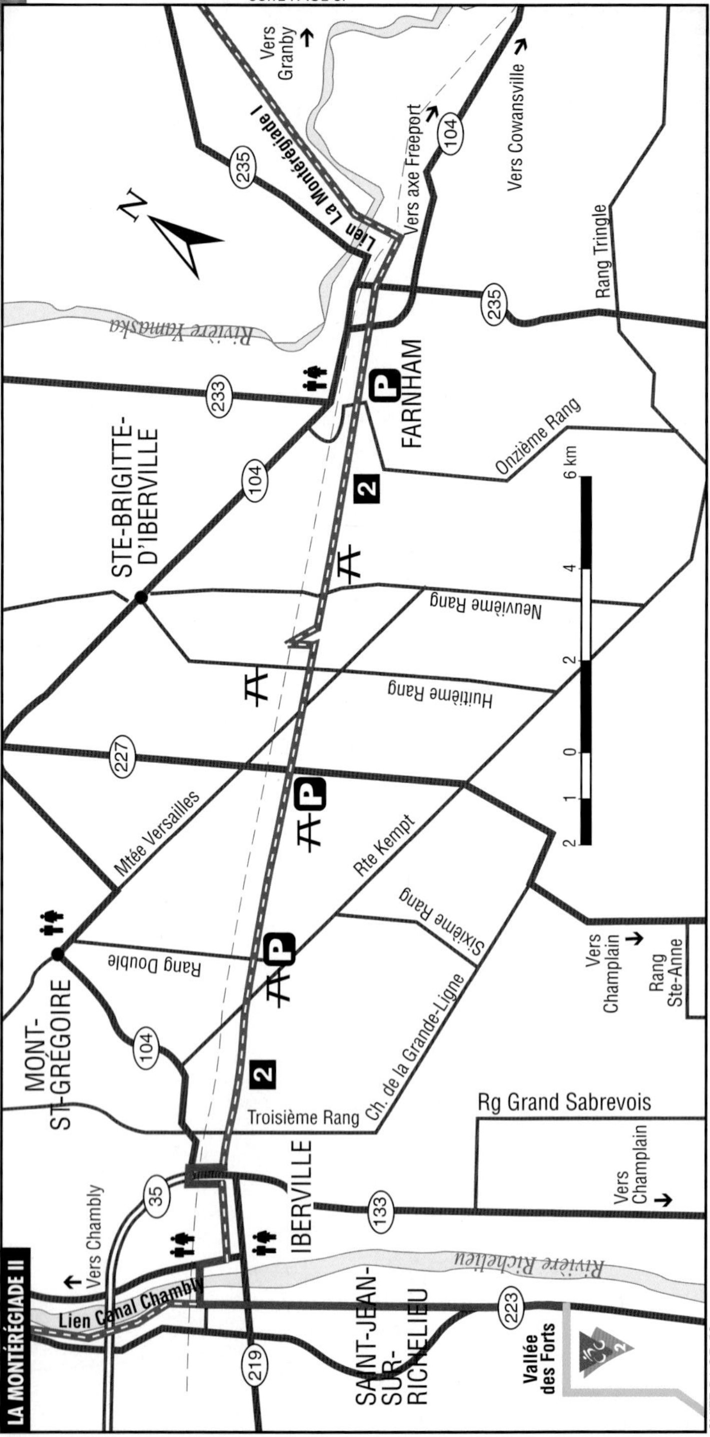
LA MONTÉRÉGIADE II
Lien La Montérégiade I
Vers Granby
Vers axe Freeport
Vers Cowansville
Rivière Yamaska
Rang Tringle
FARNHAM
STE-BRIGITTE-D'IBERVILLE
Onzième Rang
Neuvième Rang
Huitième Rang
Mtée Versailles
Rte Kempt
Sixième Rang
Rang Double
MONT-ST-GRÉGOIRE
Vers Champlain
Rang Ste-Anne
Ch. de la Grande-Ligne
Troisième Rang
Rg Grand Sabrevois
IBERVILLE
Vers Chambly
Lien Canal Chambly
Rivière Richelieu
SAINT-JEAN-SUR-RICHELIEU
Vallée des Forts
235
104
233
227
35
133
219
223
6 km

SUITE PAGE 55
SUITE PAGE 58

SUITE PAGE 40

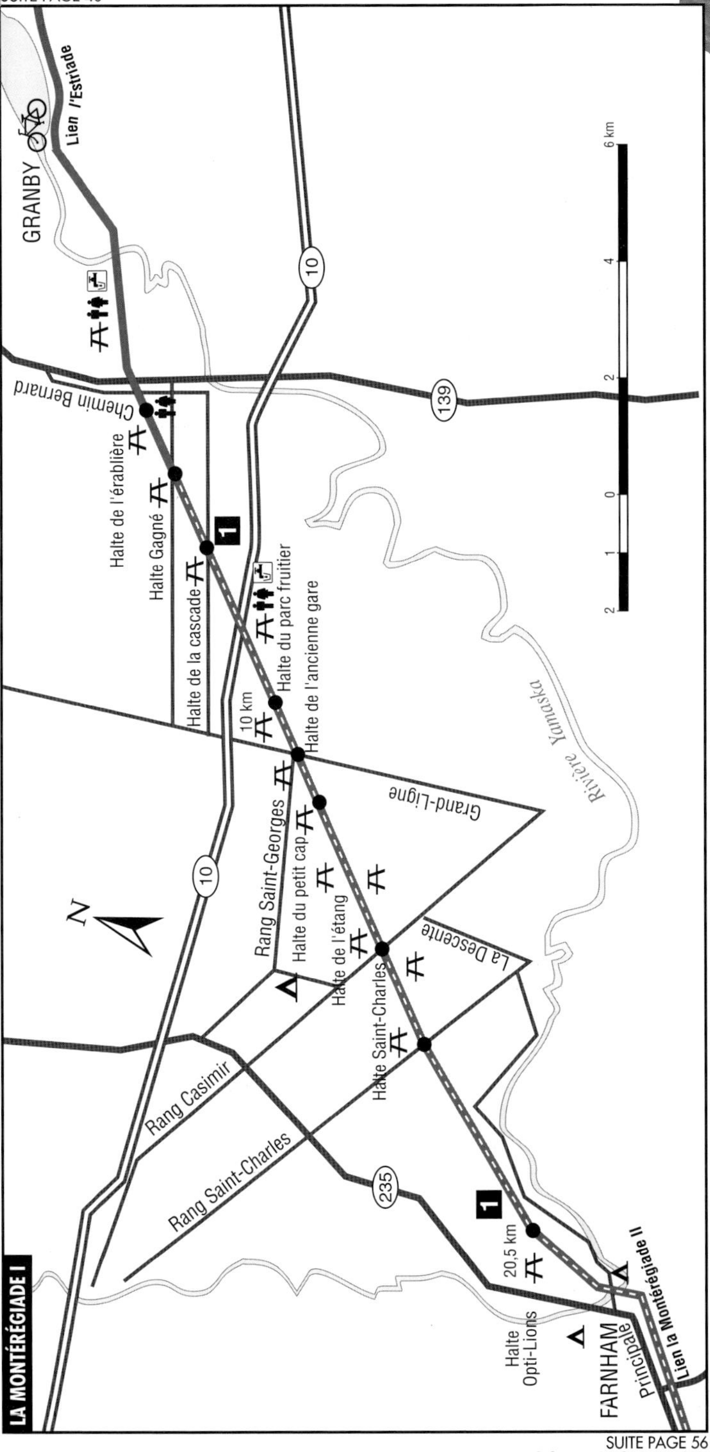
LA MONTÉRÉGIADE I
GRANBY
Lien l'Estriade
Chemin Bernard
Halte de l'érablière
Halte Gagné
Halte de la cascade
Halte du parc fruitier
Halte de l'ancienne gare
10 km
Rang Saint-Georges
Halte du petit cap
Halte de l'étang
Halte Saint-Charles
Grand-Ligne
La Descente
Rang Casimir
Rang Saint-Charles
Rivière Yamaska
10
139
235
1
20,5 km
Halte Opti-Lions
FARNHAM
Principale
Lien la Montérégiade II
N
2
1
0
2
4
6 km

SUITE PAGE 56

SUITE PAGE 55

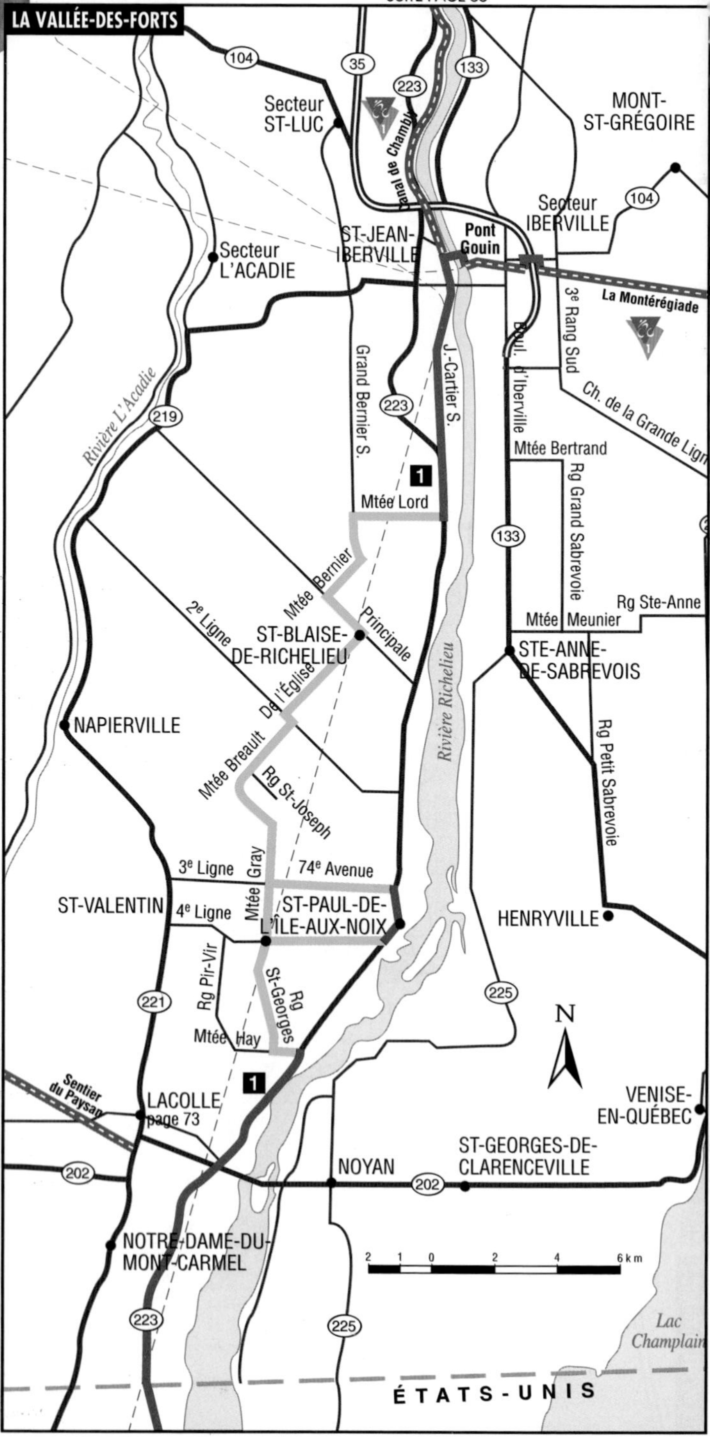
LA VALLÉE-DES-FORTS
104
35
223
133
Secteur
ST-LUC
Canal de Chambly
MONT-
ST-GRÉGOIRE
Secteur
IBERVILLE
104
ST-JEAN-
IBERVILLE
Pont
Gouin
Secteur
L'ACADIE
La Montérégiade
3e Rang Sud
Boul. d'Iberville
Grand Bernier S.
J.-Cartier S.
223
Ch. de la Grande Ligne
Rivière L'Acadie
219
Mtée Bertrand
Rg Grand Sabrevoie
1
Mtée Lord
133
Mtée Bernier
Principale
ST-BLAISE-
DE-RICHELIEU
2e Ligne
De l'Église
Mtée Meunier
Rg Ste-Anne
STE-ANNE-
DE-SABREVOIS
Rivière Richelieu
NAPIERVILLE
Mtée Breault
Rg St-Joseph
Rg Petit Sabrevoie
3e Ligne
74e Avenue
Mtée Gray
ST-VALENTIN
4e Ligne
ST-PAUL-DE-
L'ÎLE-AUX-NOIX
HENRYVILLE
Rg Pir-Vir
Rg
St-Georges
221
225
Mtée Hay
N
1
Sentier
du Paysan
LACOLLE
page 73
VENISE-
EN-QUÉBEC
ST-GEORGES-DE-
CLARENCEVILLE
NOYAN
202
202
NOTRE-DAME-DU-
MONT-CARMEL
2 1 0 2 4 6 km
223
225
Lac
Champlain
ÉTATS-UNIS

SUITE PAGE 64

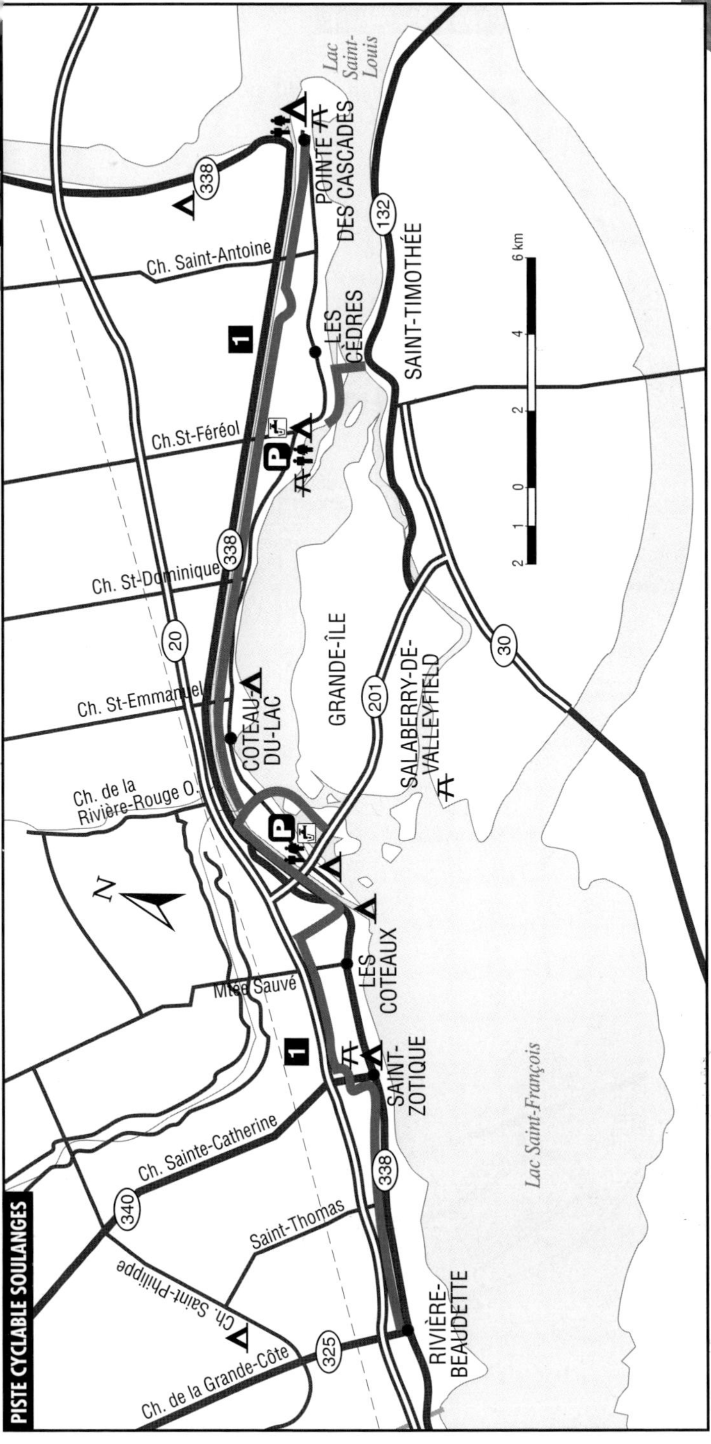
PISTE CYCLABLE SOULANGES
Lac Saint-Louis
POINTE DES CASCADES
338
132
Ch. Saint-Antoine
LES CÈDRES
SAINT-TIMOTHÉE
1
Ch.St-Féréol
6 km
4
2
0
1
2
338
Ch. St-Dominique
GRANDE-ÎLE
20
30
201
SALABERRY-DE-VALLEYFIELD
Ch. St-Emmanuel
COTEAU-DU-LAC
Ch. de la Rivière-Rouge O.
N
LES COTEAUX
Mtée Sauvé
SAINT-ZOTIQUE
Lac Saint-François
Ch. Sainte-Catherine
338
340
Saint-Thomas
Ch. Saint-Philippe
RIVIÈRE-BEAUDETTE
325
Ch. de la Grande-Côte

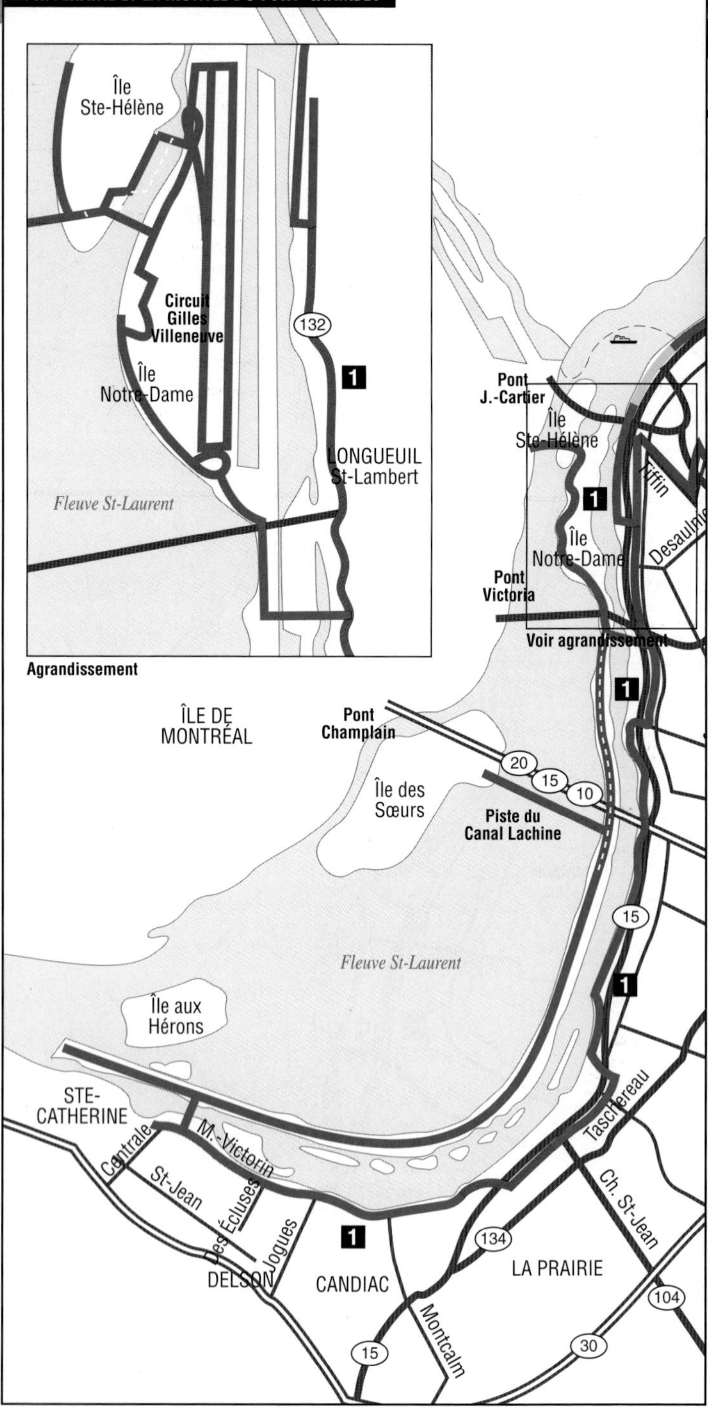
Île
Ste-Hélène
Circuit
Gilles
Villeneuve
Île
Notre-Dame
132
1
LONGUEUIL
St-Lambert
Fleuve St-Laurent
Agrandissement
Pont
J.-Cartier
Île
Ste-Hélène
1
Île
Notre-Dame
Riffin
Desaulniers
Pont
Victoria
Voir agrandissement
1
ÎLE DE
MONTRÉAL
Pont
Champlain
20
15
10
Île des
Sœurs
Piste du
Canal Lachine
15
Fleuve St-Laurent
1
Île aux
Hérons
STE-
CATHERINE
Centrale
M.-Victorin
St-Jean
Des Écluses
Jogues
Taschereau
Ch. St-Jean
1
134
LA PRAIRIE
DELSON
CANDIAC
104
Montcalm
15
30

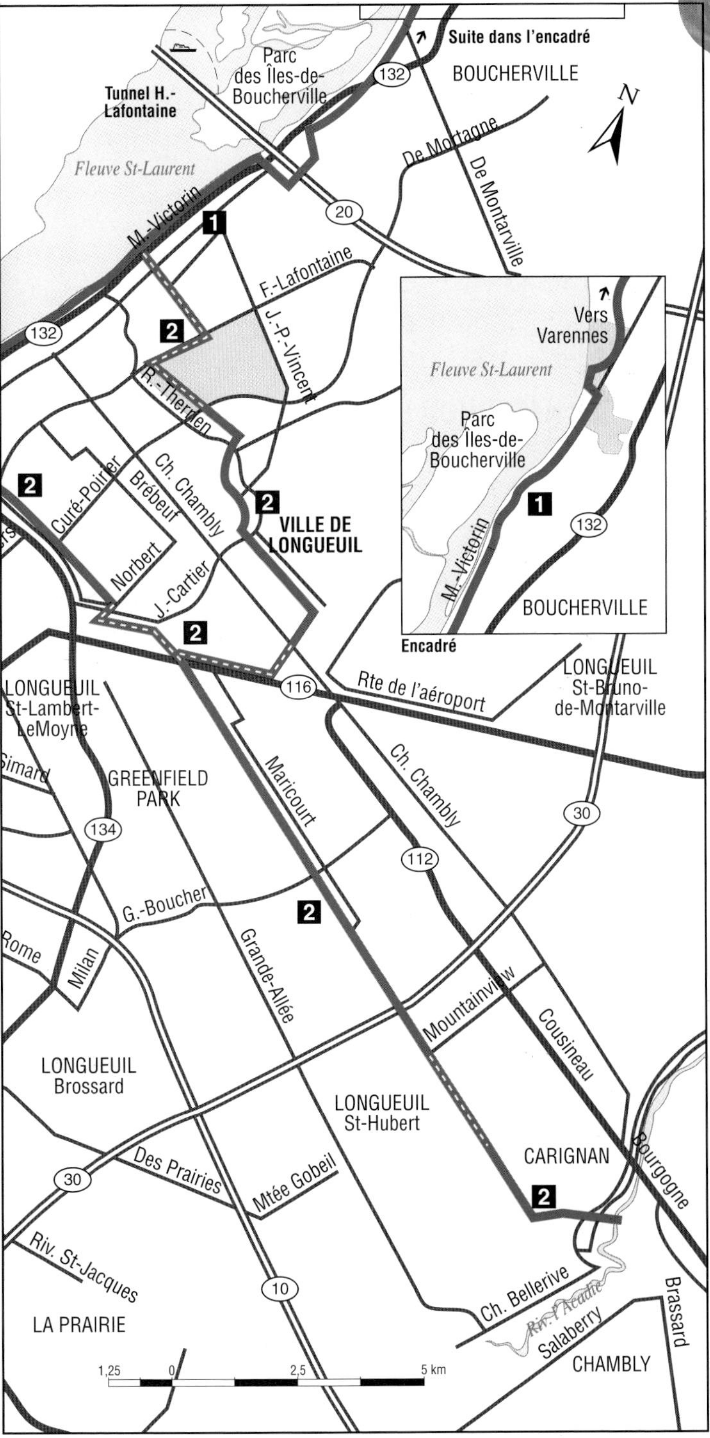
Suite dans l'encadré
BOUCHERVILLE
Parc
des Îles-de-
Boucherville
Tunnel H.-
Lafontaine
Fleuve St-Laurent
N
De Mortagne
De Montarville
M.-Victorin
F.-Lafontaine
J.-P.-Vincent
R.-Therrien
Curé-Poirier
Brébeuf
Ch. Chambly
Norbert
J.-Cartier
VILLE DE
LONGUEUIL
Vers
Varennes
Fleuve St-Laurent
Parc
des Îles-de-
Boucherville
M.-Victorin
BOUCHERVILLE
Encadré
LONGUEUIL
St-Bruno-
de-Montarville
Rte de l'aéroport
LONGUEUIL
St-Lambert-
LeMoyne
Simard
GREENFIELD
PARK
Maricourt
Ch. Chambly
G.-Boucher
Rome
Milan
Grande-Allée
Mountainview
Cousineau
LONGUEUIL
Brossard
LONGUEUIL
St-Hubert
CARIGNAN
Bourgogne
Des Prairies
Mtée Gobeil
Riv. St-Jacques
Ch. Bellerive
Riv. l'Acadie
Salaberry
Brassard
LA PRAIRIE
CHAMBLY
132
20
116
134
112
30
10
1
2
1,25
0
2,5
5 km

LA ROUTE DES CHAMPS

VOIE CYCLABLE INTERMUNICIPALE

	KM	PISTE CYCLABLE	BANDE CYCLABLE	CHAUSSÉE DÉSIGNÉE
1 La Route des Champs	36,0	36,0		

(450) 469-2777

Mai à octobre

LE SENTIER DU PAYSAN

VOIE CYCLABLE INTERMUNICIPALE

	KM	PISTE CYCLABLE	BANDE CYCLABLE	CHAUSSÉE DÉSIGNÉE
1 Le Sentier du Paysan	26,0	26,0		

(450) 245-7527

De mai à octobre

Carte page 64

LE SENTIER NATURE DU LAC-ST-PIERRE

VOIE CYCLABLE INTERMUNICIPALE

	KM	PISTE CYCLABLE	BANDE CYCLABLE	CHAUSSÉE DÉSIGNÉE
1 Le Sentier nature du Lac-Saint-Pierre	11,0	11,0		

1 800 474-9441

Dès que la température le permet

Carte page 65

MRC BEAUHARNOIS-SALABERRY

VOIE CYCLABLE INTERMUNICIPALE

	KM	PISTE CYCLABLE	BANDE CYCLABLE	CHAUSSÉE DÉSIGNÉE
1 Parc régional du canal de Beauharnois	46,8	46,8		
2 Parc linéaire de la MRC Beauharnois-Salaberry	15,6	15,6		
3 Melocheville	10,2	5,0		5,2
4 St-Timothée	8,0	8,0		
5 Valleyfield/axe Beaulac	1,2		1,2	
axe du Havre	1,7		1,7	
axe baie St-François	1,9	1,9		
6 Gr-Île/Bord de l'eau	2,7	2,7		
7 Rue Hébert	2,0		2,0	
Total	**90,1**			

(450) 225-0870

D'avril à novembre

Carte page 66

PAGE 55 5

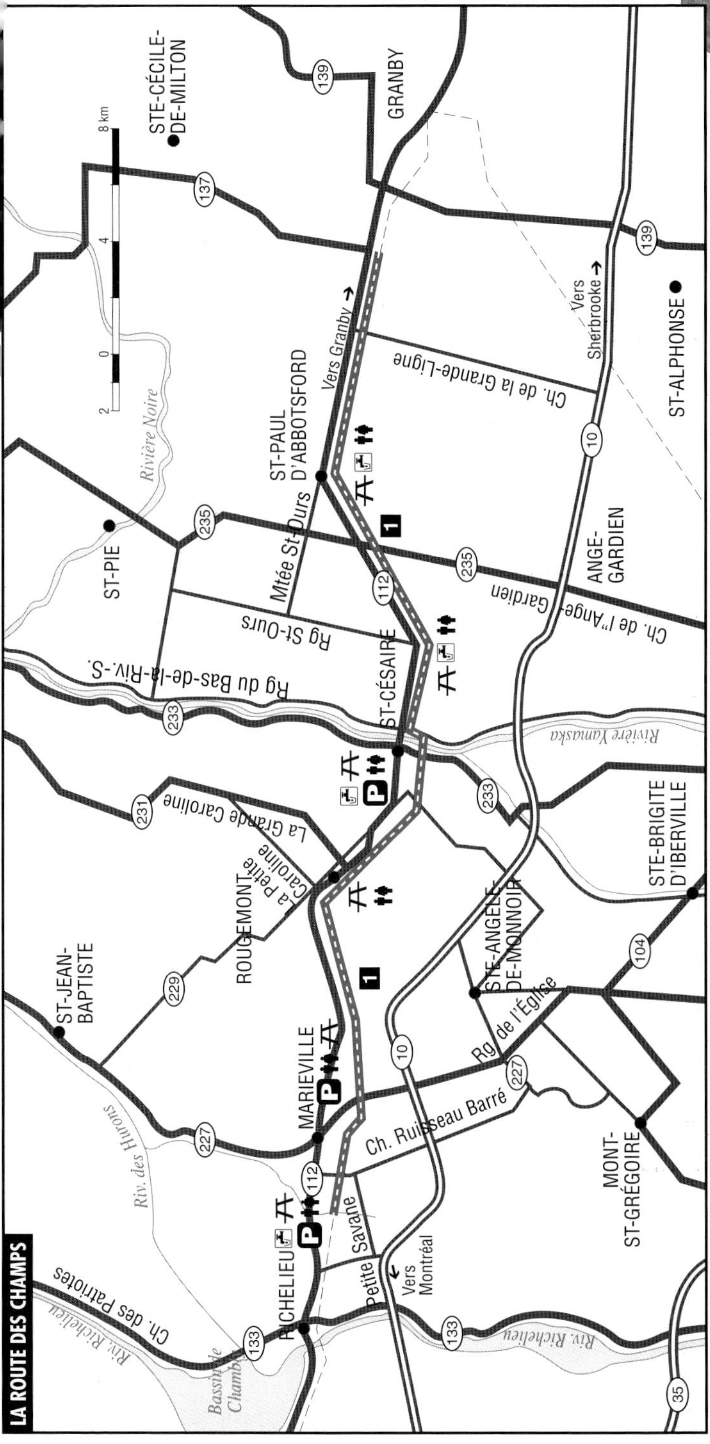
LA ROUTE DES CHAMPS
STE-CÉCILE-DE-MILTON
GRANBY
ST-PAUL D'ABBOTSFORD
Vers Granby
Ch. de la Grande-Ligne
Vers Sherbrooke
ST-ALPHONSE
ST-PIE
Rivière Noire
Mtée St-Ours
Rg St-Ours
ANGE-GARDIEN
Ch. de l'Ange-Gardien
Rg du Bas-de-la-Riv.-S.
ST-CÉSAIRE
Rivière Yamaska
La Grande Caroline
La Petite Caroline
ROUGEMONT
STE-BRIGITE D'IBERVILLE
STE-ANGÈLE-DE-MONNOIR
Rg de l'Église
ST-JEAN-BAPTISTE
MARIEVILLE
Ch. Ruisseau Barré
MONT-ST-GRÉGOIRE
Riv. des Hurons
RICHELIEU
Petite Savane
Vers Montréal
Ch. des Patriotes
Riv. Richelieu
Bassin de Chambly
139
137
235
112
10
233
231
229
227
104
133
35
2 0 4 8 km

SUITE PAGE 58

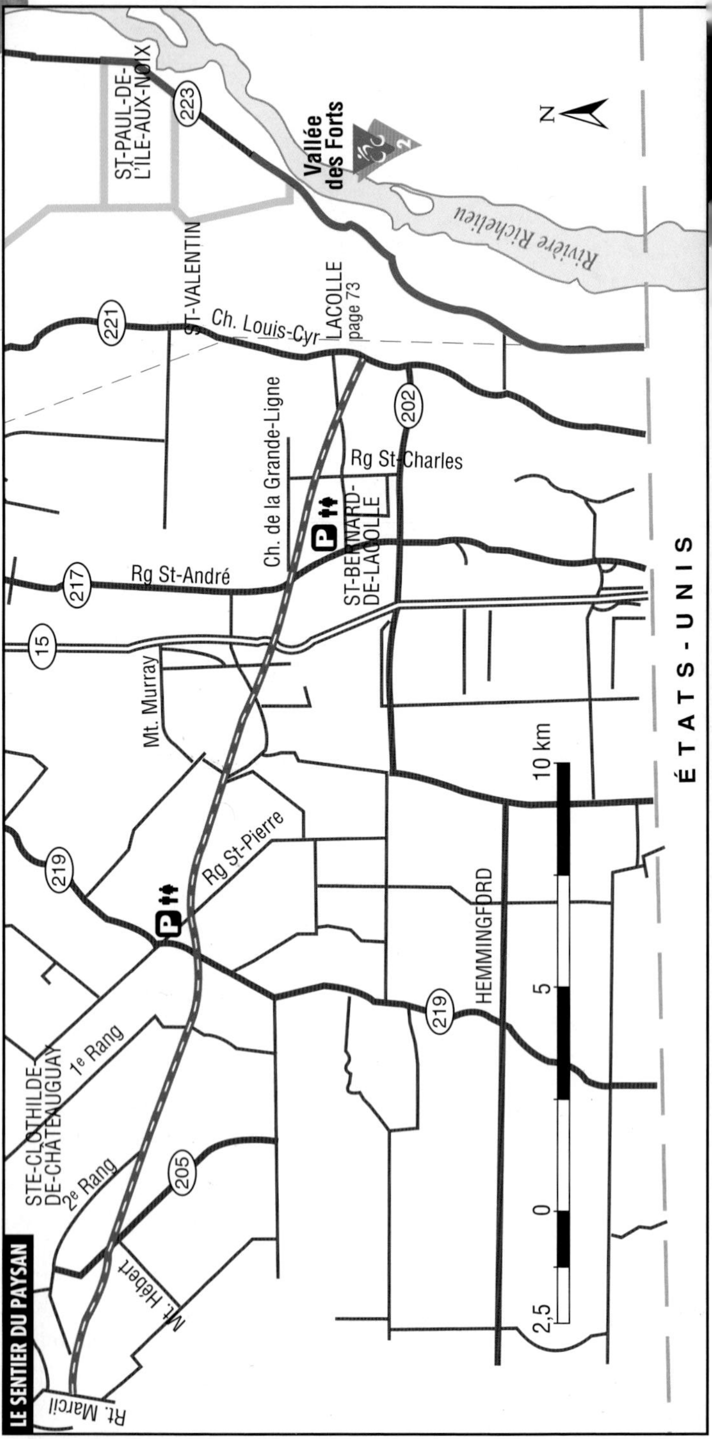
LE SENTIER DU PAYSAN
ST-PAUL-DE-L'ÎLE-AUX-NOIX
223
Vallée des Forts
2
N
Rivière Richelieu
ST-VALENTIN
221
Ch. Louis-Cyr
LACOLLE
page 73
202
Ch. de la Grande-Ligne
Rg St-Charles
ST-BERNARD-DE-LACOLLE
217
Rg St-André
15
Mt. Murray
ÉTATS-UNIS
10 km
Rg St-Pierre
219
HEMMINGFORD
5
219
STE-CLOTHILDE-DE-CHÂTEAUGUAY
1e Rang
2e Rang
205
0
Mt. Hébert
2,5
Rt. Marcil

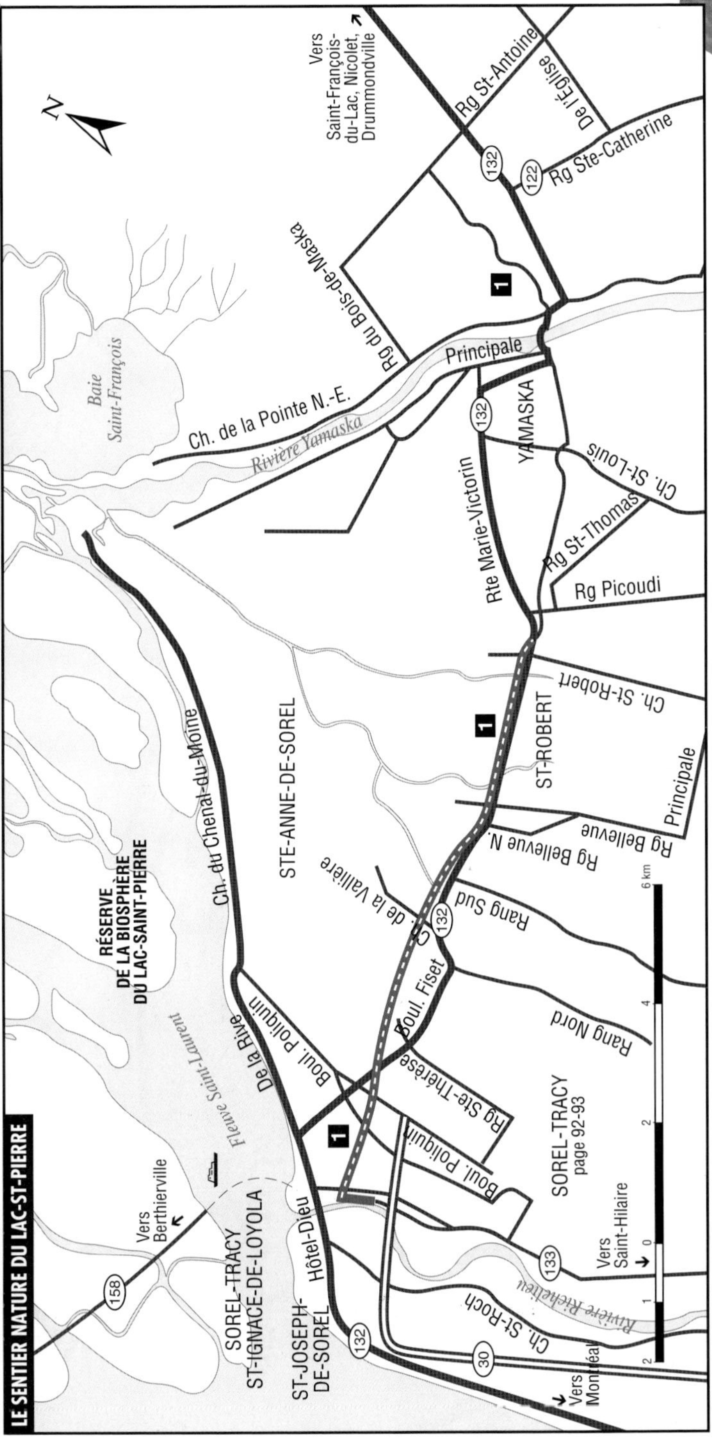
LE SENTIER NATURE DU LAC-ST-PIERRE
N
RÉSERVE DE LA BIOSPHÈRE DU LAC-SAINT-PIERRE
Baie Saint-François
Fleuve Saint-Laurent
Rivière Yamaska
Rivière Richelieu
Vers Berthierville
Vers Saint-François-du-Lac, Nicolet, Drummondville
Vers Saint-Hilaire
Vers Montréal
SOREL-TRACY ST-IGNACE-DE-LOYOLA
ST-JOSEPH-DE-SOREL
STE-ANNE-DE-SOREL
SOREL-TRACY page 92-93
ST-ROBERT
YAMASKA
Hôtel-Dieu
De la Rive
Boul. Poliquin
Boul. Fiset
Rg Ste-Thérèse
Ch. de la Vallière
Ch. du Chenal-du-Moine
Rang Sud
Rang Nord
Rg Bellevue N.
Rg Bellevue
Principale
Ch. St-Robert
Rg Picoudi
Rg St-Thomas
Ch. St-Louis
Rte Marie-Victorin
Ch. de la Pointe N.-E.
Rg du Bois-de-Maska
Rg St-Antoine
De l'Église
Rg Ste-Catherine
Ch. St-Roch
158
132
133
30
122
1
0
1
2
2
4
6 km

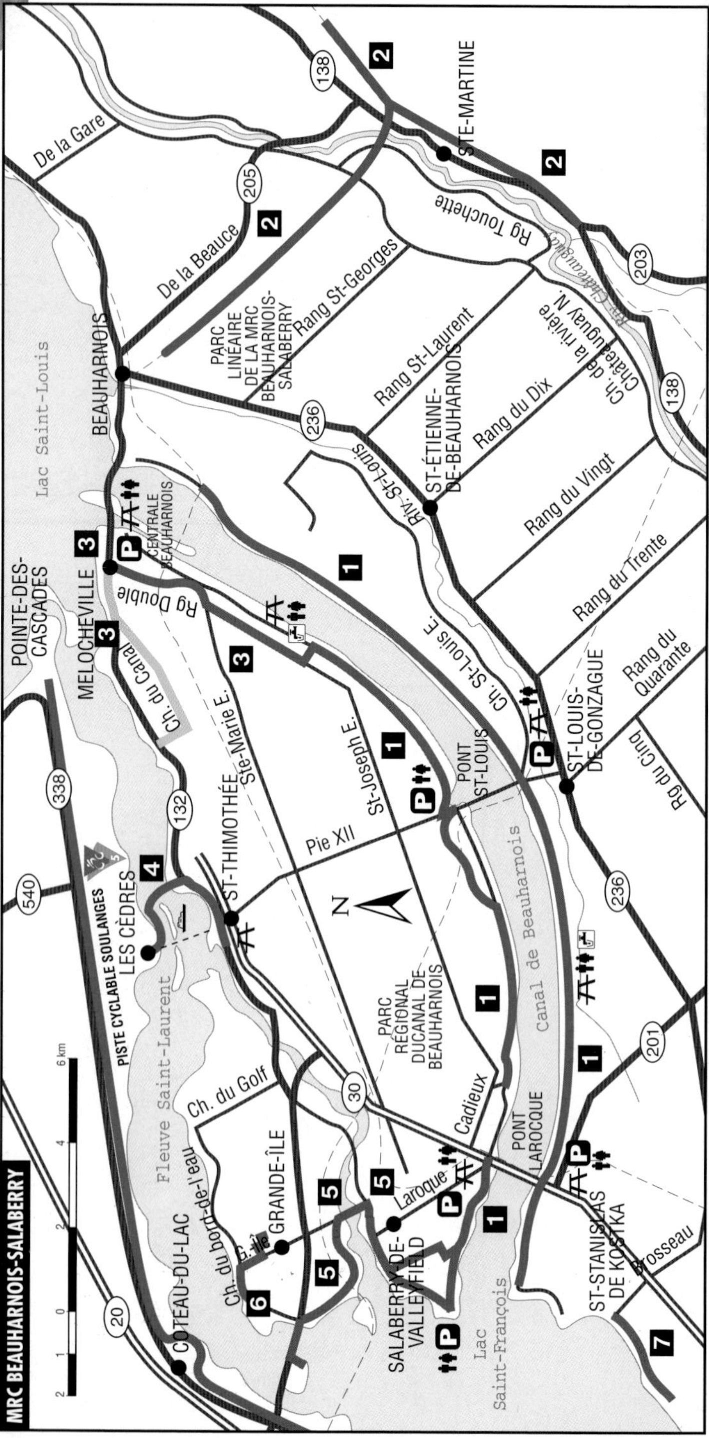
MRC BEAUHARNOIS-SALABERRY
Lac Saint-Louis
Fleuve Saint-Laurent
Lac Saint-François
Canal de Beauharnois
Riv. Châteauguay
Riv. St-Louis
BEAUHARNOIS
MELOCHEVILLE
POINTE-DES-CASCADES
LES CÈDRES
ST-THIMOTHÉE
COTEAU-DU-LAC
GRANDE-ÎLE
SALABERRY-DE-VALLEYFIELD
ST-STANISLAS DE KOSTKA
ST-LOUIS-DE-GONZAGUE
ST-ÉTIENNE-DE-BEAUHARNOIS
STE-MARTINE
CENTRALE BEAUHARNOIS
PONT ST-LOUIS
PONT LAROCQUE
PARC LINÉAIRE DE LA MRC BEAUHARNOIS-SALABERRY
PARC RÉGIONAL DU CANAL DE BEAUHARNOIS
PISTE CYCLABLE SOULANGES
De la Gare
De la Beauce
Rang St-Georges
Rang St-Laurent
Rang du Dix
Rang du Vingt
Rang du Trente
Rang du Quarante
Rg du Cinq
Rg Touchette
Ch. de la rivière Châteauguay N.
Ch. St-Louis E.
Rg Double
Ch. du Canal
Ste-Marie E.
St-Joseph E.
Pie XII
Cadieux
Laroque
Ch. du Golf
Ch. du bord-de-l'eau
G.-Île
Brosseau
138
205
203
236
132
338
540
30
201
20
1
2
3
4
5
6
7
P
N
0
1
2
4
6 km

PARC NATIONAL DES ÎLES-DE-BOUCHERVILLE

	KM	PISTE CYCLABLE	BANDE CYCLABLE	CHAUSSÉE DÉSIGNÉE
1 Île Ste-Marguerite	7,0	7,0		
2 Île de-La-Commune	4,9	4,9		
3 Île Grosbois	6,8	6,8		
4 Île-à-Pinard	0,1	0,1		
5 Île Charron	1,8	1,0	0,8	
Total	**20,6**			

(450) 928-5088
Mai à mi-octobre

Carte page 68

BELOEIL

	KM	PISTE CYCLABLE	BANDE CYCLABLE	CHAUSSÉE DÉSIGNÉE
1 Y.-L'Heureux/Valmont	5,2	0,1	5,1	
2 Des Chênes/Laurier	1,7	1,7		
3 Pigeon	0,5		0,5	
4 Richelieu	5,5		5,5	
5 Pont Jordi-Bonet	0,3		0,3	
6 St-Jean-Baptiste	0,7	0,7		
Total	**13,9**			

(450) 467-2835
15 avril au 15 novembre

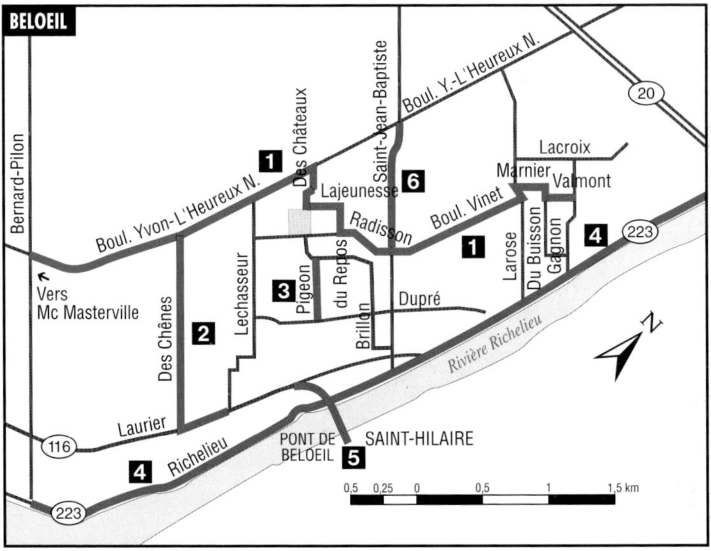

PARC NATIONAL DES ÎLES-DE-BOUCHERVILLE

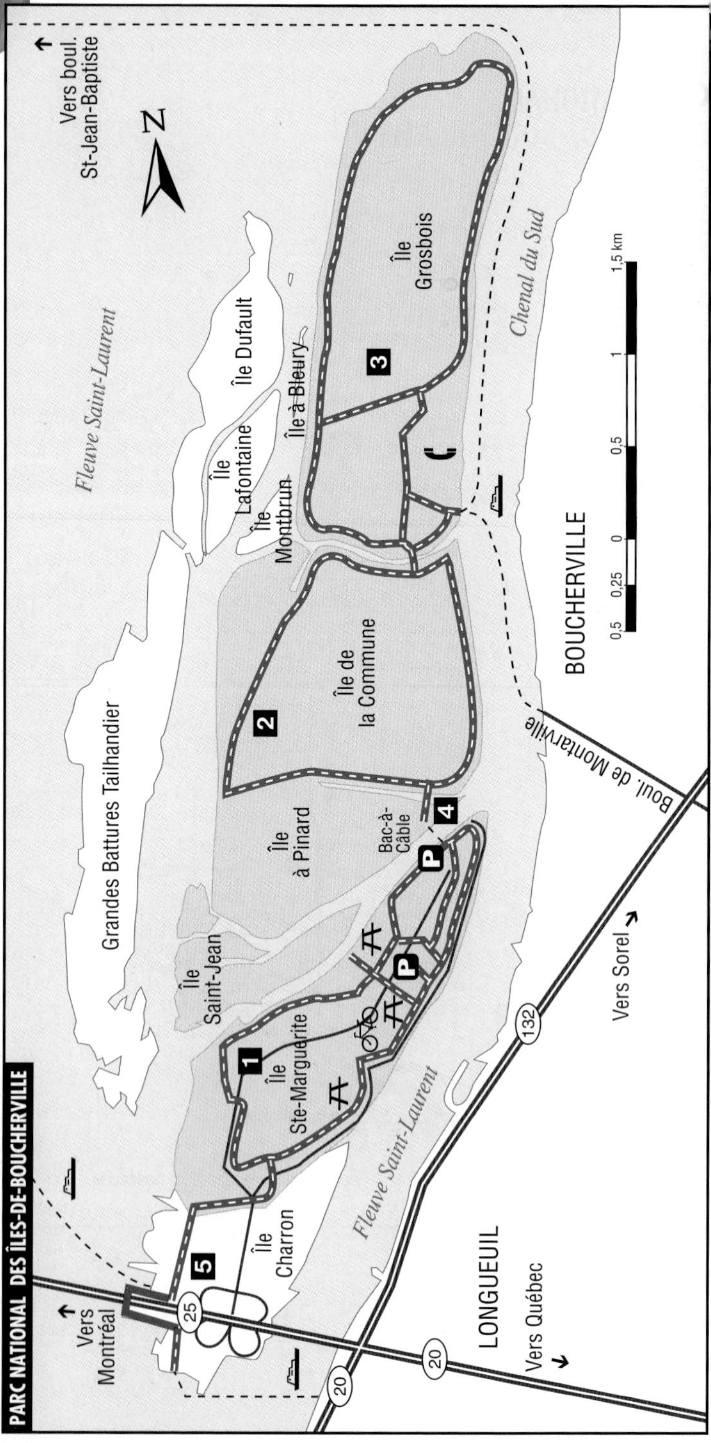
Vers boul. St-Jean-Baptiste
N
Fleuve Saint-Laurent
Île Dufault
Île Lafontaine
Île à Bleury
Île Montbrun
Île Grosbois
3
Chenal du Sud
0,5 0,25 0 0,5 1 1,5 km
BOUCHERVILLE
Île de la Commune
2
Grandes Battures Tailhandier
Île à Pinard
Bac-à-Câble
4
P
Boul. de Montarville
Île Saint-Jean
1
Île Ste-Marguerite
Vers Sorel
132
Fleuve Saint-Laurent
Île Charron
5
LONGUEUIL
Vers Québec
25
20
Vers Montréal

CANDIAC

		KM	PISTE CYCLABLE	BANDE CYCLABLE	CHAUSSÉE DÉSIGNÉE
1	Marie-Victorin	2,2	0,8	1,4	
2	St-François-Xavier	3,0	3,0		
3	Hydro-Québec	1,3	1,3		
4	Boul. Champlain	1,6		1,6	
5	Aberdeen	0,8		0,8	
6	D'Auteuil	1,1		1,1	
7	Barcelone/Chambord	3,9		3,9	
8	Montcalm	1,0		1,0	
9	Handel	1,9		1,9	
10	Dauphiné	0,6	0,6		
11	Deauville	1,0	1,0		
12	Jean-Leman	1,5	0,8	0,7	
	Total	**19,9**			

(450) 444-6000
1er avril au 1er novembre

SUITE PAGE 72

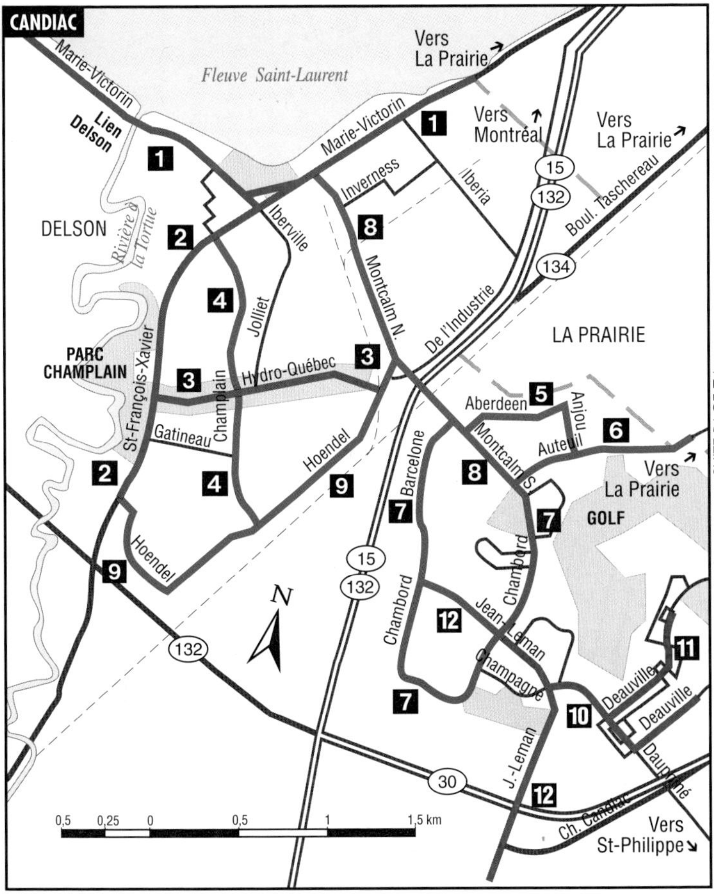

SUITE PAGE 74

CHAMBLY

☎ (450) 658-8788
🚲 15 avril au 31 octobre

		KM	PISTE CYCLABLE ■	BANDE CYCLABLE ■	CHAUSSÉE DÉSIGNÉE ▨
1	Canal de Chambly	8,0	5,8	2,2	
2	Brassard	2,0		2,0	
3	Fréchette	1,4		1,4	
4	Lebel	1,8		1,8	
5	Barré/Cartier/Gentilly	2,3		2,3	
6	Bourgogne	1,4		1,4	
7	Bord de l'eau	2,0			2,0
8	Servitude électrique	2,4	2,4		
9	Kennedy	2,0	1,1	0,9	
10	A.-Le Seigneur	0,2	0,2		
	Total	**23,5**			

SUITE PAGE 55

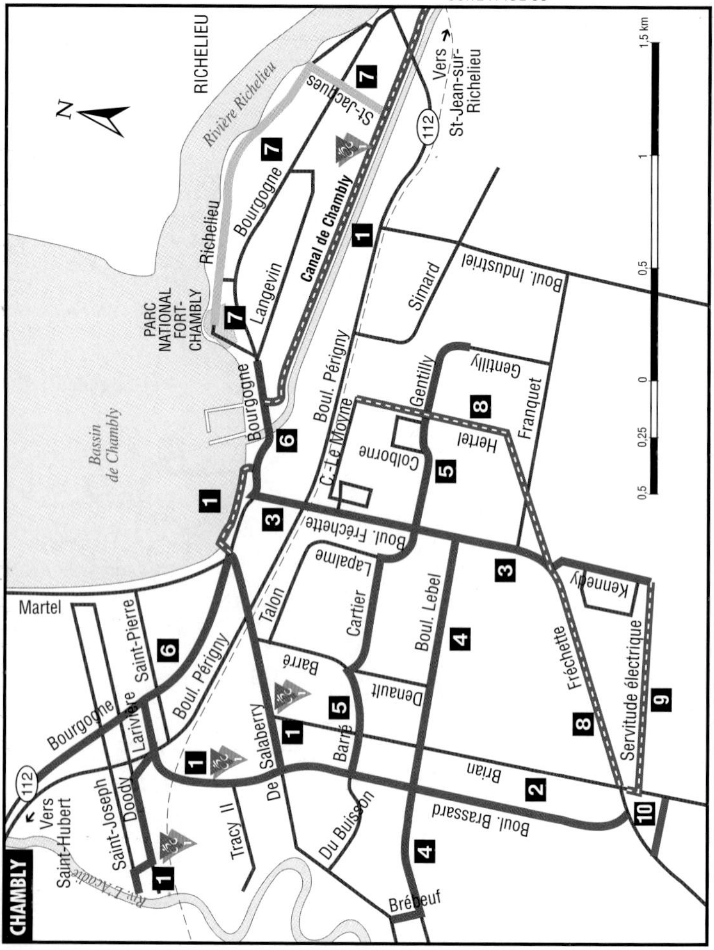

CHÂTEAUGUAY

	KM	PISTE CYCLABLE	BANDE CYCLABLE	CHAUSSÉE DÉSIGNÉE
1 Ruisseau St-Jean	5,0	4,0		1,0
2 Municipale	6,0	6,0		
Total	**11,0**			

(450) 698-3100
(514) 668-7077 (navette fluviale, juin à septembre)
Mi-avril à fin octobre

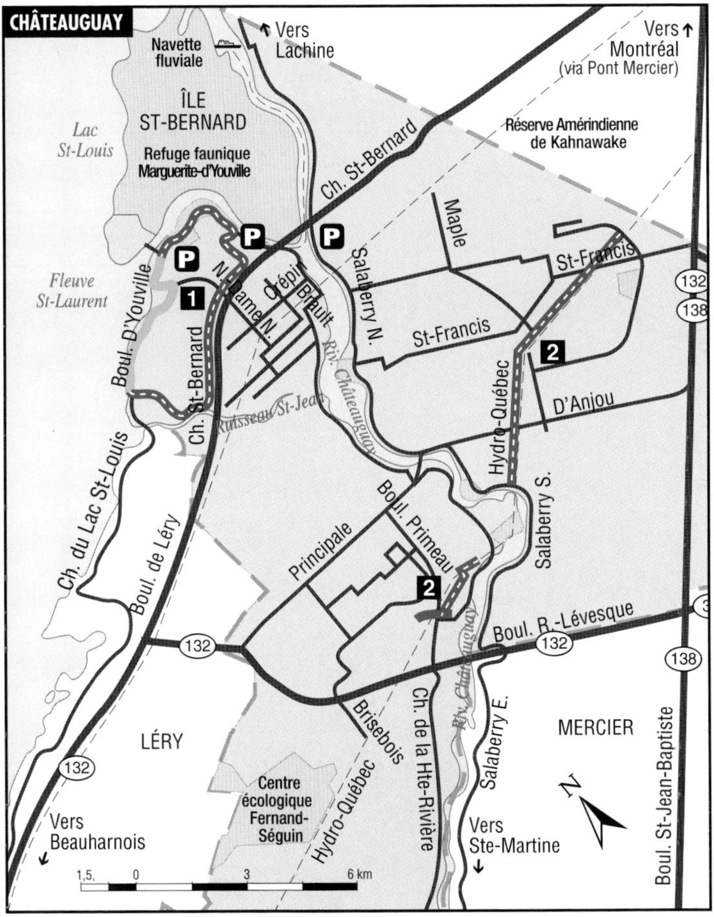

DELSON

	KM	PISTE CYCLABLE ■	BANDE CYCLABLE ■	CHAUSSÉE DÉSIGNÉE ▨
1 Marie-Victorin	0,5	0,5		
2 Principale (2 sections)	2,1		2,1	
3 George Gagné/ Monette	1,0		1,0	
4 Boardman	0,2		0,2	
5 Des Bouleaux/ Lefrançois	1,7		1,7	
Total	**5,5**			

☎ (450) 632-3330
🚲 Mi-avril à fin octobre

SUITE PAGE 69

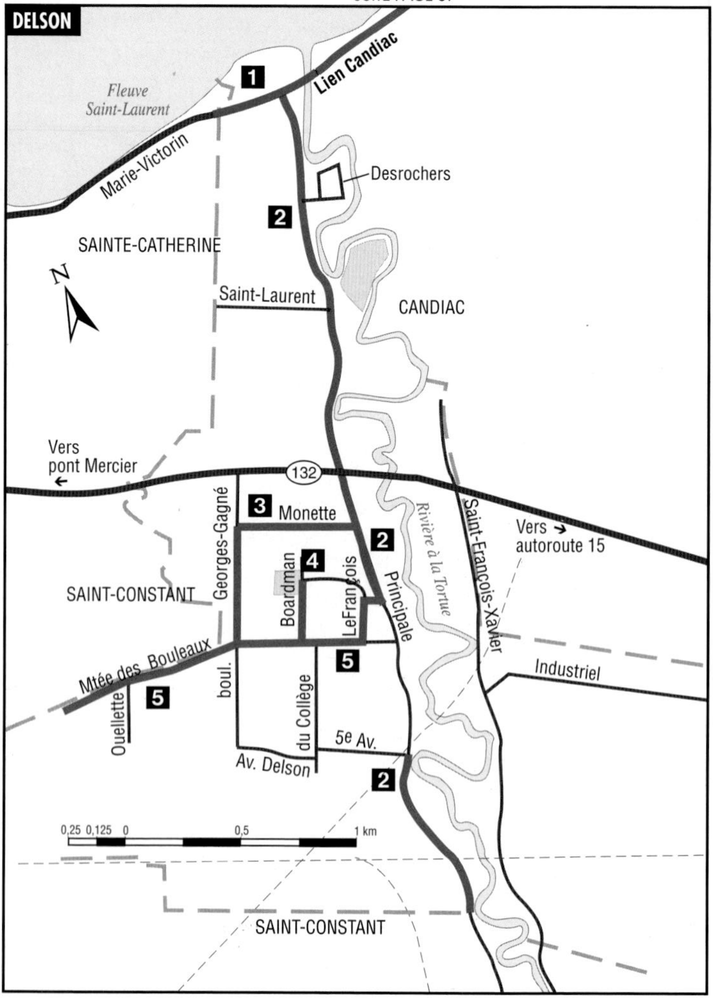

LACOLLE

	KM	PISTE CYCLABLE ■	BANDE CYCLABLE ■	CHAUSSÉE DÉSIGNÉE ■
1 Du Lièvre	7,7	2,0	5,7	

(450) 246-3201
Printemps à l'automne

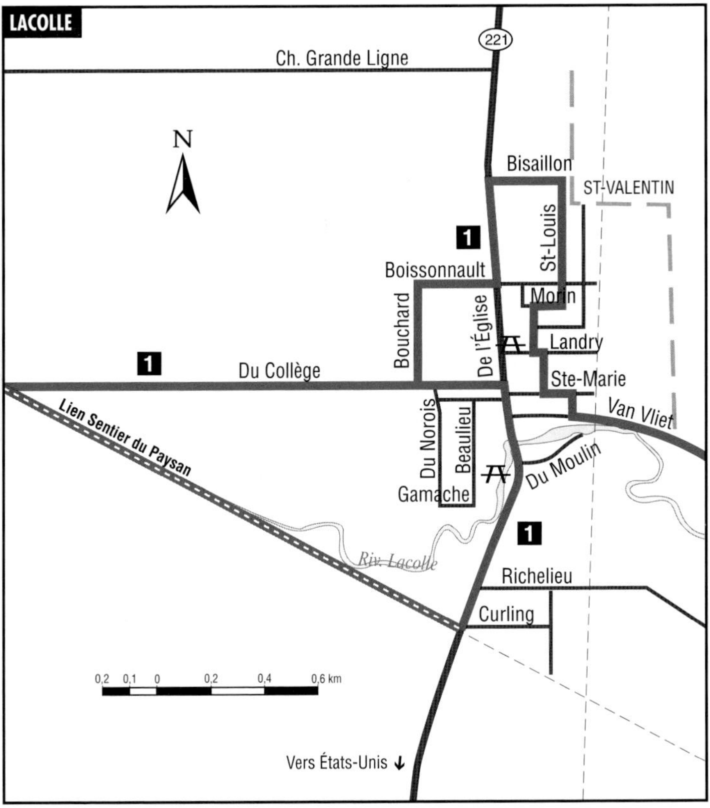

SUITE PAGE 64

LA PRAIRIE

	KM	PISTE CYCLABLE	BANDE CYCLABLE	CHAUSSÉE DÉSIGNÉE
1 Locale	25,0		25	
2 Régionale	3,5	3,0	0,5	
Total	**28,5**			

(450) 444-6600
15 avril au 15 novembre

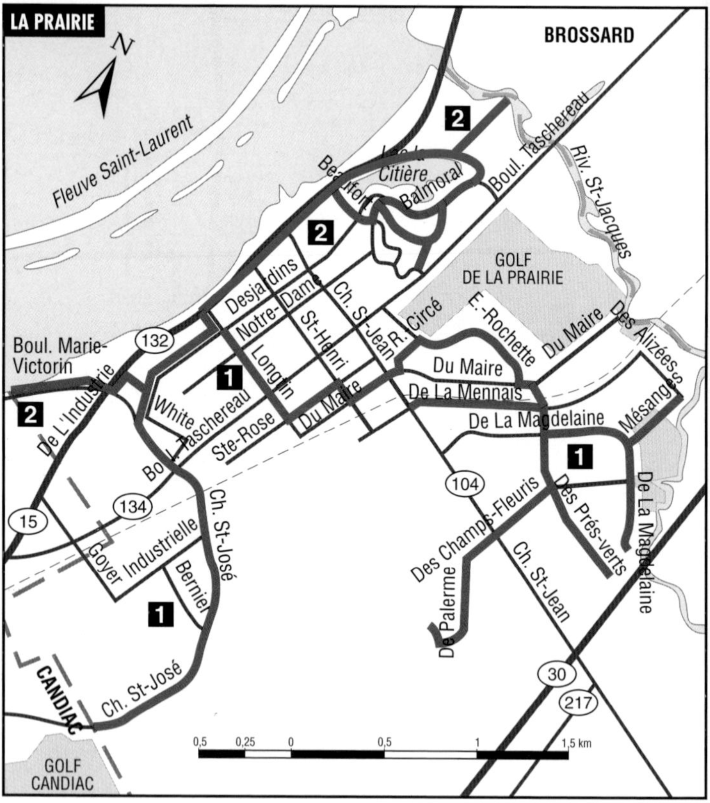

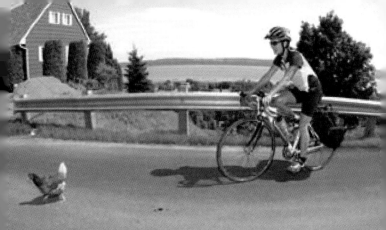

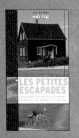

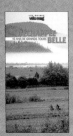

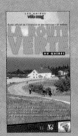

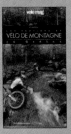

La présentation des voies cyclables de la ville de Longueuil est différente de celle que vous retrouvez ailleurs dans ce guide. Afin de faciliter la consultation, la ville a été divisée en cinq cartes. Ces cartes ont été repiquées d'un autre Guide Vélo Mag, *Pédaler Montréal et ses environs.*

LONGUEUIL

	KM	PISTE CYCLABLE ■	BANDE CYCLABLE ■	CHAUSSÉE DÉSIGNÉE ■
Total	**95,5**	66,9	7,9	20,7

(450) 463-7000 ou
(450) 670-7293
(bureau touristique)
www.longueuil.ca

15 avril au
15 novembre

Cartes Longueuil
page 77 à 81

LONGUEUIL (Boucherville)

	KM	PISTE CYCLABLE ■	BANDE CYCLABLE ■	CHAUSSÉE DÉSIGNÉE ■
Total	**40,2**	18,7	21,5	

LONGUEUIL (Brossard)

	KM	PISTE CYCLABLE ■	BANDE CYCLABLE ■	CHAUSSÉE DÉSIGNÉE ■
Total	**38,0**	23,9	7,75	6,35

LONGUEUIL (Saint-Lambert)

	KM	PISTE CYCLABLE ■	BANDE CYCLABLE ■	CHAUSSÉE DÉSIGNÉE ■
Total	**10,0**	7,0	3,0	

LONGUEUIL (Saint-Hubert)

	KM	PISTE CYCLABLE ■	BANDE CYCLABLE ■	CHAUSSÉE DÉSIGNÉE ■
Total	**35,6**	27,7	3,2	4,7

LONGUEUIL (Saint-Bruno-de-Montarville)

	KM	PISTE CYCLABLE ■	BANDE CYCLABLE ■	CHAUSSÉE DÉSIGNÉE ■
Total	**25,6**	12,1		13,5

SUITE PAGE 79

LONGUEUIL (Saint-Bruno-de-Montarville)

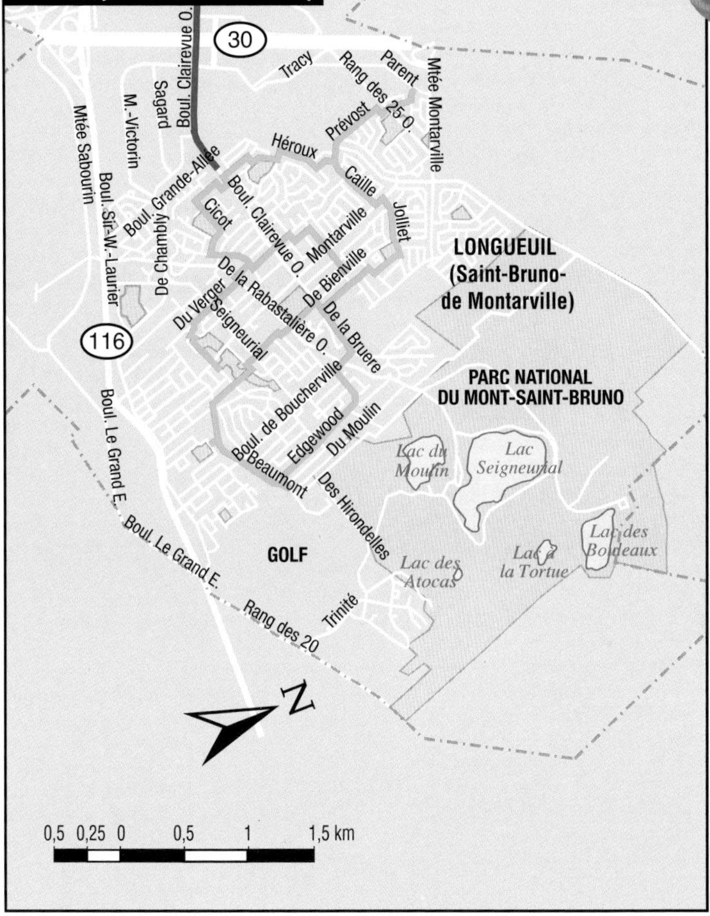

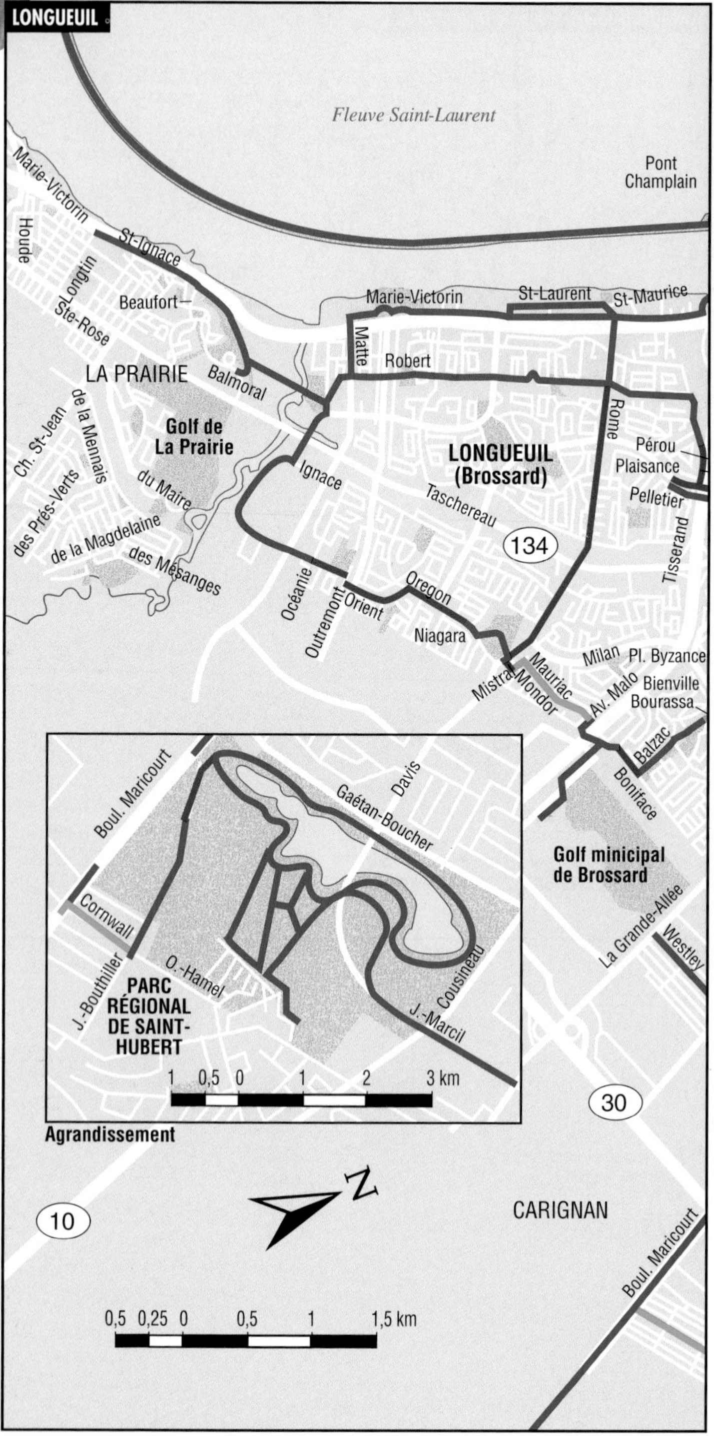
Fleuve Saint-Laurent
Pont Champlain
Marie-Victorin
Houde
St-Ignace
Longtin
Ste-Rose
Beaufort
LA PRAIRIE
Balmoral
Golf de La Prairie
Ch. St-Jean
de la Mennais
des Prés-Verts
du Maire
de la Magdelaine
des Mésanges
Marie-Victorin
St-Laurent
St-Maurice
Matte
Robert
Rome
Pérou
Plaisance
Pelletier
Tisserand
Ignace
LONGUEUIL (Brossard)
Taschereau
134
Océanie
Outremont
Orient
Oregon
Niagara
Mistral
Mondor
Mauriac
Milan
Pl. Byzance
Av. Malo
Bienville
Bourassa
Balzac
Boniface
Golf municipal de Brossard
La Grande-Allée
Westley
Boul. Maricourt
Davis
Gaétan-Boucher
Cornwall
J.-Bouthillier
O.-Hamel
Cousineau
J.-Marcil
PARC RÉGIONAL DE SAINT-HUBERT
1 0,5 0 1 2 3 km
30
Agrandissement
N
10
CARIGNAN
Boul. Maricourt
0,5 0,25 0 0,5 1 1,5 km

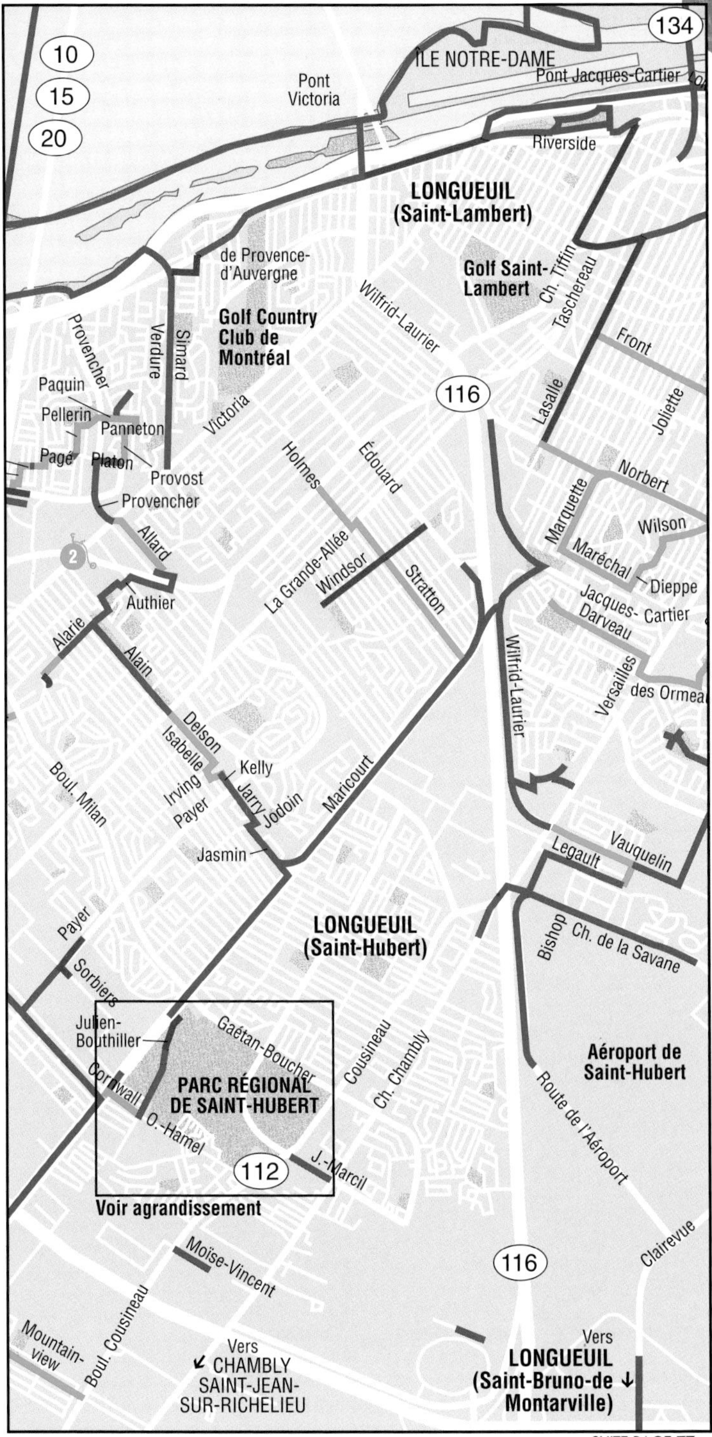
134
10
15
20
ÎLE NOTRE-DAME
Pont Jacques-Cartier
Pont Victoria
Riverside
LONGUEUIL (Saint-Lambert)
de Provence-d'Auvergne
Golf Saint-Lambert
Ch. Tiffin
Taschereau
Golf Country Club de Montréal
Wilfrid-Laurier
Front
Provencher
Verdure
Simard
116
Lasalle
Joliette
Paquin
Pellerin
Panneton
Victoria
Pagé
Platon
Provost
Holmes
Édouard
Norbert
Provencher
Marquette
Wilson
Allard
La Grande-Allée
Windsor
Stratton
Maréchal
Dieppe
Authier
Jacques-Cartier
Darveau
Alarie
Alain
Wilfrid-Laurier
Versailles
des Ormeaux
Delson
Isabelle
Kelly
Boul. Milan
Irving
Payer
Jarry
Jodoin
Maricourt
Jasmin
Legault
Vauquelin
LONGUEUIL (Saint-Hubert)
Bishop
Ch. de la Savane
Payer
Sorbiers
Julien-Bouthiller
Gaétan-Boucher
Cousineau
Ch. Chambly
Aéroport de Saint-Hubert
Cornwall
PARC RÉGIONAL DE SAINT-HUBERT
O.-Hamel
Route de l'Aéroport
112
J.-Marcil
Voir agrandissement
Clairevue
Moïse-Vincent
116
Mountain-view
Boul. Cousineau
Vers CHAMBLY SAINT-JEAN-SUR-RICHELIEU
Vers LONGUEUIL (Saint-Bruno-de-Montarville)

SUITE PAGE 80

SUITE PAGE 77

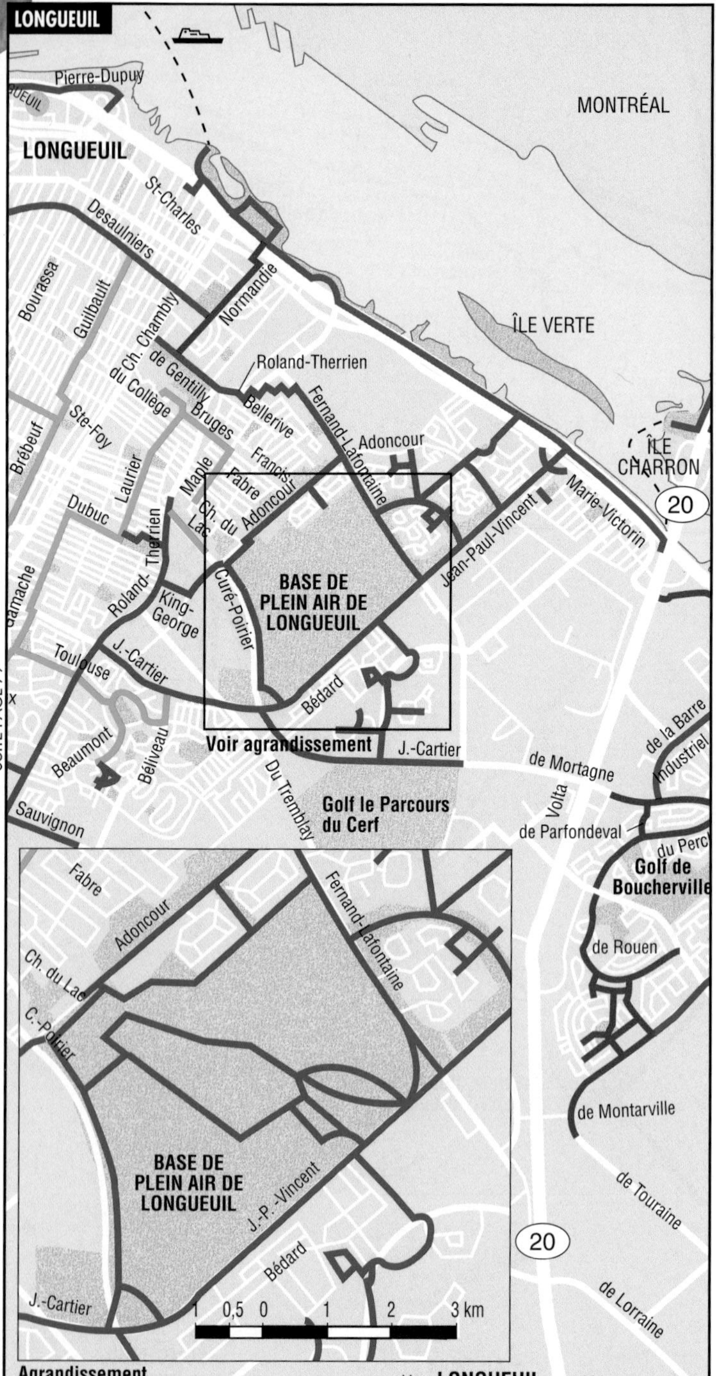
LONGUEUIL
MONTRÉAL
LONGUEUIL
Pierre-Dupuy
St-Charles
Desaulniers
Normandie
Bourassa
Guilbault
Ch. Chambly
de Gentilly
du Collège
Roland-Therrien
Bellerive
Bruges
Fernand-Lafontaine
Adoncour
ÎLE VERTE
ÎLE CHARRON
20
Marie-Victorin
Jean-Paul-Vincent
Brébeuf
Ste-Foy
Laurier
Maple
Francis
Fabre
Ch. du Lac
Adoncour
Dubuc
Therrien
Roland-
King-George
Curé-Poirier
BASE DE PLEIN AIR DE LONGUEUIL
Gamache
Toulouse
J.-Cartier
Bédard
Beaumont
Béliveau
Voir agrandissement
J.-Cartier
Du Tremblay
de Mortagne
de la Barre
Industriel
Volta
Golf le Parcours du Cerf
de Parfondeval
Sauvignon
Fabre
Adoncour
Ch. du Lac
C.-Poirier
Fernand-Lafontaine
Golf de Boucherville
de Rouen
de Montarville
BASE DE PLEIN AIR DE LONGUEUIL
J.-P.-Vincent
Bédard
J.-Cartier
1 0,5 0 1 2 3 km
20
de Touraine
de Lorraine
Agrandissement
Vers LONGUEUIL (Saint-Bruno-de-Montarville)
Vers Sainte-Julie

SUITE PAGE 79

SUITE PAGE 77

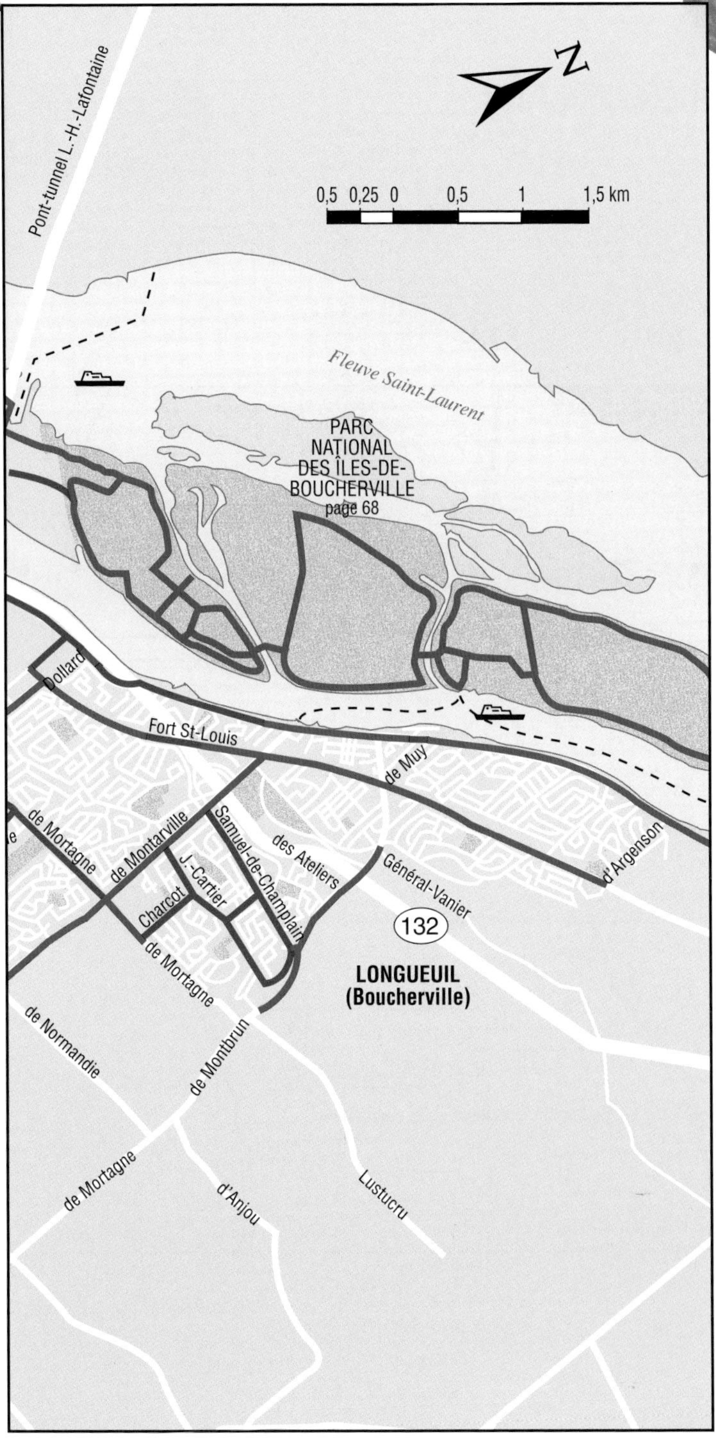

N
0,5 0,25 0 0,5 1 1,5 km
Pont-tunnel L.-H.-Lafontaine
Fleuve Saint-Laurent
PARC NATIONAL DES ÎLES-DE-BOUCHERVILLE
page 68
Dollard
Fort St-Louis
de Muy
d'Argenson
de Mortagne
de Montarville
Samuel-de-Champlain
J.-Cartier
Charcot
des Ateliers
Général-Vanier
132
LONGUEUIL
(Boucherville)
de Mortagne
de Normandie
de Montbrun
de Mortagne
d'Anjou
Lustucru

OTTERBURN-PARK

☎ (450) 536-0292
🚲 Dès que la
température le permet

	KM	PISTE CYCLABLE ■	BANDE CYCLABLE ■	CHAUSSÉE DÉSIGNÉE
1 Copping	0,6			0,6
2 Eleanor/Helen	1,4			1,4
3 Mountainview	0,1			0,1
4 Prince-Albert	0,4			0,4
5 Spiller	1,3			1,3
6 Des patriotes	2,0		2,0	
Total	**5,8**			

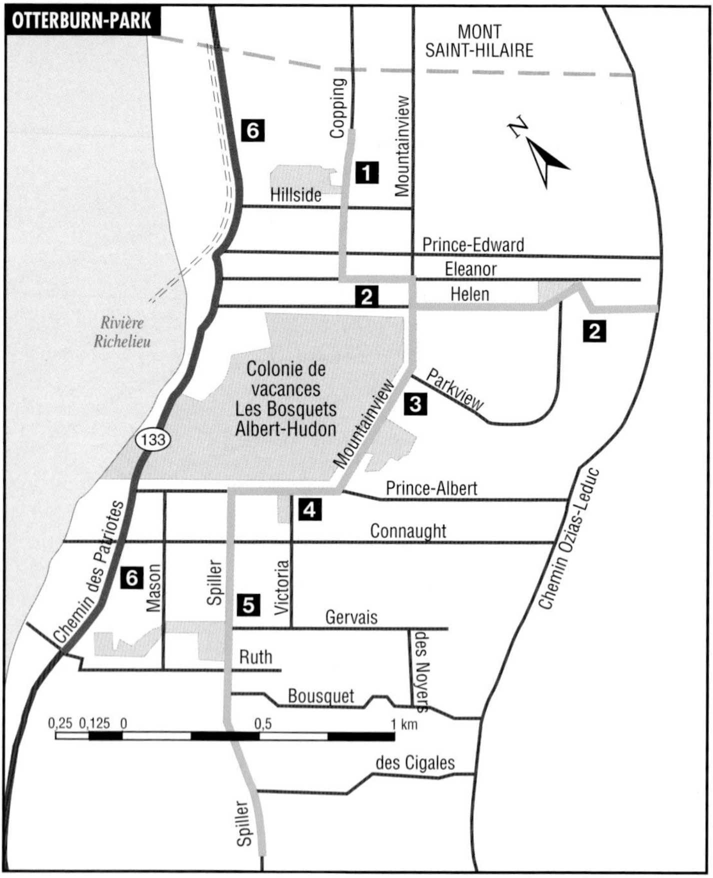

PINCOURT

	KM	PISTE CYCLABLE ■	BANDE CYCLABLE ■	CHAUSSÉE DÉSIGNÉE ▨
1 Cardinal-Léger	3,4		2,9	0,5
2 Forest	1,3		1,3	
3 De l'Île	0,8		0,8	
4 5e avenue	1,8		1,8	
Total	**7,3**			

☎ (450) 453-8981
🚲 Mai à fin-octobre

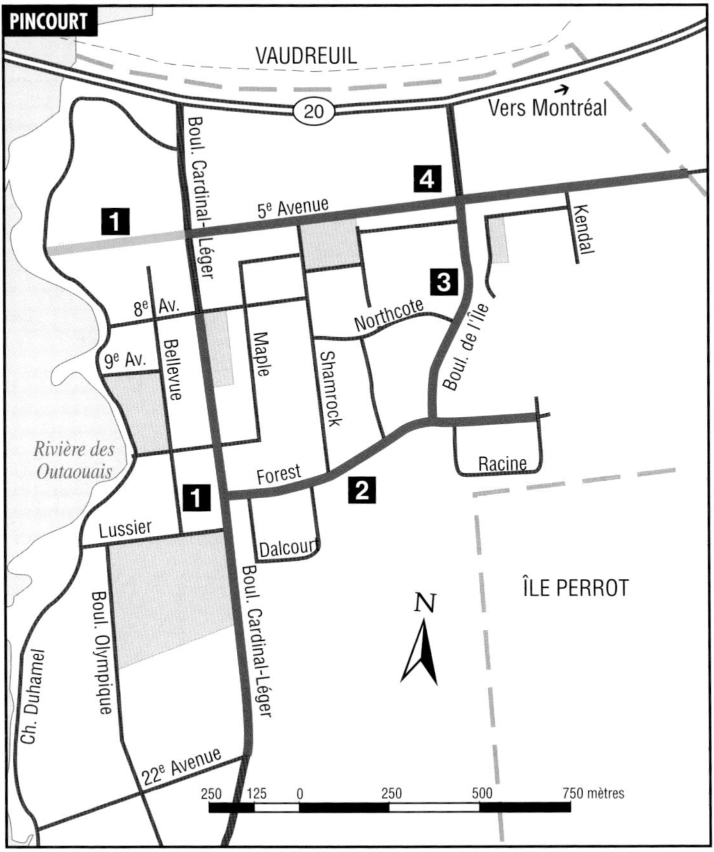

SAINT-CONSTANT

	KM	PISTE CYCLABLE ■	BANDE CYCLABLE ■	CHAUSSÉE DÉSIGNÉE ■
1 Monchamp	2,6	2,2	0,4	
2 Ste-Catherine	3,2	1,4	1,8	
3 Hydro	1,9	1,9		
4 Leber/LaSalle	0,7		0,7	
5 St-Régis/de l'Église	1,4	1,2	0,2	
6 Roch/Lanctôt	0,9	0,9		
7 Parc Petit St-Régis	0,4	0,4		
Total	**11,1**			

(450) 635-8414
1er mai au 1er novembre

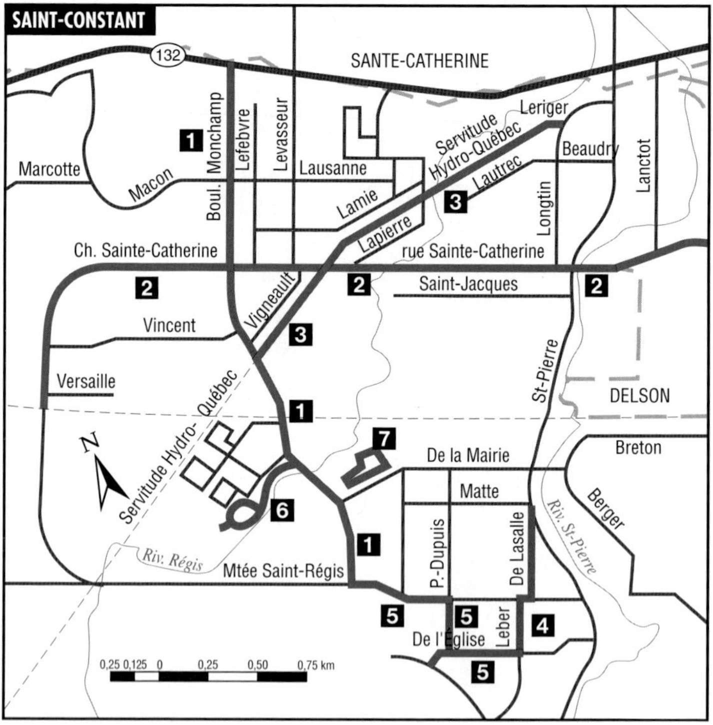

SAINT-HYACINTHE

		KM	PISTE CYCLABLE ■	BANDE CYCLABLE ■	CHAUSSÉE DÉSIGNÉE ▪
1	Laframboise	1,7	1,7		
2	Promenade G.-Côté	2,0	2,0		
3	Casavant	1,4		1,4	
4	Pratte	1,7	1,7		
5	Ste-Catherine/De Rome	1,4	1,4		
6	Laurier/Bouthillier	2,8	1,1	1,4	0,3
7	Nelson/Sacré-Cœur	2,4		2,4	
8	Parc Les Salines	6,0	6,0		
9	Martineau	1,5	1,5		
10	Carillon	1,4		1,4	
11	St-Louis	0,6	0,6		
12	Pinard	1,0		1,0	
	Total	**23,9**			

☎ (450) 778-8333

🚲 15 avril au 15 novembre

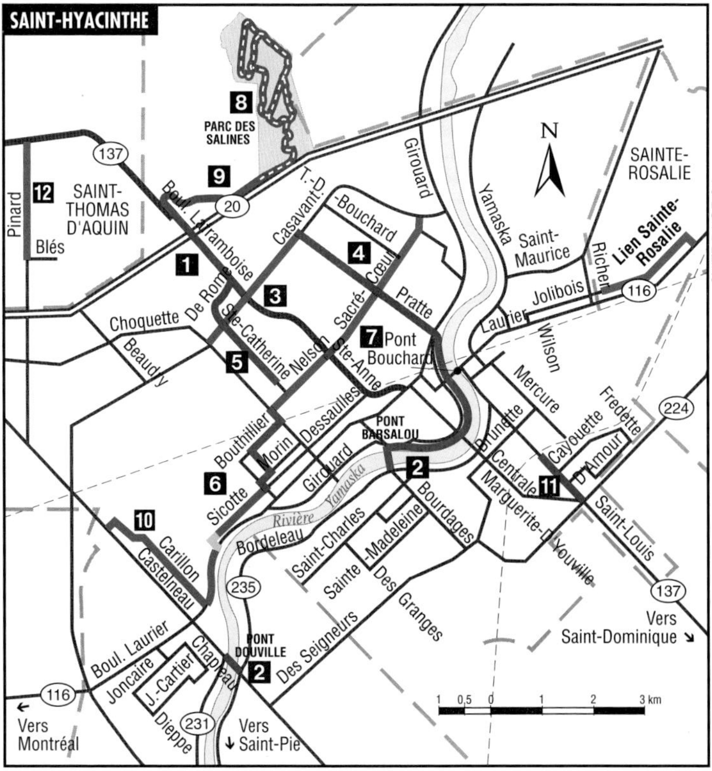

SAINT-HYACINTHE (Sainte-Rosalie)

	KM	PISTE CYCLABLE ■	BANDE CYCLABLE ■	CHAUSSÉE DÉSIGNÉE ■
1 Jolibois/de l'Église	5,0		4,8	0,2
2 Des Seigneurs/Laurier	2,3	0,5	11,8	
Total	**7,3**			

(450) 778-8333
15 avril au 15 novembre

SAINT-JEAN-SUR-RICHELIEU

	KM	PISTE CYCLABLE ■	BANDE CYCLABLE ■	CHAUSSÉE DÉSIGNÉE ■
1 Locales	20,6	4,2	15,9	0,5
2 Prolongement	2,6	0,6	2,0	
Total	**23,2**			

(450) 357-2157
1er mai au 1er novembre

SUITE PAGE 85

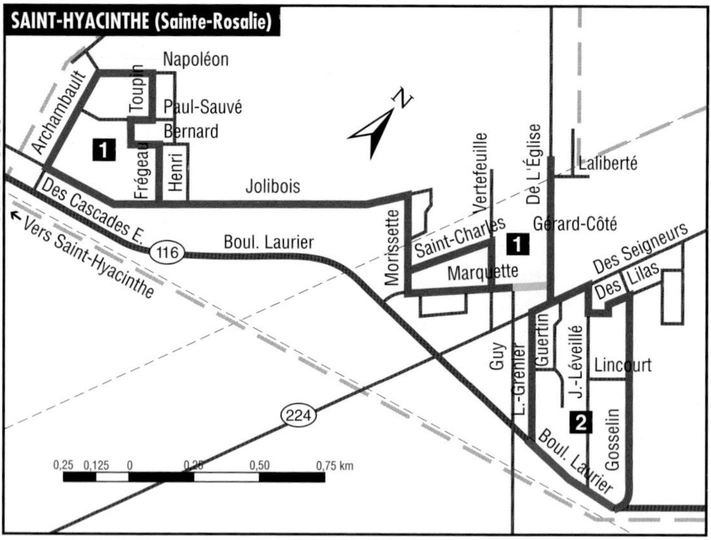

SUITE PAGE 55

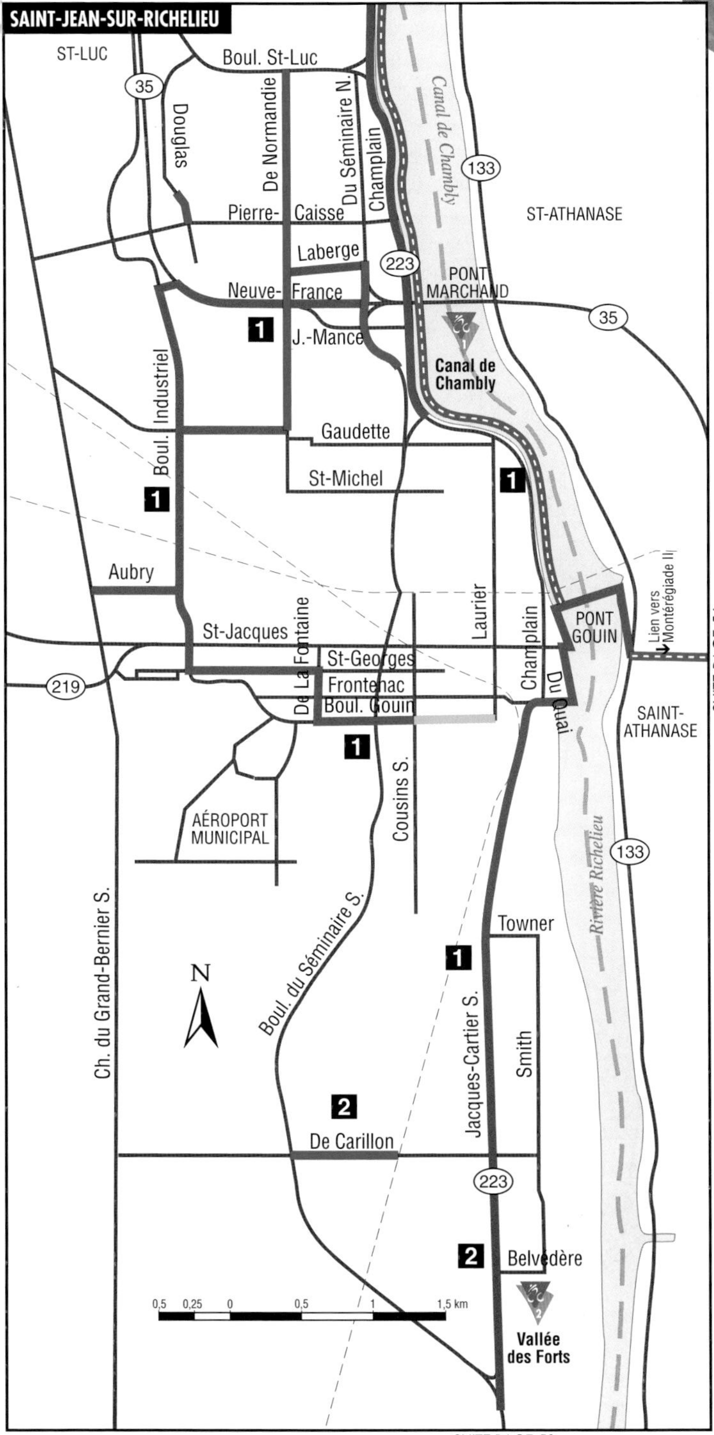
SAINT-JEAN-SUR-RICHELIEU
ST-LUC
Boul. St-Luc
35
Douglas
De Normandie
Du Séminaire N.
Champlain
Canal de Chambly
133
Pierre-
Caisse
ST-ATHANASE
Laberge
223
PONT
MARCHAND
Neuve-
France
35
1
J.-Mance
Canal de Chambly
Boul. Industriel
Gaudette
St-Michel
1
1
Aubry
Lien vers Montérégiade II
Laurier
Champlain
PONT
GOUIN
St-Jacques
De La Fontaine
St-Georges
Frontenac
Boul. Gouin
Du Quai
219
SAINT-
ATHANASE
1
AÉROPORT
MUNICIPAL
Cousins S.
133
Rivière Richelieu
Towner
Ch. du Grand-Bernier S.
N
Boul. du Séminaire S.
1
Jacques-Cartier S.
Smith
2
De Carillon
223
2
Belvédère
0,5
0,25
0
0,5
1
1,5 km
Vallée
des Forts

SUITE PAGE 56

SUITE PAGE 58

SAINT-LAZARE

📞 (450) 424-2999 #221
🚲 Mai à décembre

		KM	PISTE CYCLABLE ■	BANDE CYCLABLE ■	CHAUSSÉE DÉSIGNÉE ▣
1	Bédard/St-Charles	2,2	2,2		
2	Ste-Angélique	1,0			1,0
3	Chevrier/Frontenac	3,2	3,2		
	Total	**6,4**			

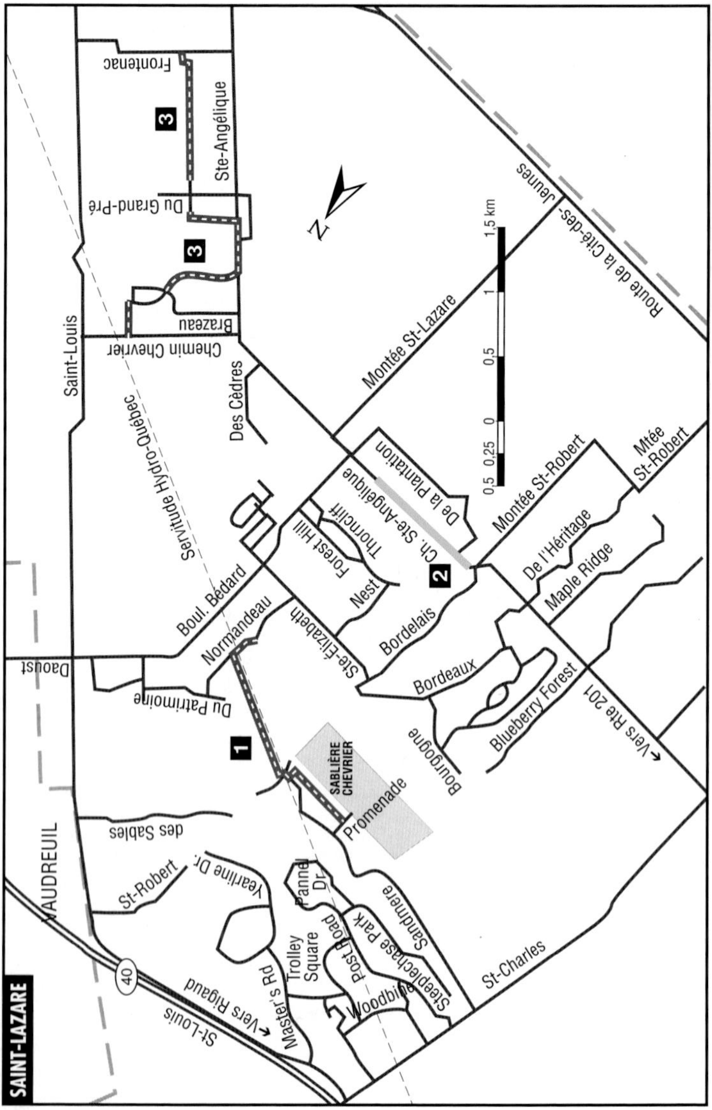

SAINTE-CATHERINE

	KM	PISTE CYCLABLE	BANDE CYCLABLE	CHAUSSÉE DÉSIGNÉE
1 Marie-Victorin	3,3	2,4	0,3	0,6
2 Centrale	1,7		1,7	
3 Voie maritime	14,0	14,0		
4 Hydro-Québec	3,0	3,0		
5 Des Cascades	0,8			0,6
6 Des Marins	0,6			0,6
Total	**23,4**			

(450) 635-3011

15 avril au 15 novembre

SUITE PAGE 72

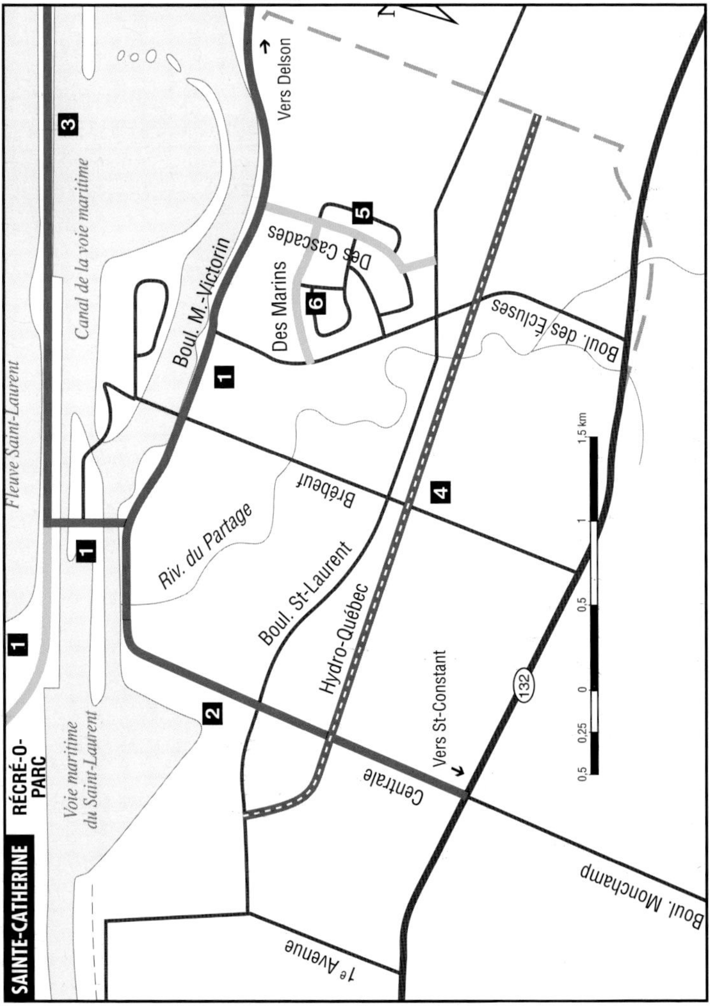

SAINTE-JULIE

	KM	PISTE CYCLABLE ■	BANDE CYCLABLE ■	CHAUSSÉE DÉSIGNÉE ■
1 Fer-à-Cheval	5,2	5,2		
2 N.-P.-Lapierre	3,0	3,0		
3 Armand-Frappier	3,2	3,2		
4 Borduas	0,9	0,9		
5 Savaria	0,8	0,8		
6 Ste-Julie/Principale	2,8		2,8	
7 Autres voies	23,1		4,3	18,8
8 Principale	0,8	0,8		
9 De Genève	0,3	0,3		
Total	**40,1**			

(450) 922-7111
Mai à octobre

SOREL-TRACY

	KM	PISTE CYCLABLE ■	BANDE CYCLABLE ■	CHAUSSÉE DÉSIGNÉE ■
1 Marie-Victorin	8,7		8,7	
2 Boul. Saint-Louis	1,5		1,5	
3 Ch. du Golf	2,0		2,0	
4 Saint-Roch	12,5		12,5	
5 Ch. des Patriotes/ du Collège/Morgan	7,1			7,1
6 Lambert/Aubert	5,5			5,5
7 Autres	7,7			7,7
Total	**45,0**			

(450) 743-2785
15 avril au 15 octobre

Carte page 92-93

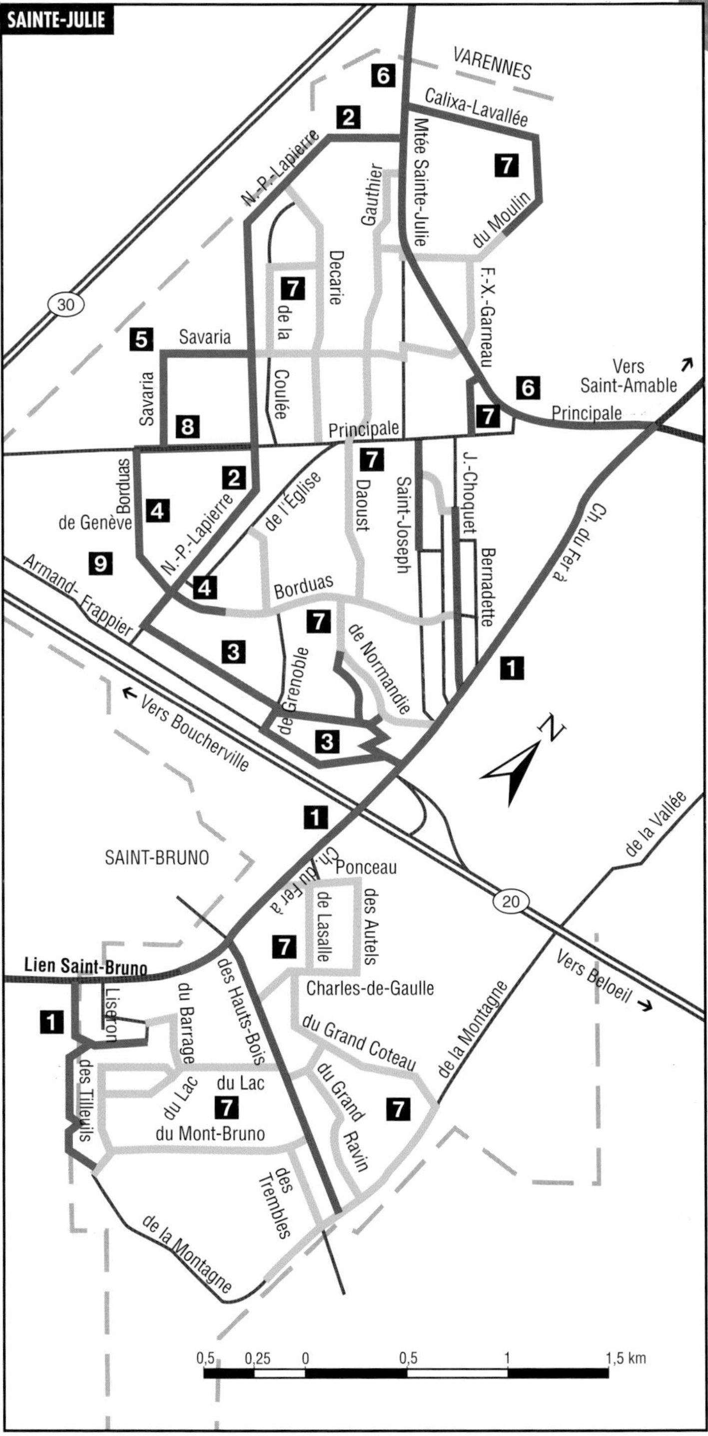

SUITE PAGE 77

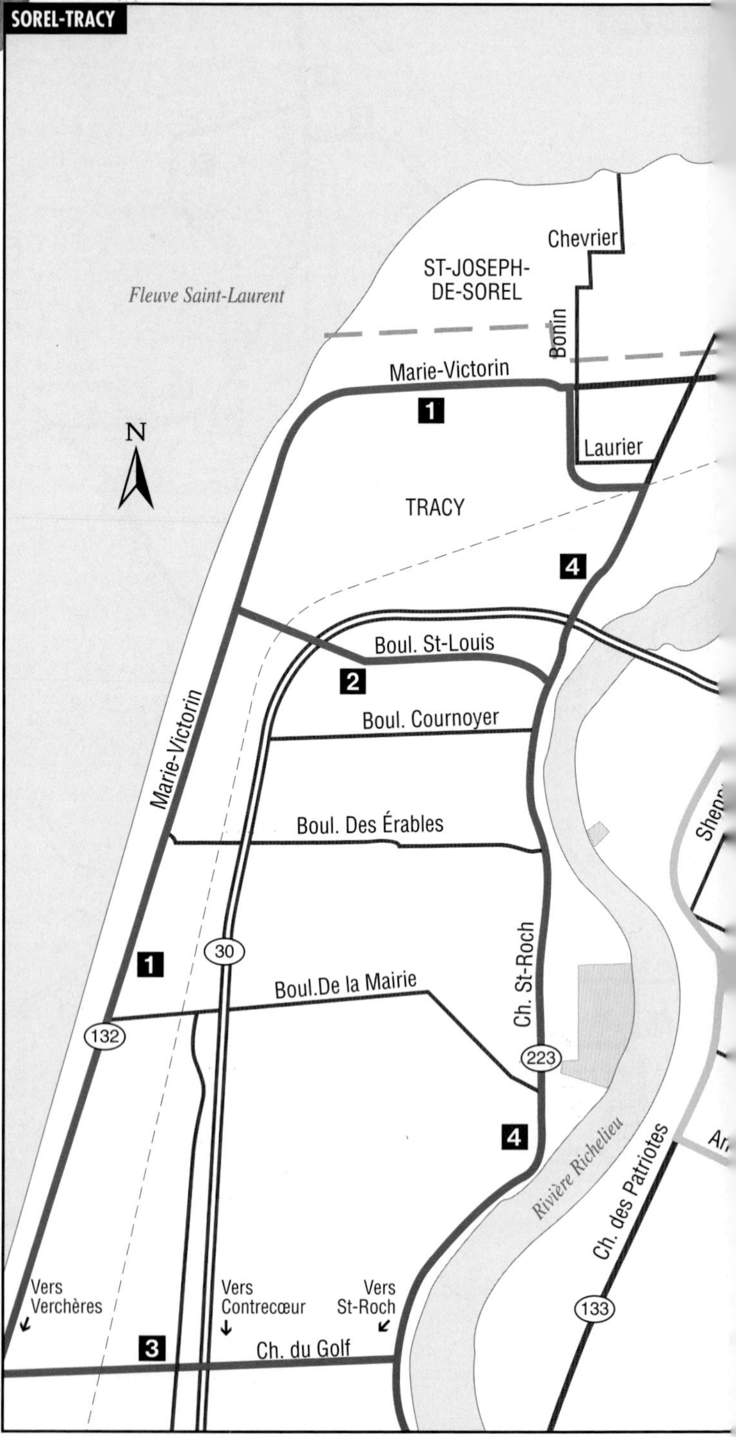
Chevrier
ST-JOSEPH-
DE-SOREL
Fleuve Saint-Laurent
Bonin
Marie-Victorin
1
N
Laurier
TRACY
4
Boul. St-Louis
2
Boul. Cournoyer
Marie-Victorin
Boul. Des Érables
30
Ch. St-Roch
1
Boul.De la Mairie
132
223
4
Rivière Richelieu
Ch. des Patriotes
Vers
Verchères
Vers
Contrecœur
Vers
St-Roch
133
3
Ch. du Golf

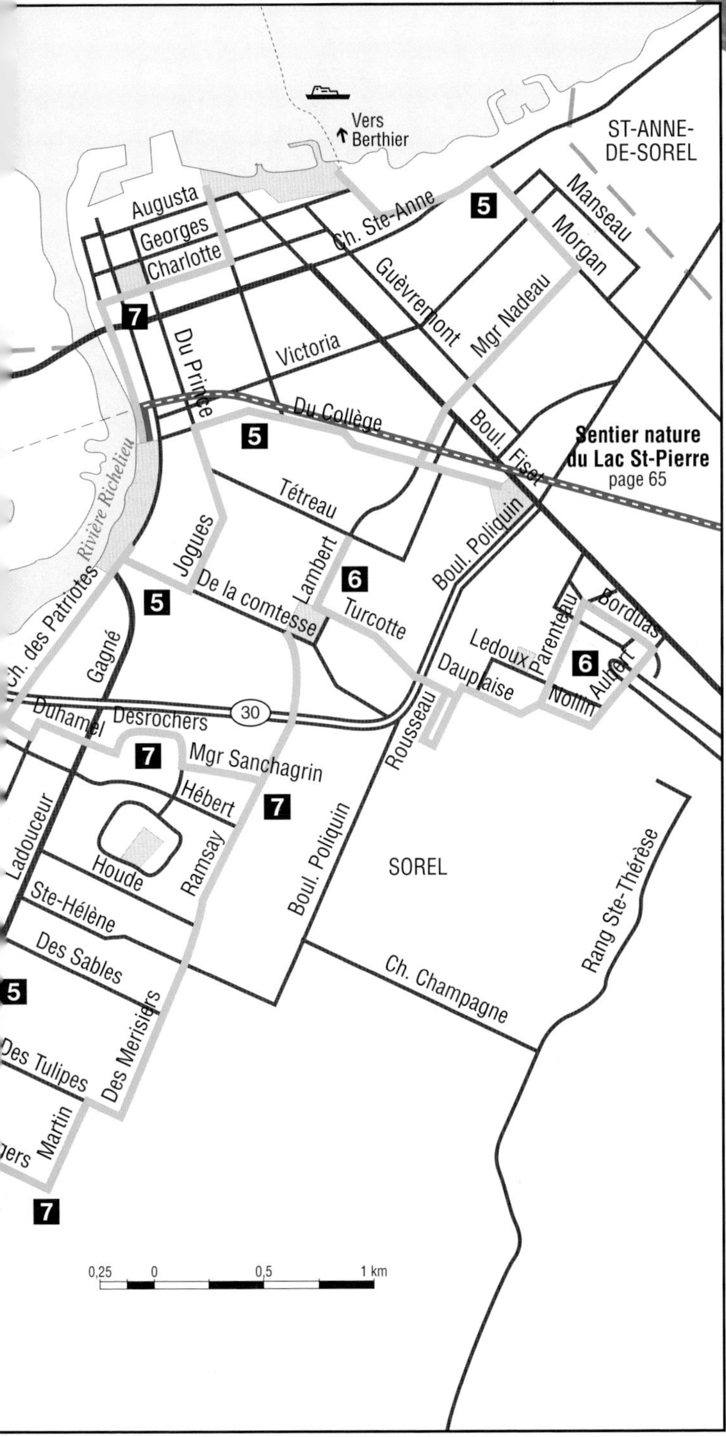

Vers Berthier
ST-ANNE-DE-SOREL
Augusta
Georges
Charlotte
Ch. Ste-Anne
5
Manseau
Morgan
Guèvremont
Mgr Nadeau
7
Du Prince
Victoria
Du Collège
5
Boul. Fiset
Sentier nature du Lac St-Pierre
page 65
Rivière Richelieu
Tétreau
Jogues
Boul. Poliquin
Lambert
6
De la comtesse
Turcotte
Ch. des Patriotes
5
Bordua
Parenteau
Ledoux
Dauplaise
6
Aubert
Nolin
Gagné
Duhamel
Desrochers
30
Rousseau
7
Mgr Sanchagrin
Hébert
7
Ladouceur
Houde
Ramsay
Boul. Poliquin
SOREL
Rang Ste-Thérèse
Ste-Hélène
Des Sables
Ch. Champagne
5
Des Merisiers
Des Tulipes
Martin
7
0,25
0
0,5
1 km

VARENNES

☏ (450) 652-9888
🚲 15 mai au 15 octobre

		KM	PISTE CYCLABLE ■	BANDE CYCLABLE ■	CHAUSSÉE DÉSIGNÉE ▣
1	René-Gaultier	5,7		5,7	
2	Quevillon/ Beauchemin	2,5		2,5	
3	Marie-Victorin/ De la Marine	3,0	1,8	1,2	
4	La Gabelle/Petit-Bois	1,3	1,3		
5	Parc Pré-vert	2,0	2,0		
6	Côte-d'En-Haut	1,5	1,5		
7	De la Commune	1,5	1,5		
8	De l'Aqueduc	0,6		0,6	
9	De la Saline/ Froment/Tasserie	1,1	1,1		
	Total	**19,2**			

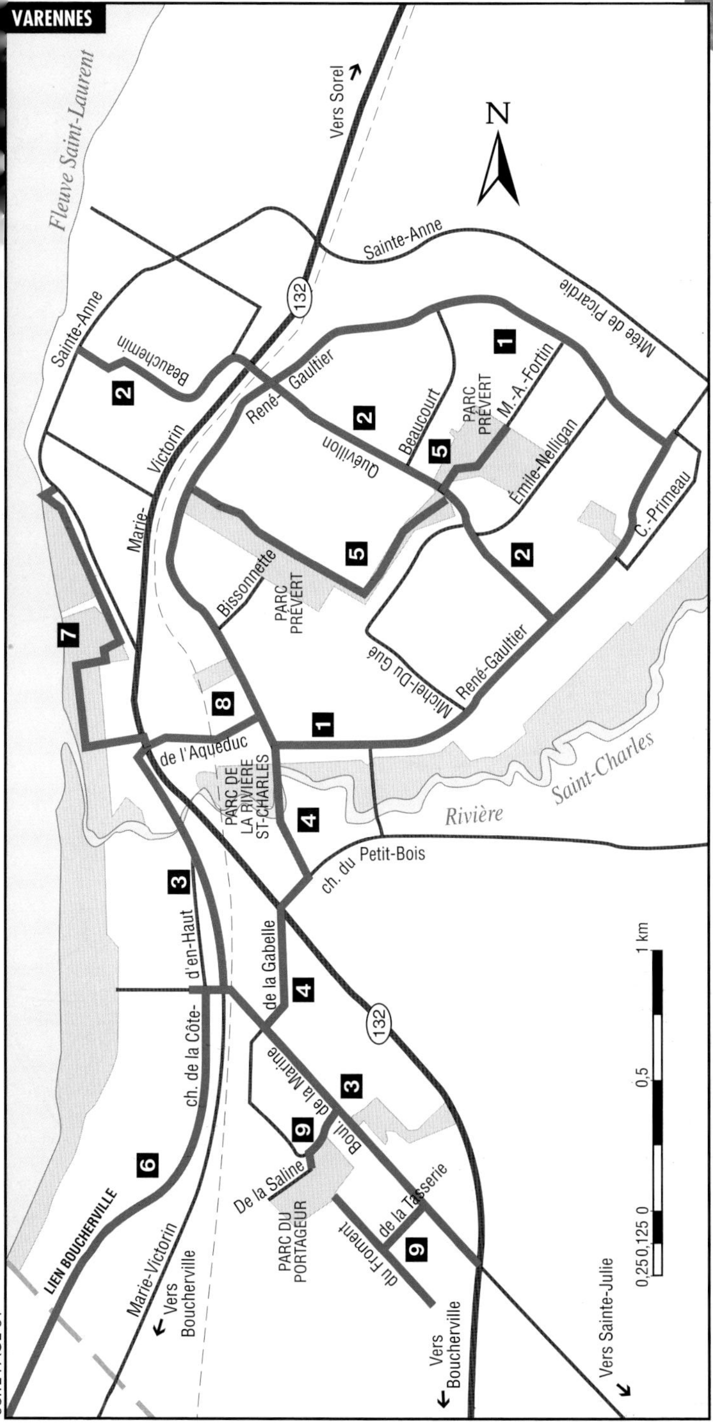

SUITE PAGE 81

VAUDREUIL-DORION

	KM	PISTE CYCLABLE ■	BANDE CYCLABLE ■	CHAUSSÉE DÉSIGNÉE ■
1 St-Charles	3,2		3,2	

☎ (450) 455-5751
🚲 Mai à octobre

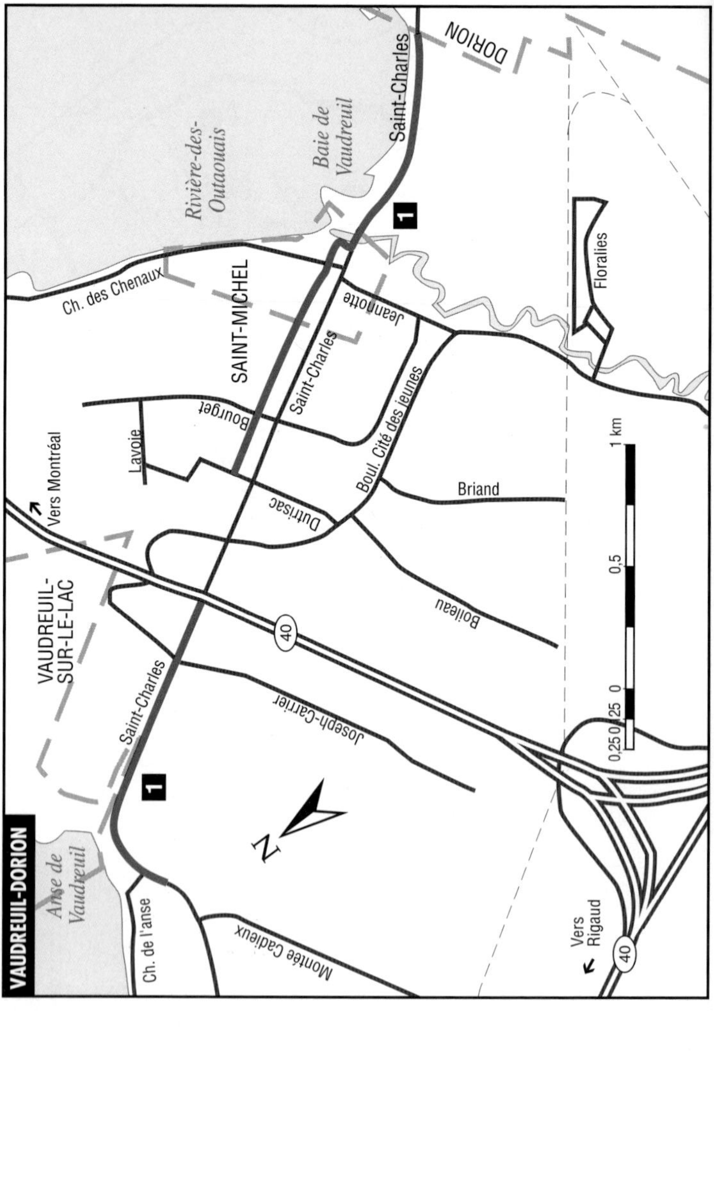

VENISE-EN-QUÉBEC

	KM	PISTE CYCLABLE	BANDE CYCLABLE	CHAUSSÉE DÉSIGNÉE
1 Locale	2,0		2,0	

(450) 244-54838
Mai à novembre

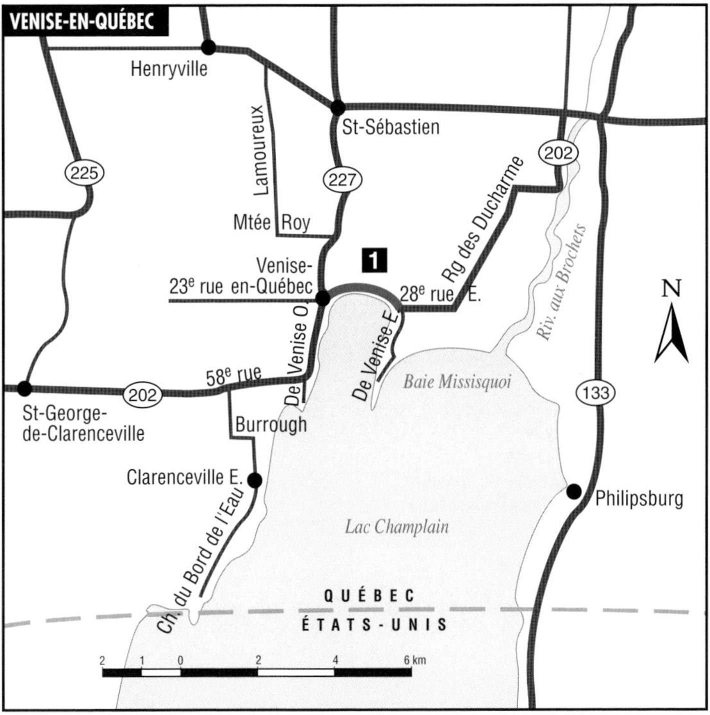

LES 27 ARRONDISSEMENTS DE LA NOUVELLE VILLE DE MONTRÉAL

1 Dorval – L'Île-Dorval
2 Mont-Royal
3 Kirkland
4 Westmount
5 Outremont
6 L'Île-Bizard – Sainte-Geneviève – Sainte-Anne-de-Bellevue
7 Beaconsfield – Baie-d'Urfé
8 Pointe-Claire
9 Anjou
10 Côte-Saint-Luc – Hampstead – Montréal-Ouest
11 Dollard-des-Ormeaux – Roxboro
12 Verdun
13 Pierrefonds – Senneville
14 Saint-Léonard
15 Saint-Laurent
16 Montréal-Nord
17 LaSalle
18 Rivière-des-Prairies – Pointe-aux-Trembles – Montréal-Est
19 Ville-Marie
20 Sud-Ouest
21 Plateau Mont-Royal
22 Mercier – Hochelaga-Maisonneuve
23 Ahuntsic – Cartierville
24 Rosemont – Petite-Patrie
25 Villeray – Saint-Michel – Parc-Extension
26 Côte-des-Neiges – Notre-Dame-de-Grâce
27 Lachine

Source : www2.ville.montreal.qc.ca

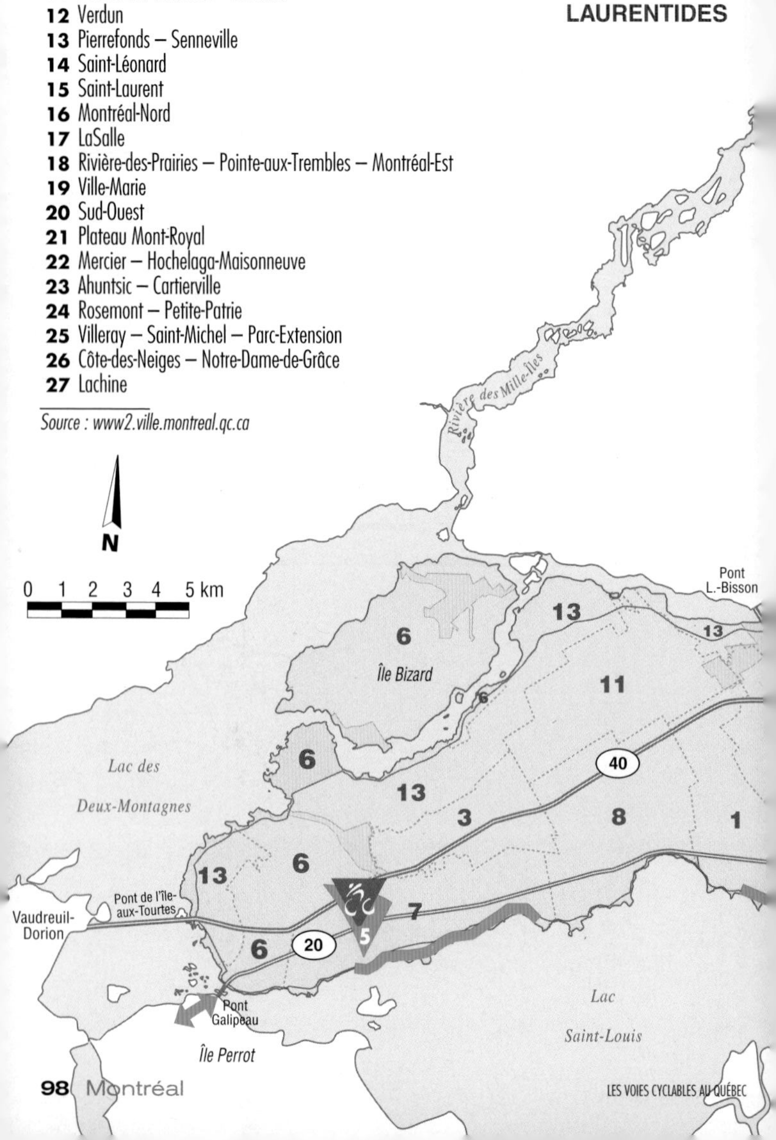

LA ROUTE VERTE
Pistes cyclables 63 km
Bandes cyclables 12 km
Chaussées désignées 6 km
Accotements asphaltés 0 km
Total 81 km
Pont Charles-De Gaulle
Pont Le Gardeur
Rivière des Prairies
Fleuve Saint-Laurent
LAVAL
Pont Pie-IX
Pont Papineau-Leblanc
Pont Viau
Pont CP
Pont-tunnel L.-H.-Lafontaine
Pont J.-Cartier
Pont Victoria
MONTÉRÉGIE
Pont Champlain
Estacade du pont Champlain
Île des Sœurs
Canal de Lachine
Pont H.-Mercier

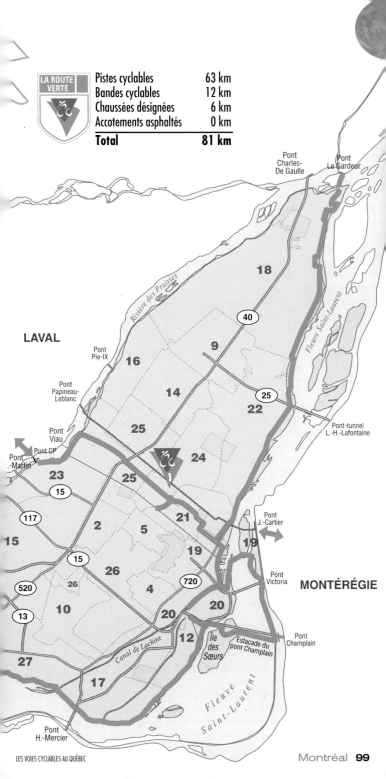

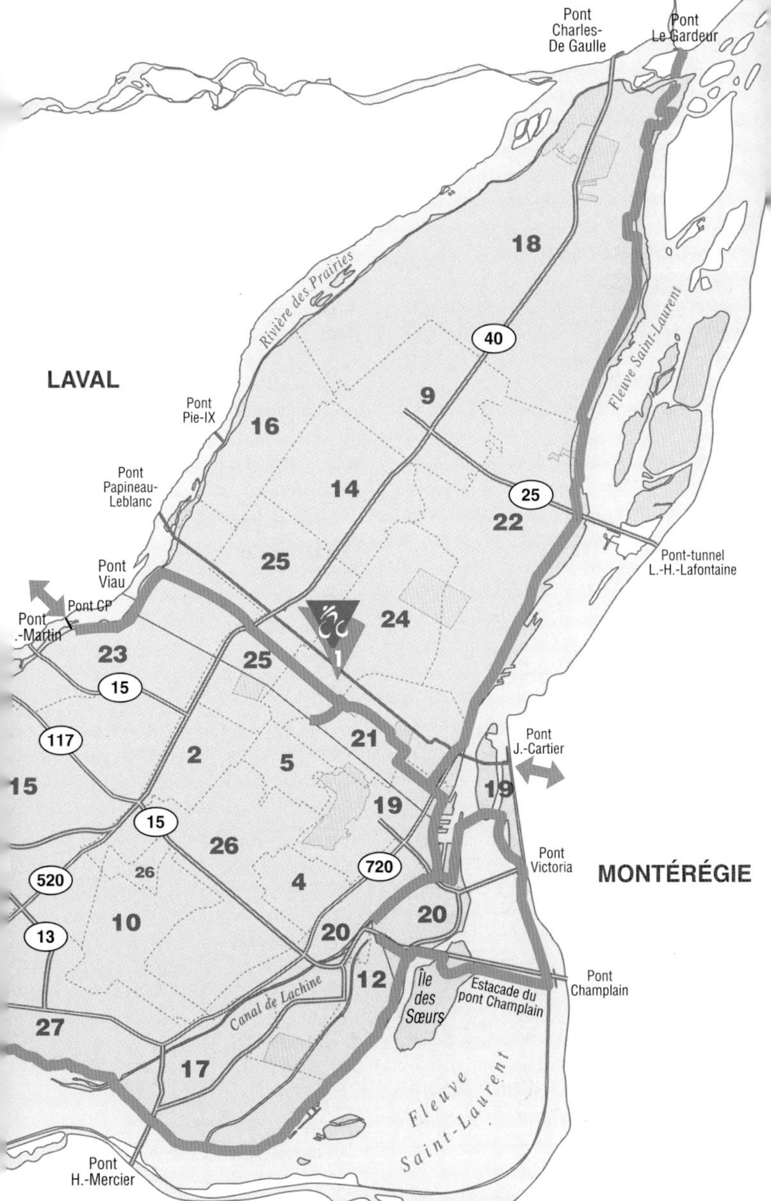

6 Montréal

La présentation des voies cyclables de l'île de Montréal est différente de celle que vous retrouvez ailleurs dans ce guide. Afin de faciliter la consultation, l'île de Montréal a été divisée en douze cartes. Ces cartes ont été repiquées d'un autre Guide Vélo Mag, *Pédaler Montréal et ses environs*.

INDEX DES ARRONDISSEMENTS

PARCS-NATURE

Cap-Saint-Jacques 104-105
Piste 7,0 km

Bois-de-l'Île-Bizard 105
Piste 10,0 km

Bois-de-Liesse 106
Piste 8,0 km

Île-de-la-Visitation 108
Piste 2,5 km

Pointe-aux-Prairies 113
Piste 14,0 km
TOTAL 41,5 km
(514) 280-7272 (PARC)

SECTEUR OUEST

Beaconsfield – Baie d'Urfé 105
Piste 1,7 km
Bande 8,0 km
TOTAL 9,7 km
(514) 428-4400

Dollard-des-Ormeaux – Roxboro 105-106
Piste 5,7 km
Bande 8,1 km
TOTAL 13,8 km
(514) 684-1010

Dorval – L' Île-Dorval 106
Piste 1,0 km
Chaussée 5,0 km
TOTAL 6,0 km
(514) 633-4040

Île-Bizard – Ste-Geneviève – Ste-Anne-de-Bellevue 104-105
Piste 6,2 km
Bande 2,1 km
Chaussée 2,0 km
TOTAL 10,3 km
(514) 620-6331

Kirkland 105
Piste 5,2 km
Bande 7,2 km
TOTAL 12,4 km
(514) 694-4100

Lachine 114
Piste 7,0 km
TOTAL 7,0 km
(514) 634-3471

Pierrefonds – Senneville ..... 104 à 105
Piste 5,6 km
Bande 6,4 km
Chaussée 12,0 km
TOTAL 24,0 km
(514) 624-1124

Pointe-Claire 105-106
Piste 11,6 km
Total 11,6 km
(514) 630-1200

Saint-Laurent 107
Piste 3,9 km
Bande 0,5 km
TOTAL 4,4 km
(514) 855-6000

SECTEUR SUD

La Voie maritime du Saint-Laurent 117
Piste 16,2 km
TOTAL 16,2 km
(514) 872-6093

Lieu historique national du Canal de Lachine ..... 114 à 116
Piste 14,0 km
TOTAL 14,0 km
(514) 283-6054

LaSalle 115
Piste 10,3 km
Bande 1,5 km
Chaussée 0,5 km
TOTAL 12,3 km
(514) 367-1000

Verdun 115-116
Piste 23,6 km
Bande 2,9 km
TOTAL 26,5 km
(514) 765-7000

Westmount 116
Piste 0,1 km
Bande 1,0 km
Chaussée 0,5 km
TOTAL 1,6 km
(514) 989-5200

SECTEUR EST

Anjou 109-112
Piste 1,0 km
TOTAL 1,0 km
(514) 493-8000

Montréal ..... 115 à 117, 108-109
Côte-St-Luc/Hamstead/Montréal-Ouest – Rivière-des-Prairies/Pointe-aux-Trembles/Montréal-Est – Ville-Marie – Sud-Ouest – Plateau Mont-Royal – Mercier/Hochelaga-Maisonneuve – Ahuntsic/Cartierville – Rosemont/Petite Patrie – Villeray/St-Michel/Parc-Extension
Piste 48,2 km
Bande 45,6 km
Chaussée 22,3 km
TOTAL 116,1 km
(514) 872-1111

Montréal-Est 112
Piste 1,7 km
Bande 1,7 km
TOTAL 3,4 km
(514) 868-4360

Montréal-Nord 108
Piste 2,0 km
Bande 3,8 km
TOTAL 5,8 km
(514) 328-4000

Saint-Léonard 109
Piste 3,8 km
Bande 1,6 km
Chaussée 2,5 km
TOTAL 7,9 km
(514) 328-8400

PAGE 116 6

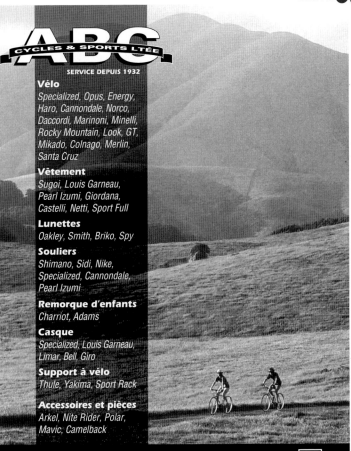

MAISON DE SPORT
Where Service Scores
Où le service compte
50 %
sur mise au point de base
BONELLI
SPECIALIZED
BONELLI
(514) 626-4321
4889, Saint-Charles
Pierrefonds Qc
www.maisondesport.com
SPORTS Excellence

PAGE 116 8

PAGE 115 9

PAGE 116 10

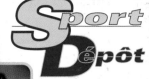

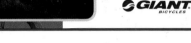

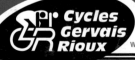

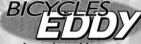

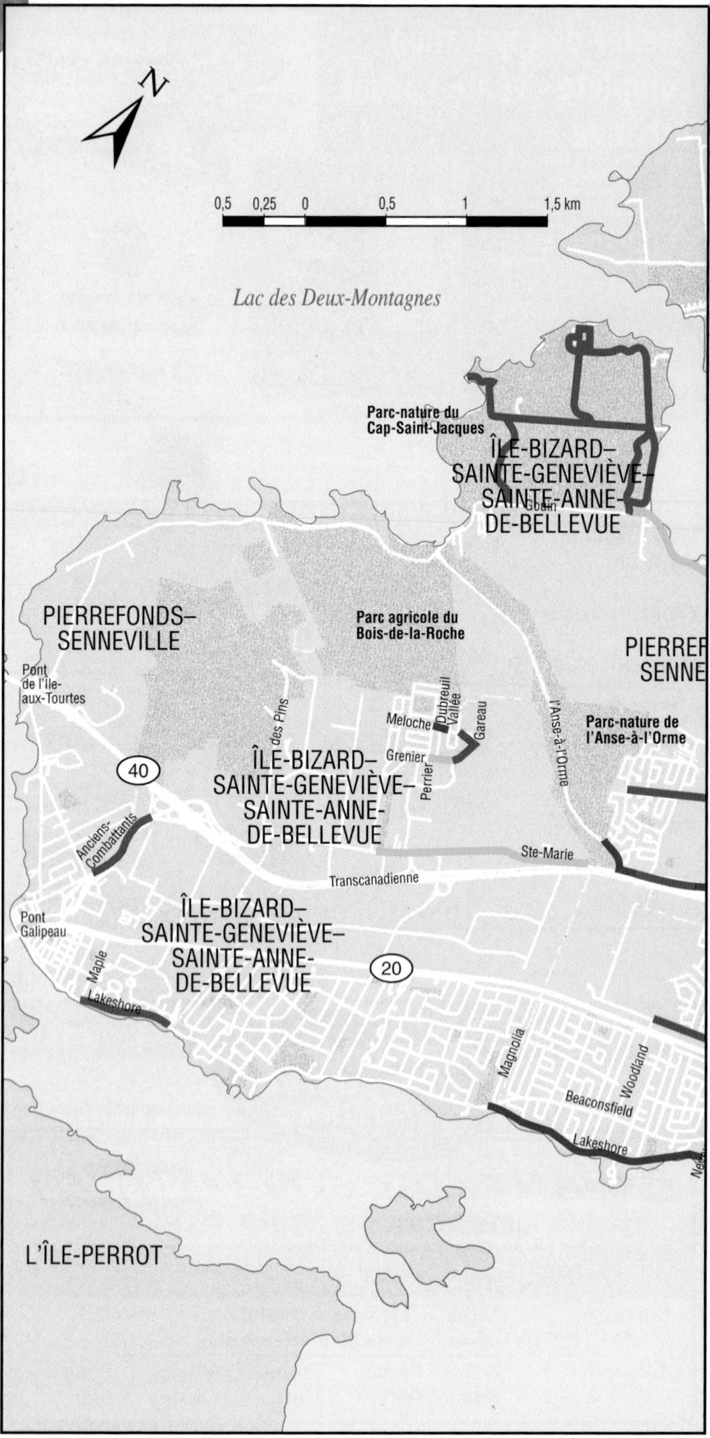
N
0,5 0,25 0 0,5 1 1,5 km
Lac des Deux-Montagnes
Parc-nature du Cap-Saint-Jacques
ÎLE-BIZARD–SAINTE-GENEVIÈVE–SAINTE-ANNE-DE-BELLEVUE
Gouin
PIERREFONDS–SENNEVILLE
Parc agricole du Bois-de-la-Roche
PIERREF
SENNE
Pont de l'Île-aux-Tourtes
des Pins
Meloche
Dubreuil
Vallée
Gareau
Parc-nature de l'Anse-à-l'Orme
l'Anse-à-l'Orme
Grenier
Perrier
40
ÎLE-BIZARD–SAINTE-GENEVIÈVE–SAINTE-ANNE-DE-BELLEVUE
Anciens-Combattants
Ste-Marie
Transcanadienne
Pont Galipeau
ÎLE-BIZARD–SAINTE-GENEVIÈVE–SAINTE-ANNE-DE-BELLEVUE
20
Maple
Lakeshore
Magnolia
Woodland
Beaconsfield
Lakeshore
L'ÎLE-PERROT

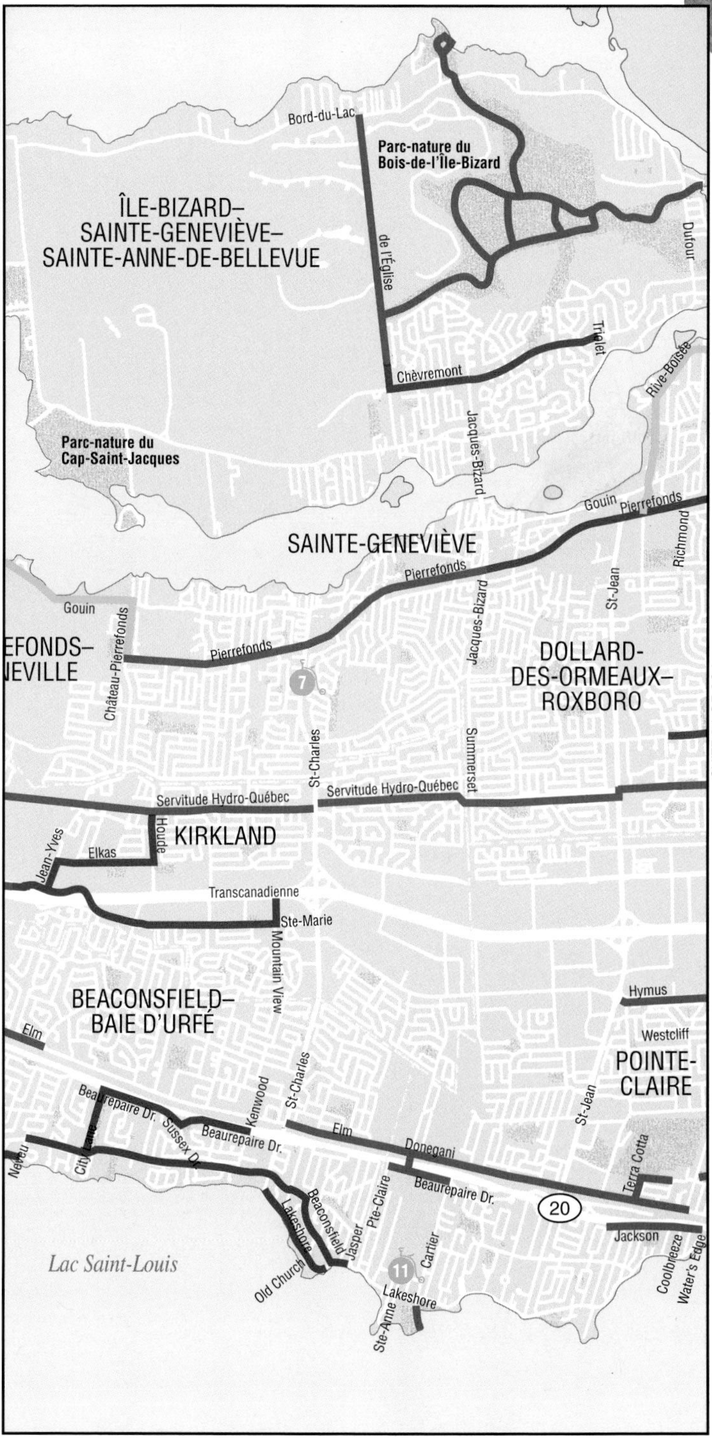
Bord-du-Lac
Parc-nature du Bois-de-l'Île-Bizard
ÎLE-BIZARD–SAINTE-GENEVIÈVE–SAINTE-ANNE-DE-BELLEVUE
de l'Église
Dufour
Triolet
Chèvremont
Rive-Boisée
Jacques-Bizard
Parc-nature du Cap-Saint-Jacques
Gouin
Pierrefonds
Richmond
SAINTE-GENEVIÈVE
Pierrefonds
St-Jean
Gouin
Château-Pierrefonds
Pierrefonds
Jacques-Bizard
DOLLARD-DES-ORMEAUX–ROXBORO
7
St-Charles
Summerset
Servitude Hydro-Québec
Servitude Hydro-Québec
Houde
KIRKLAND
Jean-Yves
Elkas
Transcanadienne
Ste-Marie
Mountain View
BEACONSFIELD–BAIE D'URFÉ
Hymus
Elm
Westcliff
POINTE-CLAIRE
St-Charles
Kenwood
St-Jean
Beaurepaire Dr.
Sussex Dr.
Beaurepaire Dr.
Elm
Donegani
Terra Cotta
City Lane
Beaurepaire Dr.
20
Lakeshore
Beaconsfield
Pte-Claire
Jackson
Jasper
Cartier
Coolbreeze
Water's Edge
Lac Saint-Louis
Old Church
11
Lakeshore
Ste-Anne
SUITE PAGE 106

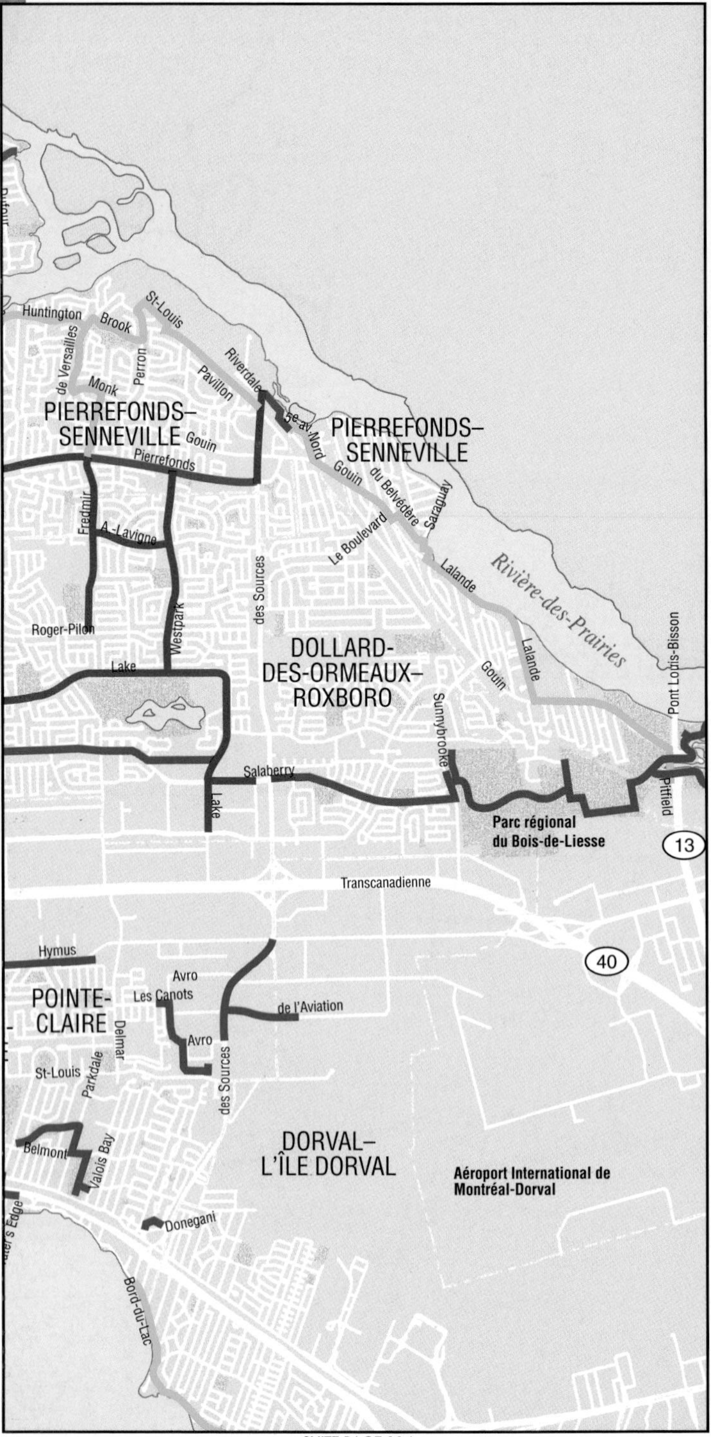

Huntington
Brook
St-Louis
de Versailles
Perron
Monk
Pavillon
Riverdale
5e av. Nord
PIERREFONDS–
SENNEVILLE
Gouin
Pierrefonds
PIERREFONDS–
SENNEVILLE
Gouin
du Belvédère
Saraguay
Fredmir
A.-Lavigne
Le Boulevard
Lalande
Rivière-des-Prairies
des Sources
Westpark
Roger-Pilon
DOLLARD-
DES-ORMEAUX–
ROXBORO
Lalande
Gouin
Pont Louis-Bisson
Lake
Sunnybrooke
Salaberry
Lake
Pitfield
Parc régional
du Bois-de-Liesse
13
Transcanadienne
40
Hymus
Avro
Les Canots
de l'Aviation
POINTE-
CLAIRE
Delmar
Avro
St-Louis
Parkdale
des Sources
DORVAL–
L'ÎLE DORVAL
Belmont
Valois Bay
Aéroport International de
Montréal-Dorval
Donegani
Bord-du-Lac

SUITE PAGE 105
SUITE PAGE 114

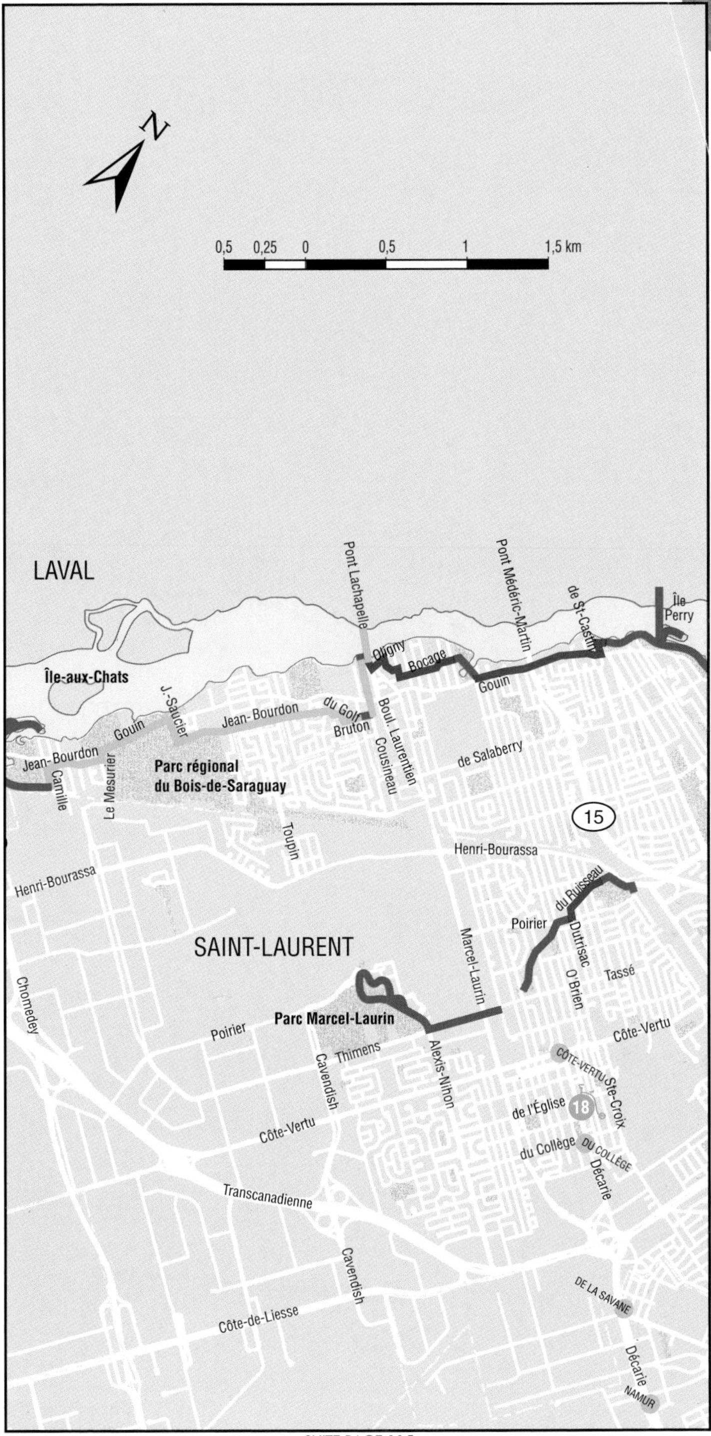
N
0,5 0,25 0 0,5 1 1,5 km
LAVAL
Île-aux-Chats
Pont Lachapelle
Pont Médéric-Martin
de St-Castin
Île Perry
Oligny
Bocage
Gouin
J.-Saucier
Jean-Bourdon
du Golf
Bruton
Boul. Laurentien
Cousineau
de Salaberry
Parc régional du Bois-de-Saraguay
Camille
Le Mesurier
Toupin
15
Henri-Bourassa
Poirier
du Ruisseau
Dutrisac
O'Brien
Tassé
SAINT-LAURENT
Marcel-Laurin
Chomedey
Parc Marcel-Laurin
Thimens
Alexis-Nihon
Cavendish
Côte-Vertu
CÔTE-VERTU
Ste-Croix
de l'Église
18
du Collège
DU COLLÈGE
Décarie
Transcanadienne
Côte-de-Liesse
DE LA SAVANE
NAMUR

SUITE PAGE 108

SUITE PAGE 115

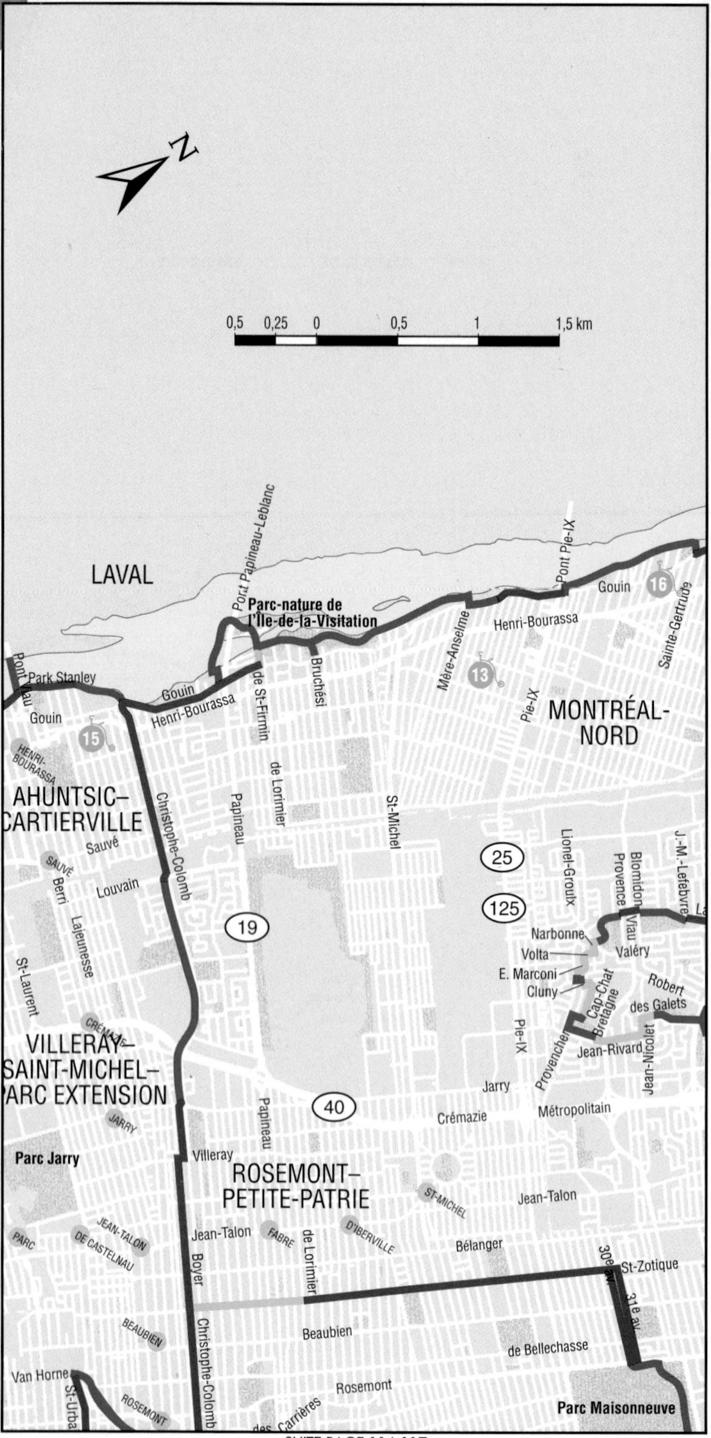

SUITE PAGE 107

LAVAL

Parc-nature de
l'Île-de-la-Visitation

Gouin

Henri-Bourassa

Mère-Anselme

Pie-IX

MONTRÉAL-
NORD

Sainte-Gertrude

Pont Pie-IX

Gouin **16**

13

Park Stanley

Gouin

Gouin
Henri-Bourassa

15

HENRI-
BOURASSA

AHUNTSIC–
CARTIERVILLE

Sauvé

Berri

Louvain

Sauvé

Lajeunesse

St-Laurent

Christophe-Colomb

Papineau

de St-Firmin

de Lorimier

Bruchési

St-Michel

25

125

Narbonne

Volta

Valéry

E. Marconi

Cluny

Cap-Chat

Bretagne

Robert
des Galets

Pie-IX

Jean-Rivard

Provencher

Jean-Nicolet

Lionel-Groulx

Blondin

Viau

Provence

J.-M.-Lefebvre

19

VILLERAY–
SAINT-MICHEL–
PARC EXTENSION

CRÉMAZIE

JARRY

Parc Jary

PARC

JEAN-TALON
DE CASTELNAU

BEAUBIEN

Papineau

Villeray

40

ROSEMONT–
PETITE-PATRIE

Jarry

Crémazie

Jean-Talon

St-Michel

Métropolitain

Jean-Talon

Boyer

Jean-Talon

FABRE

de Lorimier

D'IBERVILLE

Bélanger

30e

St-Zotique

31e av.

Van Horne

St-Urbain

ROSEMONT

Christophe-Colomb

Beaubien

Rosemont

des Carrières

de Bellechasse

Parc Maisonneuve

SUITE PAGE 116-117

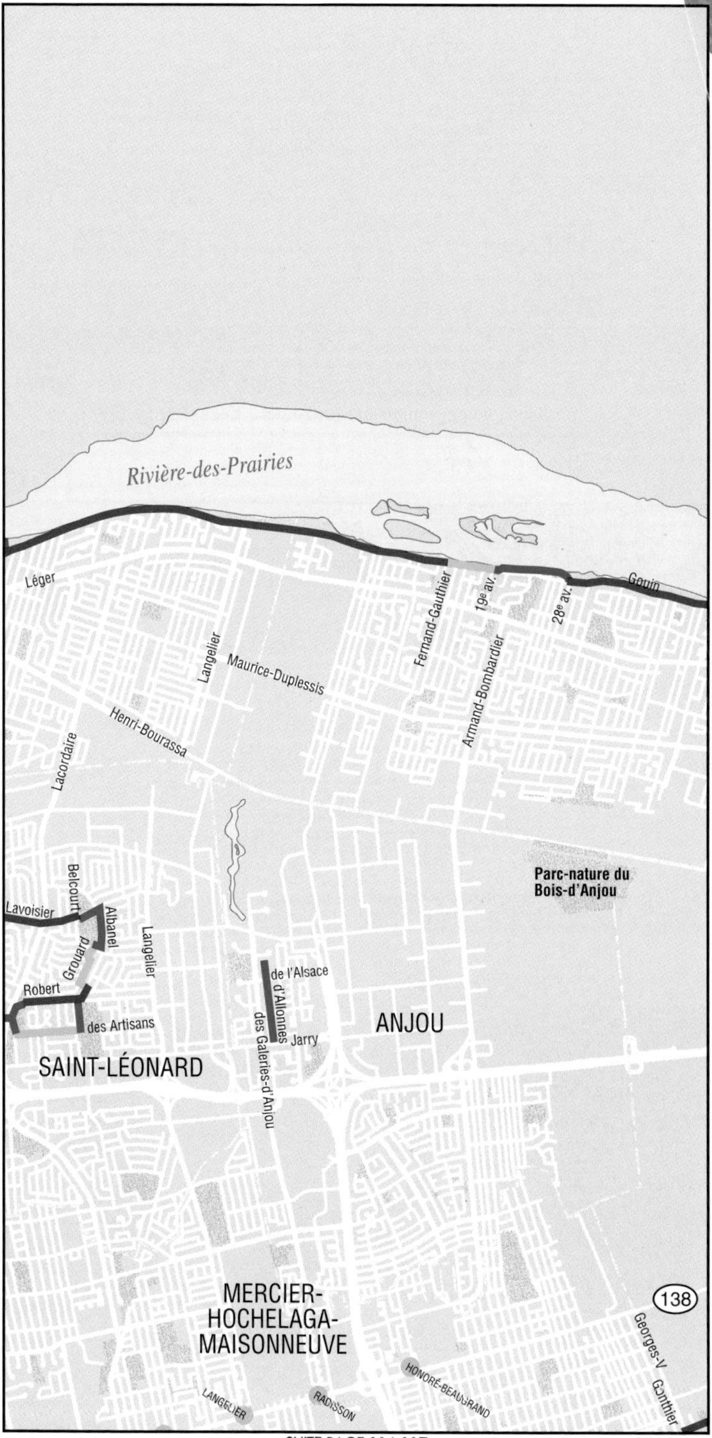

Rivière-des-Prairies
Léger
Gouin
Fernand-Gauthier
19e av.
28e av.
Langelier
Maurice-Duplessis
Armand-Bombardier
Henri-Bourassa
Lacordaire
Belcourt
Lavoisier
Albanel
Grouard
Langelier
Robert
des Artisans
de l'Alsace
d'Allonnes
des Galeries-d'Anjou
Jarry
ANJOU
Parc-nature du Bois-d'Anjou
SAINT-LÉONARD
MERCIER-HOCHELAGA-MAISONNEUVE
138
Georges-V
Gonthier
HONORÉ-BEAUGRAND
LANGELIER
RADISSON

SUITE PAGE 112

SUITE PAGE 116-117

PAGE 105 11

PAGE 114 12

PAGE 108 13

PAGE 116 14

PAGE 108 15

PAGE 108 16

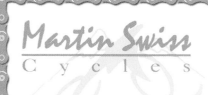

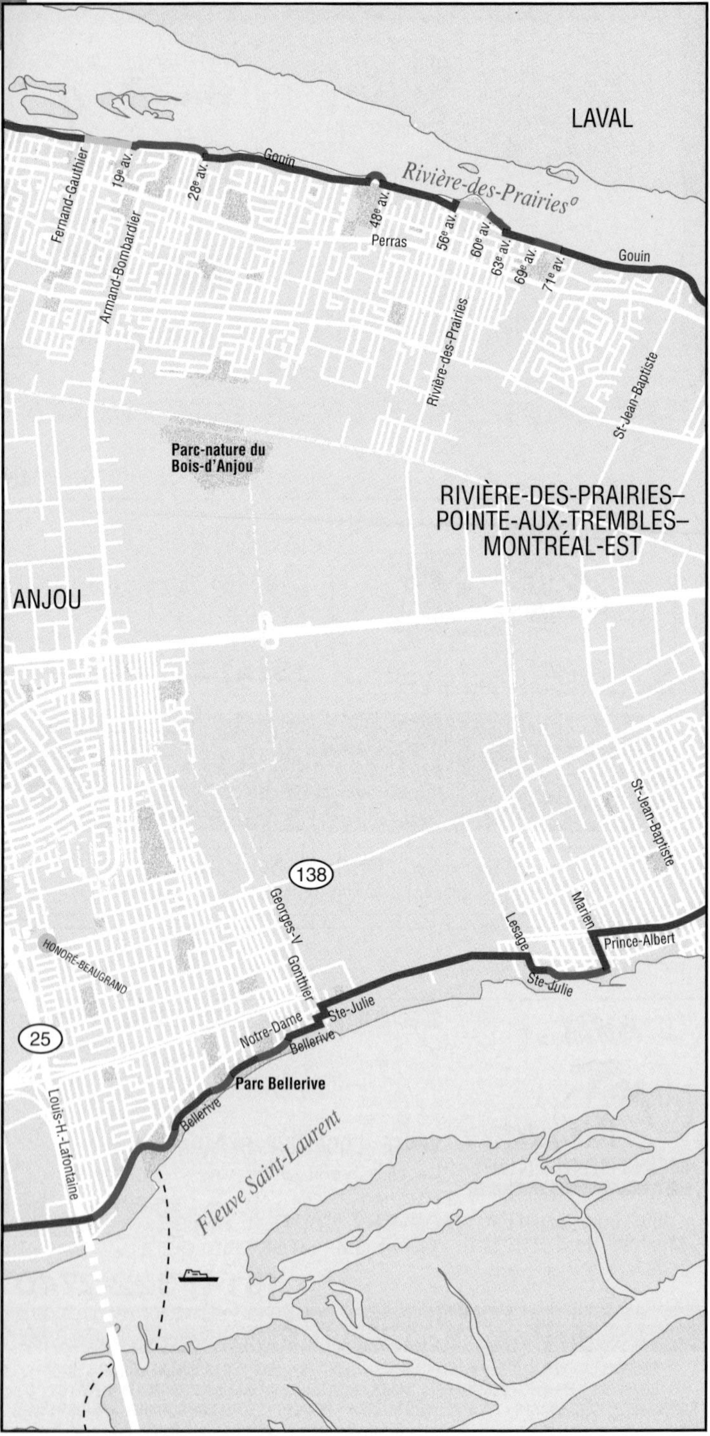
LAVAL
Gouin
Rivière-des-Prairies
Fernand-Gauthier
19e av.
28e av.
Armand-Bombardier
48e av.
Perras
56e av.
60e av.
63e av.
69e av.
71e av.
Gouin
Rivière-des-Prairies
St-Jean-Baptiste
Parc-nature du Bois-d'Anjou
RIVIÈRE-DES-PRAIRIES–
POINTE-AUX-TREMBLES–
MONTRÉAL-EST
ANJOU
St-Jean-Baptiste
138
Georges-V
Gonthier
Lesage
Marien
Prince-Albert
Ste-Julie
Ste-Julie
HONORÉ-BEAUGRAND
25
Notre-Dame
Bellerive
Parc Bellerive
Bellerive
Louis-H.-Lafontaine
Fleuve Saint-Laurent
SUITE PAGE 109
SUITE PAGE 117

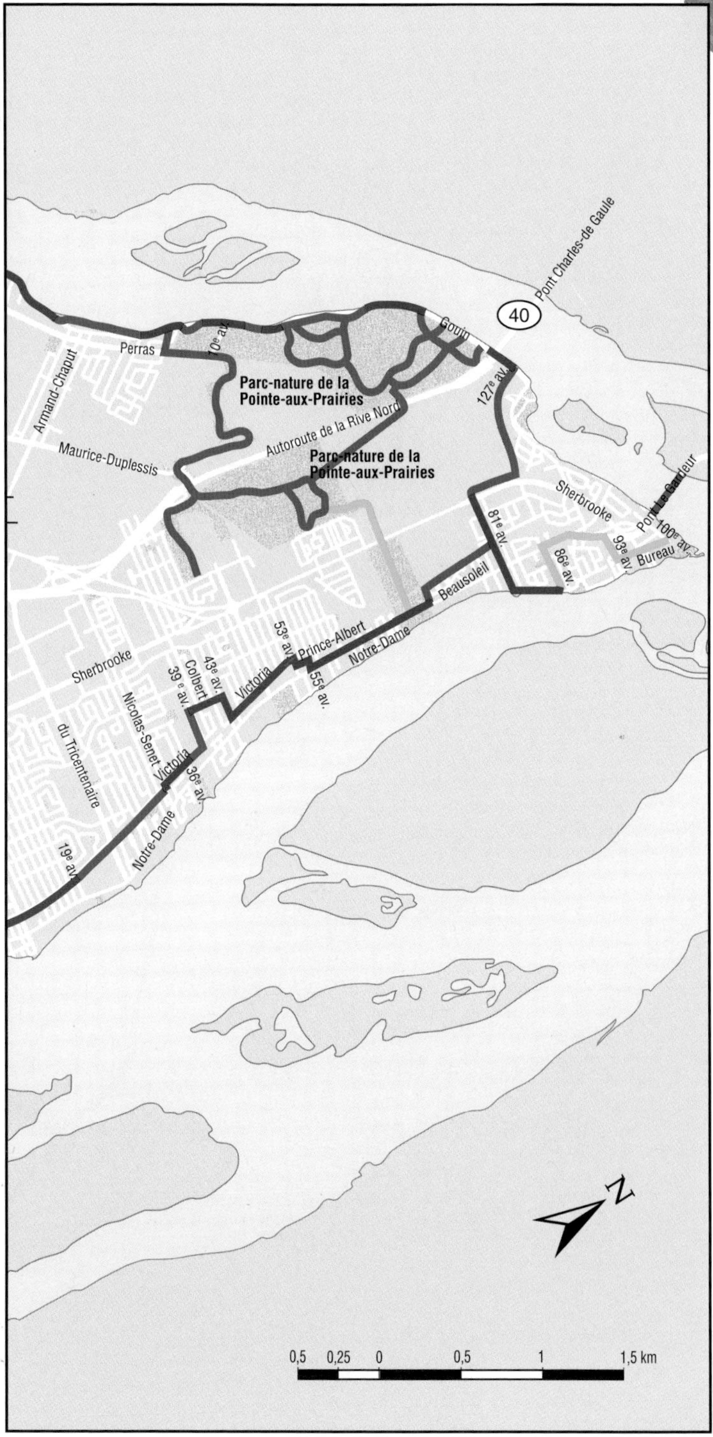
Pont Charles-de Gaule
40
Gouin
Perras
10e av.
Armand-Chaput
Parc-nature de la
Pointe-aux-Prairies
127e av.
Autoroute de la Rive Nord
Maurice-Duplessis
Parc-nature de la
Pointe-aux-Prairies
Sherbrooke
Pont Le Gardeur
81e av.
100e av.
93e av.
86e av.
Bureau
Beausoleil
53e av.
Prince-Albert
Notre-Dame
Sherbrooke
43e av.
Colbert
39 e av.
Victoria
55e av.
Nicolas-Senet
du Tricentenaire
Victoria
36e av.
Notre-Dame
19e av.
N
0,5
0,25
0
0,5
1
1,5 km

SUITE PAGE 106

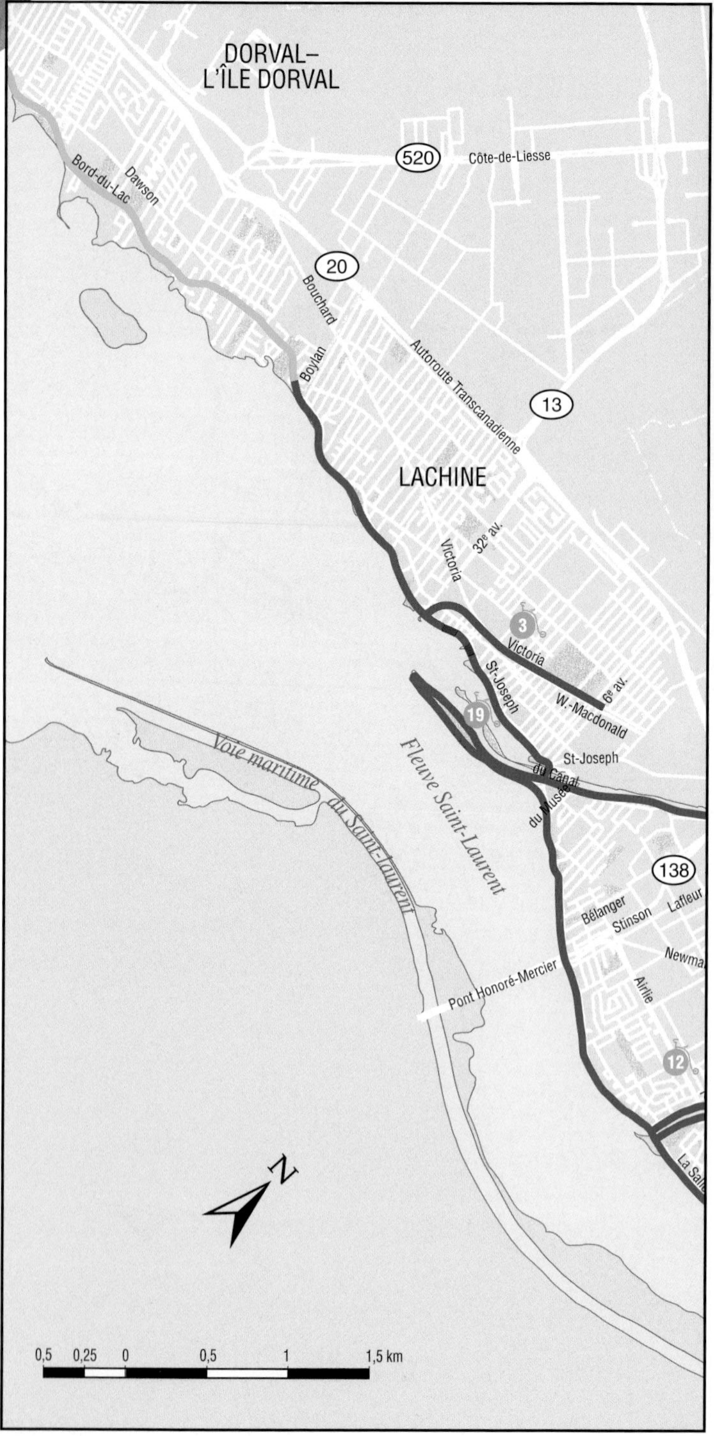
DORVAL–
L'ÎLE DORVAL
520
Côte-de-Liesse
Bord-du-Lac
Dawson
20
Bouchard
Boylan
Autoroute Transcanadienne
13
LACHINE
Victoria
32e av.
3
Victoria
St-Joseph
6e av.
W.-Macdonald
19
Voie maritime du Saint-Laurent
Fleuve Saint-Laurent
St-Joseph
du Canal
du Musée
138
Bélanger
Stinson
Lafleur
Newma
Airlie
Pont Honoré-Mercier
12
La Salle
N
0,5 0,25 0 0,5 1 1,5 km

SUITE PAGE 107

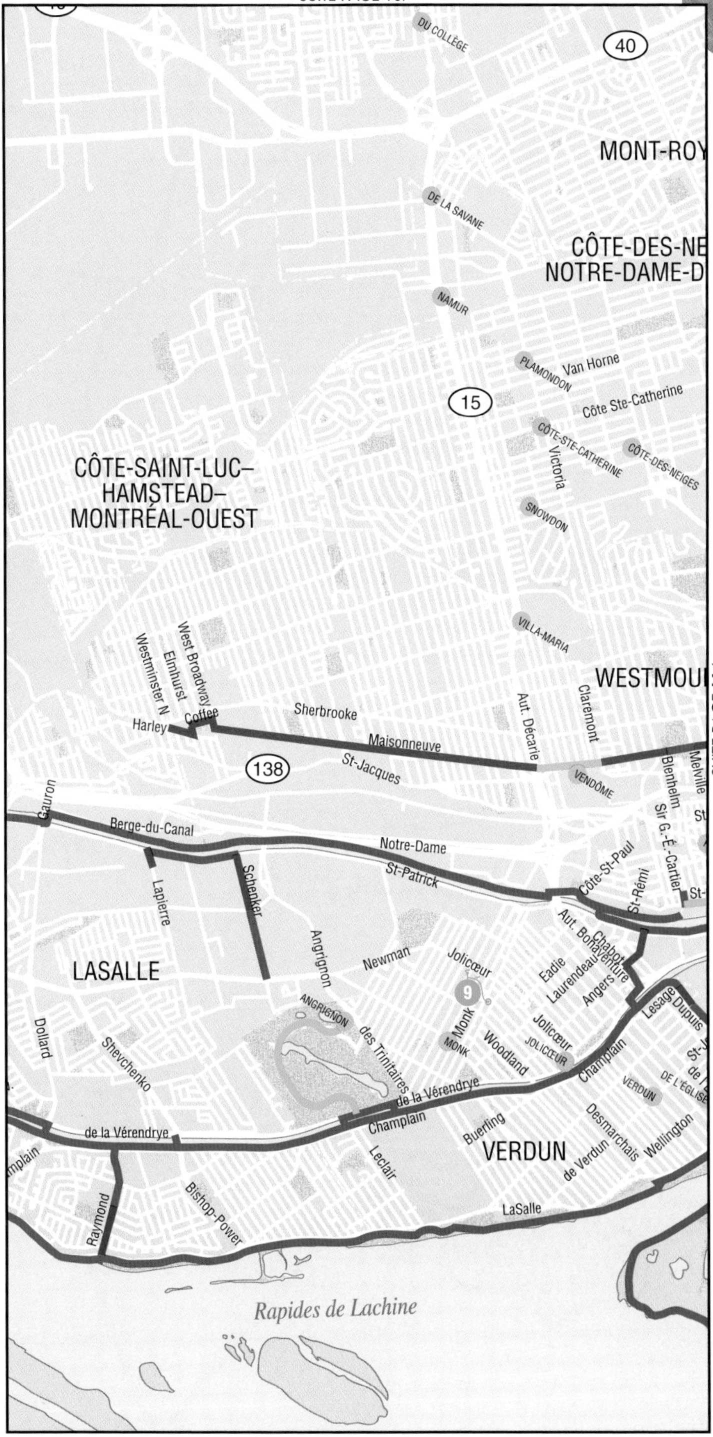

40
MONT-ROY
CÔTE-DES-NE
NOTRE-DAME-D
DU COLLÈGE
DE LA SAVANE
NAMUR
PLAMONDON
Van Horne
15
Côte Ste-Catherine
CÔTE-STE-CATHERINE
CÔTE-DES-NEIGES
Victoria
SNOWDON
CÔTE-SAINT-LUC–
HAMSTEAD–
MONTRÉAL-OUEST
VILLA-MARIA
WESTMOU
West Broadway
Elmhurst
Westminster N
Harley
Coffee
Sherbrooke
Maisonneuve
Aut. Décarie
Claremont
138
St-Jacques
VENDÔME
Blenheim
Melville
Gauron
Berge-du-Canal
Notre-Dame
St-Patrick
Sir G.-É.-Cartier
Côte-St-Paul
St-Rémi
Lapierre
Schenker
Angrignon
Newman
Jolicœur
Aut. Bonaventure
Chabot
Eadie
Laurendeau
Angers
LASALLE
ANGRIGNON
9
Monk
MONK
Woodland
Jolicœur
JOLICŒUR
Lesage
Dupuis
Champlain
VERDUN
DE L'ÉGLISE
Dollard
Shevchenko
des Trinitaires
de la Vérendrye
Champlain
de la Vérendrye
Buerling
VERDUN
Desmarchais
Wellington
de Verdun
Leclair
Bishop-Power
Raymond
LaSalle
Rapides de Lachine

SUITE PAGE 116

SUITE PAGE 108

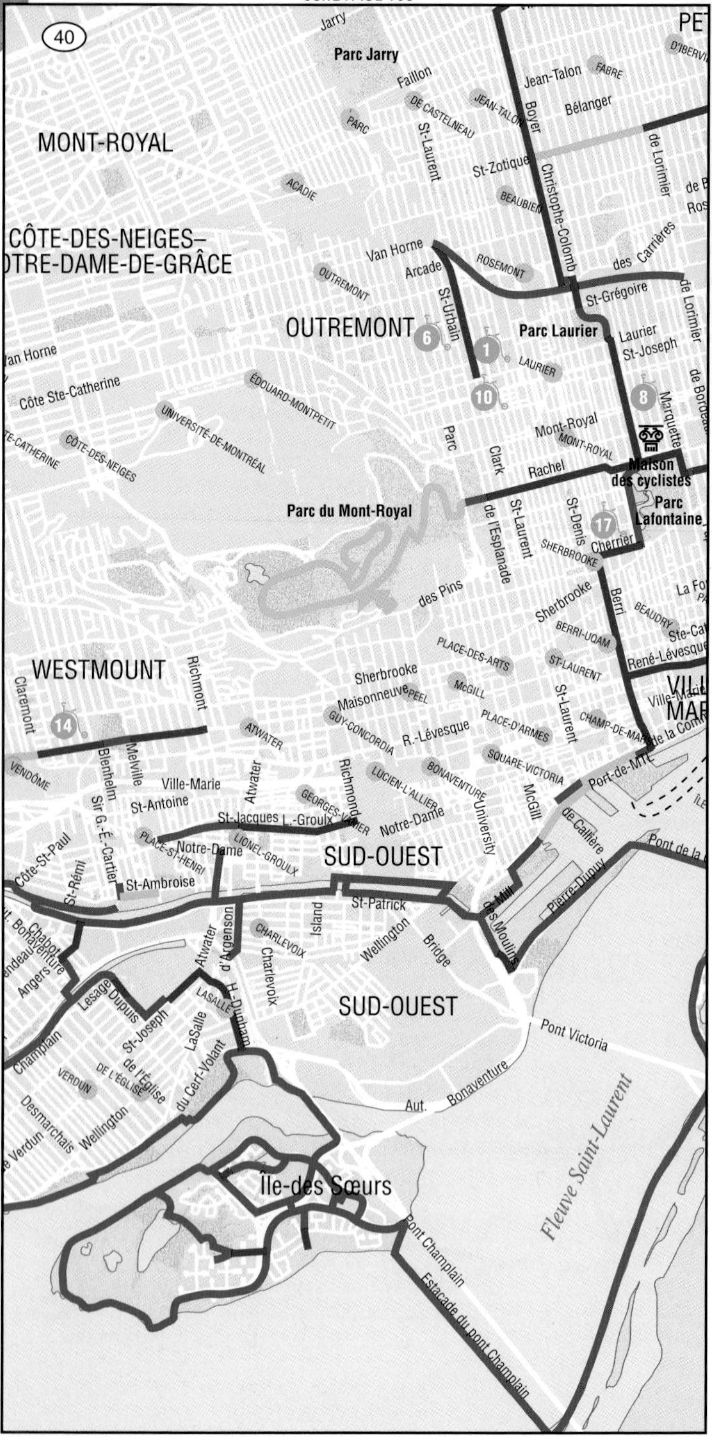

SUITE PAGE 115

SUITE PAGE 109

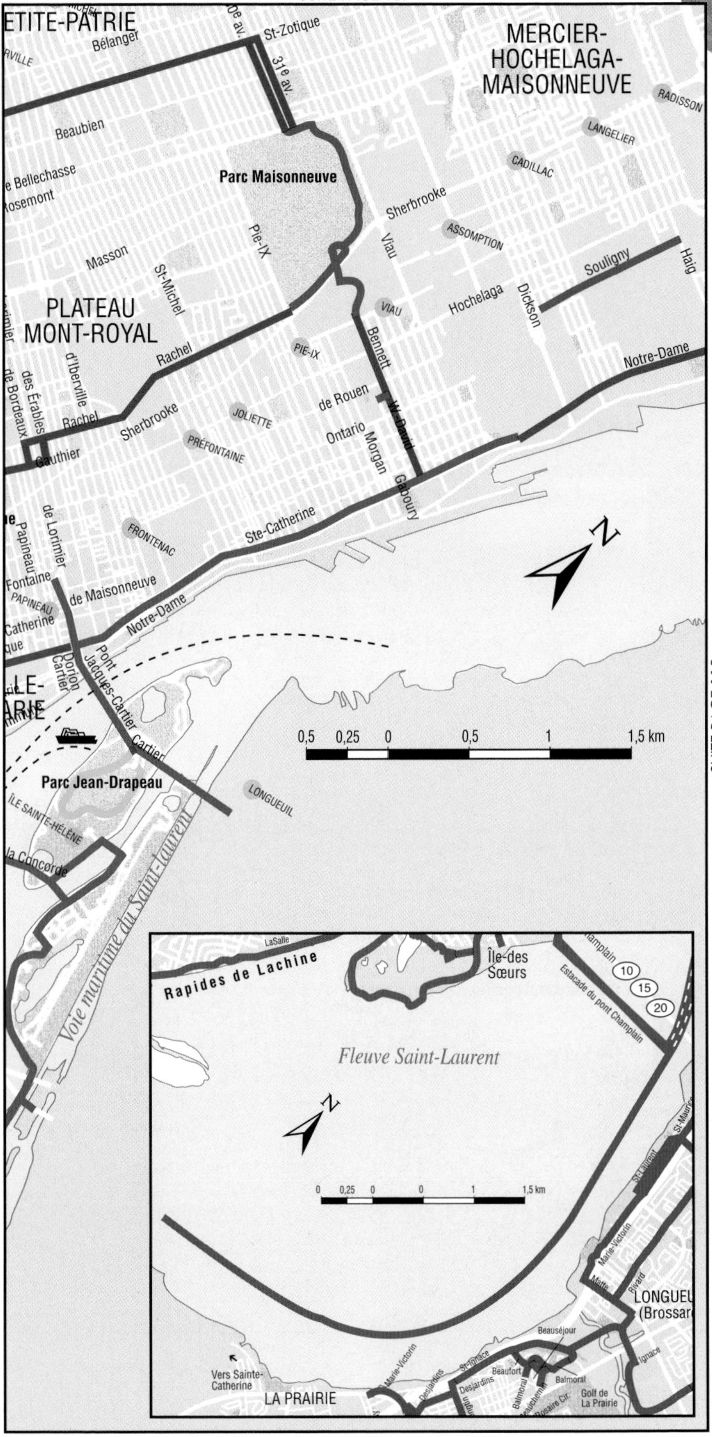
PETITE-PATRIE
Bélanger
St-Zotique
31e av.
MERCIER-
HOCHELAGA-
MAISONNEUVE
RADISSON
LANGELIER
CADILLAC
Beaubien
Bellechasse
Rosemont
Parc Maisonneuve
Pie-IX
Sherbrooke
ASSOMPTION
Viau
Masson
St-Michel
Souligny
Haig
PLATEAU
MONT-ROYAL
VIAU
Hochelaga
Dickson
Bennett
Rachel
PIE-IX
d'Iberville
des Érables
de Bordeaux
Notre-Dame
de Rouen
W.-David
Rachel
Sherbrooke
JOLIETTE
Ontario
Morgan
Gauthier
PRÉFONTAINE
Gaboury
Papineau
de Lorimier
FRONTENAC
Ste-Catherine
Fontaine
de Maisonneuve
PAPINEAU
Catherine
Notre-Dame
Dorion
Cartier
Pont Jacques-Cartier
Cartier
0,5 0,25 0 0,5 1 1,5 km
Parc Jean-Drapeau
LONGUEUIL
ÎLE SAINTE-HÉLÈNE
la Concorde
Voie maritime du Saint-Laurent
LaSalle
Rapides de Lachine
Île-des Sœurs
Champlain
10
15
20
Estacade du pont Champlain
Fleuve Saint-Laurent
0 0,25 0 0 1 1,5 km
St-Laurent
St-Maurice
Marie-Victorin
Matte
Rivard
LONGUEUIL (Brossard)
Beauséjour
Ignace
Vers Sainte-Catherine
LA PRAIRIE
Marie-Victorin
Desjardins
St-Ignace
Beaufort
Desjardins
Balmoral
Golf de La Prairie
Rosaire Cir.

SUITE PAGE 112

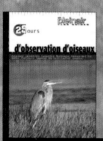

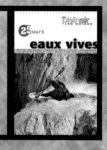

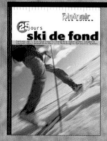

PAGE 116 17

PAGE 107 18

PAGE 114 19

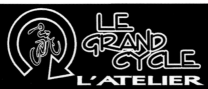

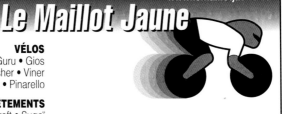

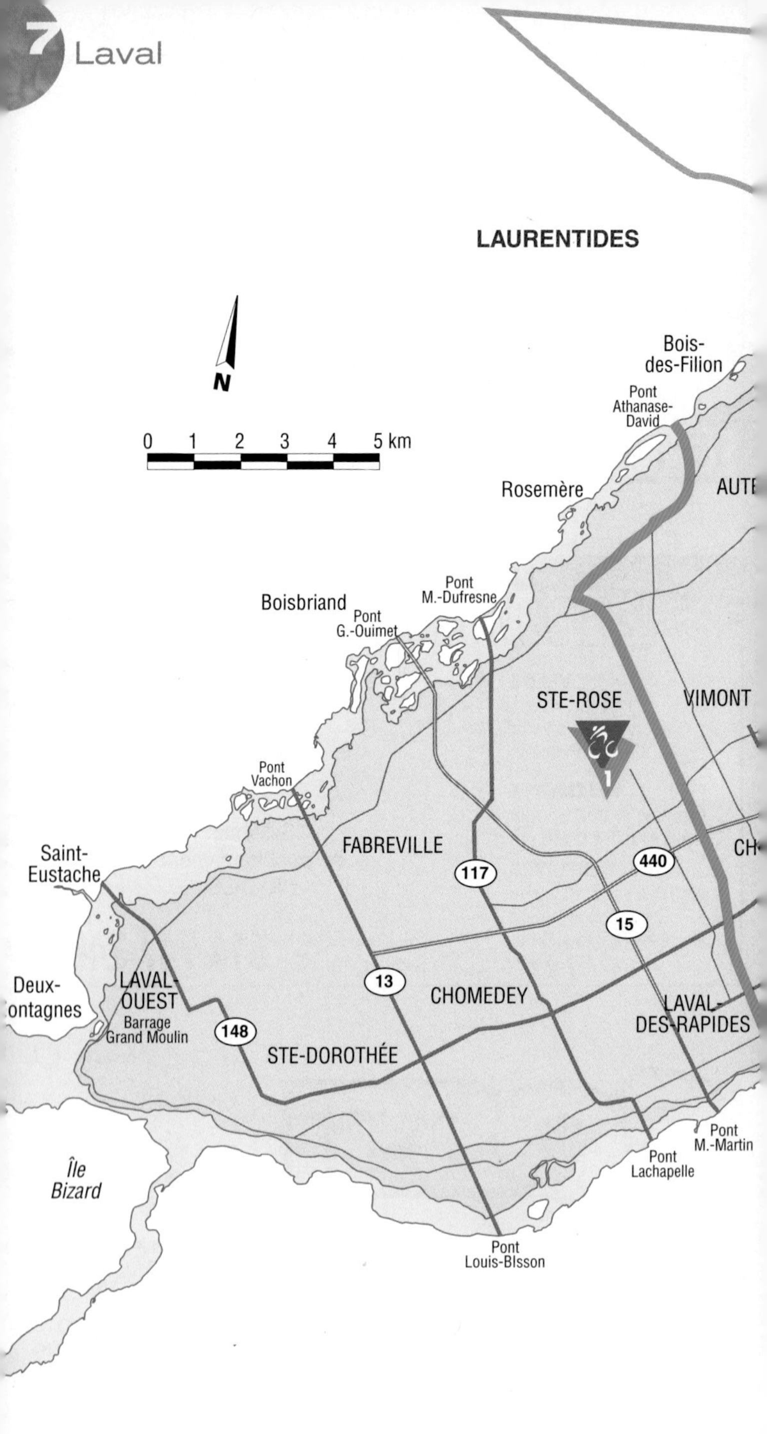

LAURENTIDES

Bois-
des-Filion

Pont
Athanase-
David

Rosemère

AUTE

Pont
M.-Dufresne

Boisbriand

Pont
G.-Ouimet

STE-ROSE

VIMONT

Pont
Vachon

FABREVILLE

117

440

CH

15

Saint-
Eustache

Deux-
ontagnes

LAVAL-
OUEST

13

CHOMEDEY

LAVAL-
DES-RAPIDES

148

Barrage
Grand Moulin

STE-DOROTHÉE

Île
Bizard

Pont
M.-Martin

Pont
Lachapelle

Pont
Louis-Bisson

0 1 2 3 4 5 km

N

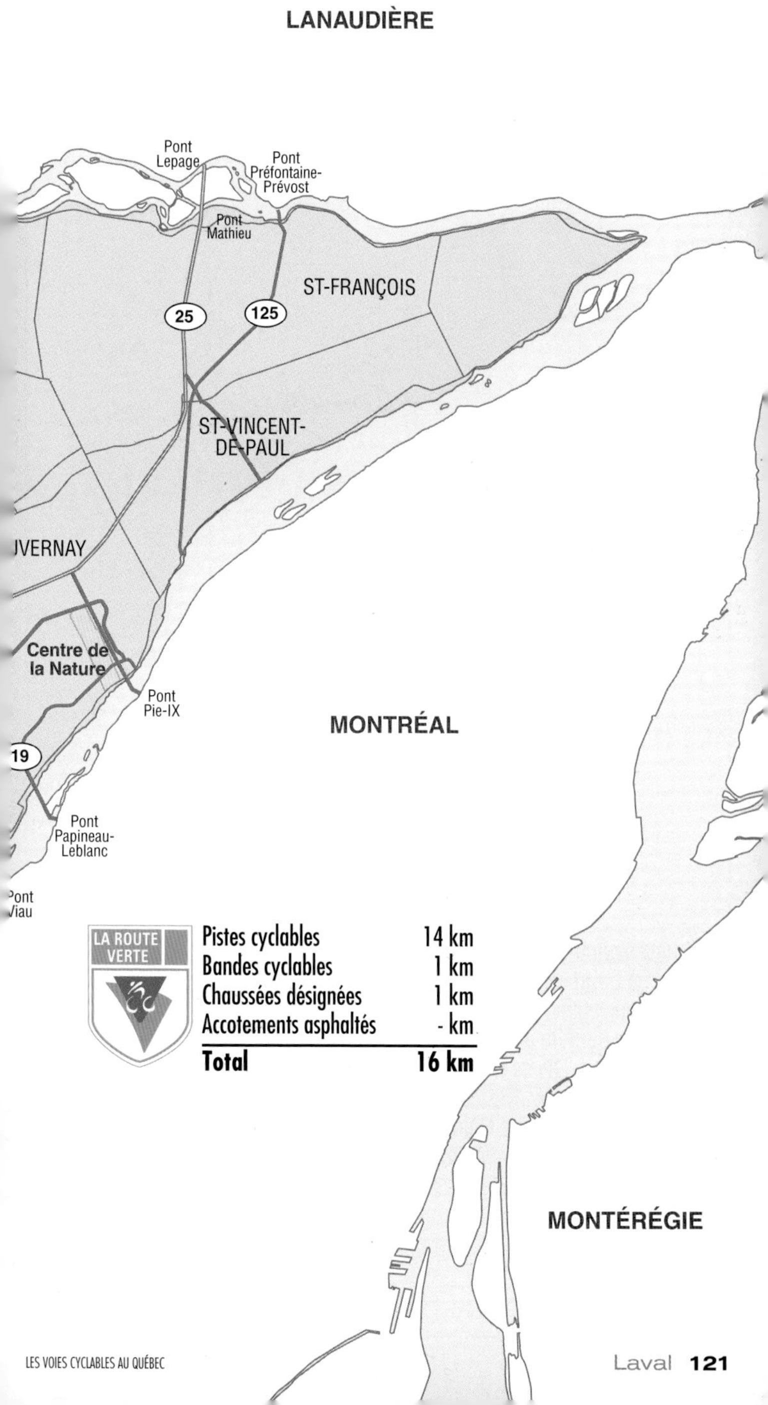

Pistes cyclables	14 km
Bandes cyclables	1 km
Chaussées désignées	1 km
Accotements asphaltés	- km
Total	**16 km**

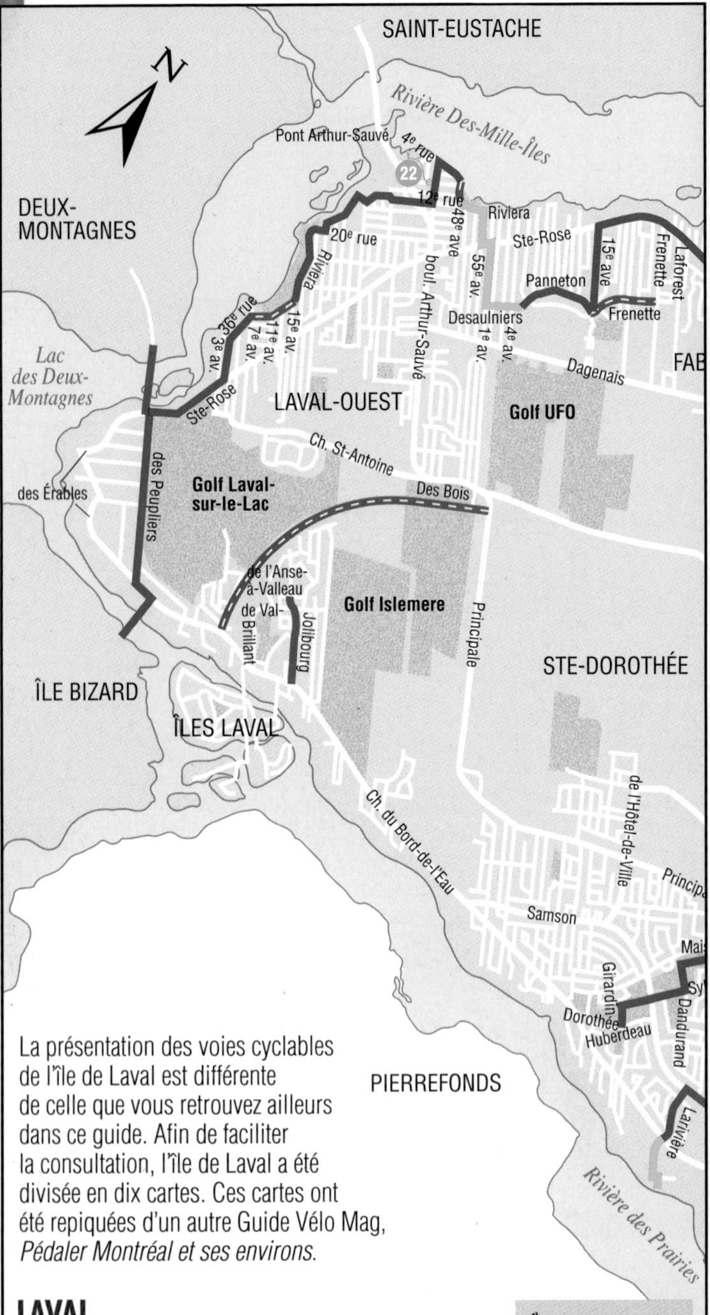

La présentation des voies cyclables de l'île de Laval est différente de celle que vous retrouvez ailleurs dans ce guide. Afin de faciliter la consultation, l'île de Laval a été divisée en dix cartes. Ces cartes ont été repiquées d'un autre Guide Vélo Mag, *Pédaler Montréal et ses environs*.

LAVAL

	KM	PISTE CYCLABLE	BANDE CYCLABLE	CHAUSSÉE DÉSIGNÉE
1 Laval	136,7	49,4	73,6	13,7

(450) 978-8000
Mai à octobre

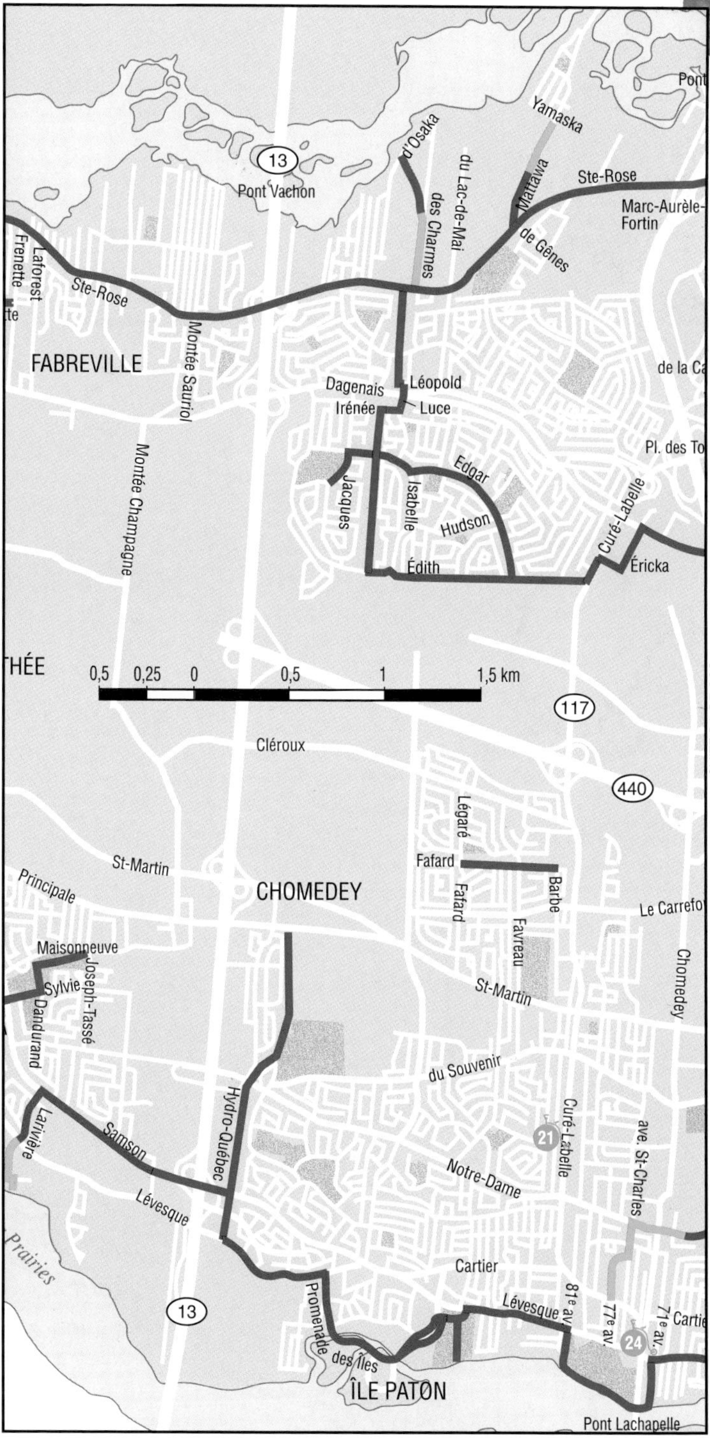

13
Pont Vachon
d'Osaka
des Charmes
du Lac-de-Mai
Yamaska
Mattawa
Ste-Rose
Marc-Aurèle-Fortin
de Gênes
Laforest
Frenette
Ste-Rose
FABREVILLE
Montée Sauriol
Montée Champagne
Dagenais
Irénée
Léopold
Luce
Jacques
Isabelle
Edgar
Hudson
Édith
Curé-Labelle
Éricka
de la Ca
Pl. des To
THÉE
0,5 0,25 0 0,5 1 1,5 km
117
440
Cléroux
Légaré
Fafard
Fafard
Barbe
St-Martin
Principale
CHOMEDEY
Le Carrefo
Favreau
St-Martin
Chomedey
Maisonneuve
Sylvie
Joseph-Tassé
Dandurand
du Souvenir
Larivière
Samson
Hydro-Québec
Lévesque
Curé-Labelle
21
Notre-Dame
ave. St-Charles
Prairies
Cartier
13
Promenade des Îles
ÎLE PATON
Lévesque
81e av.
77e av.
71e av.
24
Cartie
Pont Lachapelle

SUITE PAGE 128

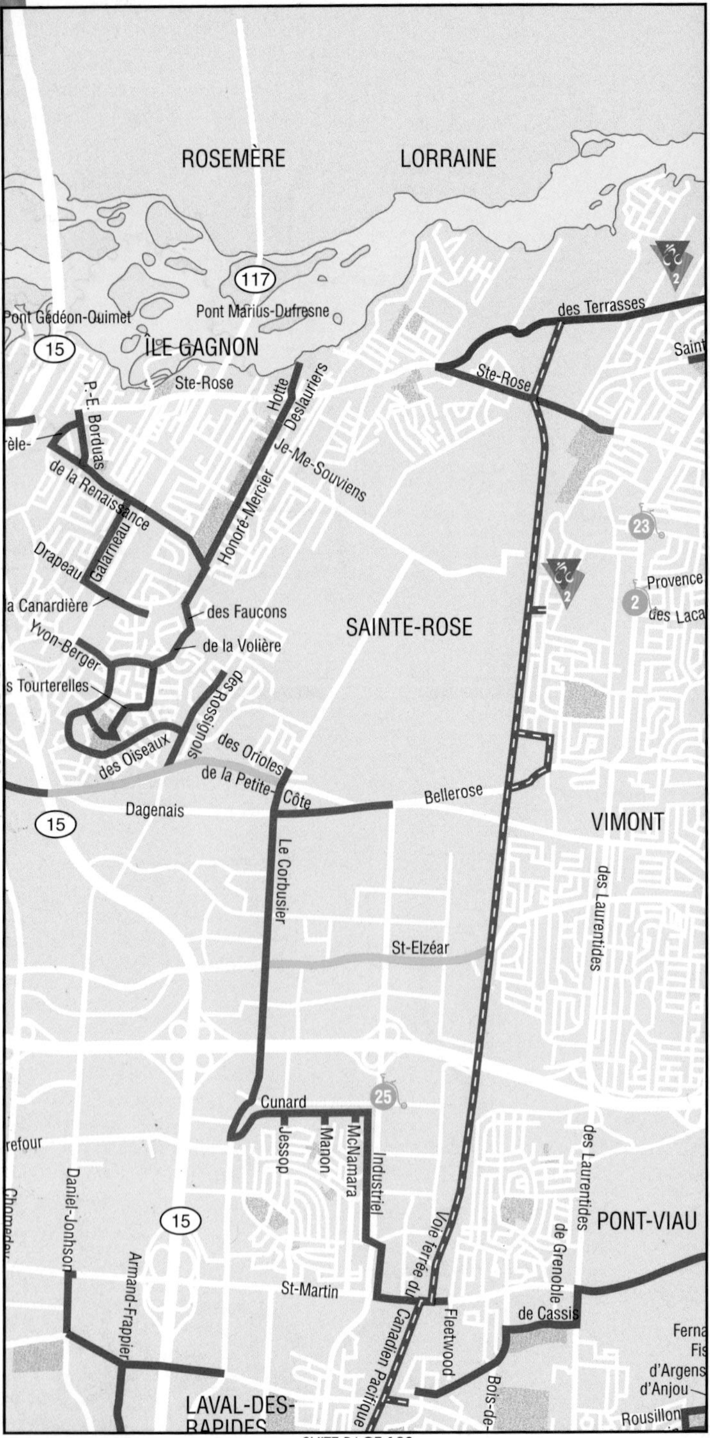
ROSEMÈRE
LORRAINE
117
Pont Gédéon-Ouimet
Pont Marius-Dufresne
15
ÎLE GAGNON
Ste-Rose
des Terrasses
Ste-Rose
P.-E. Borduas
Hotte
Deslauriers
Je-Me-Souviens
de la Renaissance
Honoré-Mercier
Galarneau
Drapeau
la Canardière
des Faucons
de la Volière
Yvon-Berger
s Tourterelles
des Rossignols
des Oiseaux
des Orioles
de la Petite-Côte
SAINTE-ROSE
23
Provence
2
des Laca
Bellerose
Dagenais
15
VIMONT
Le Corbusier
des Laurentides
St-Elzéar
Cunard
25
Jessop
Manon
McNamara
Industriel
refour
Daniel-Johnson
Armand-Frappier
15
Voie ferrée du Canadien Pacifique
des Laurentides
de Grenoble
PONT-VIAU
St-Martin
Fleetwood
de Cassis
Bois-de-
LAVAL-DES-RAPIDES
d'Argens
d'Anjou
Rousillon
SUITE PAGE 123
SUITE PAGE 128

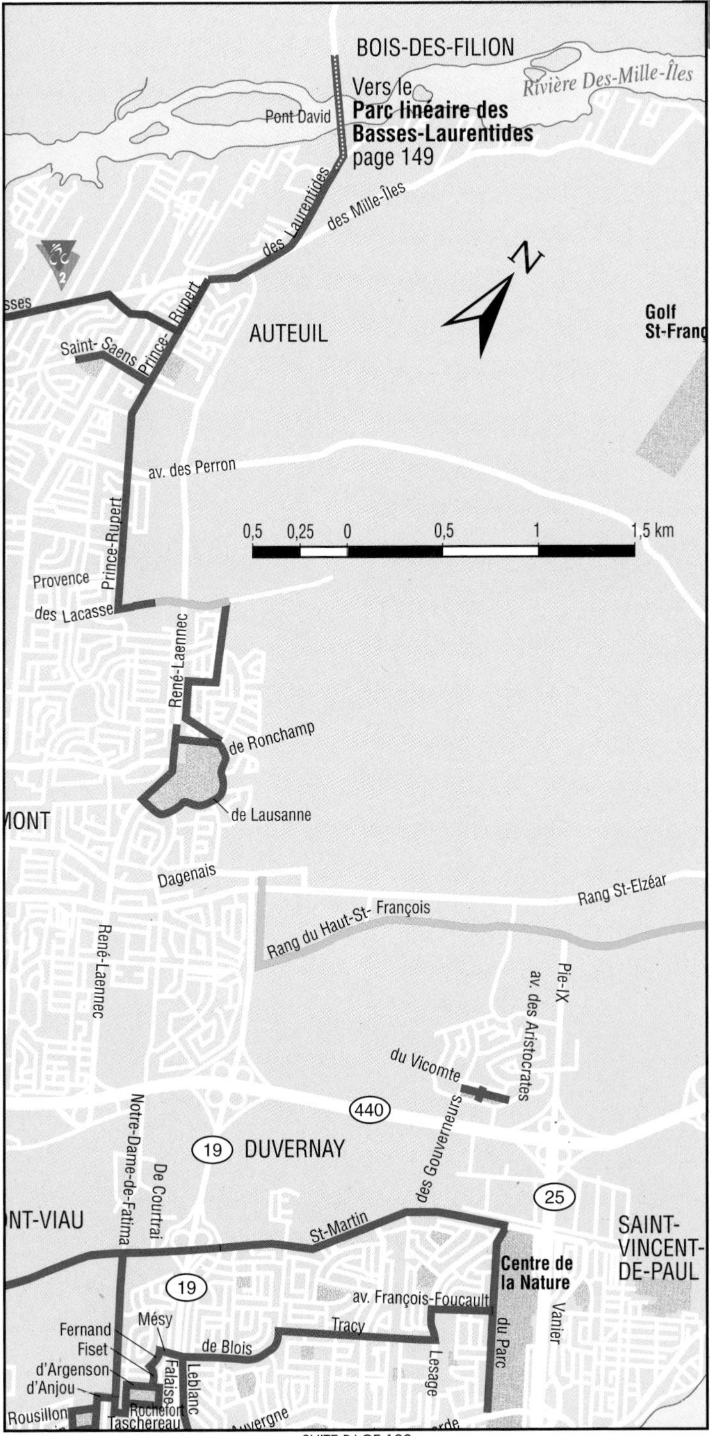
BOIS-DES-FILION
Rivière Des-Mille-Îles
Pont David
Vers le
Parc linéaire des Basses-Laurentides
page 149
des Laurentides
des Mille-Îles
N
AUTEUIL
Golf
Saint-Saens
Prince-Rupert
av. des Perron
0,5 0,25 0 0,5 1 1,5 km
Provence
Prince-Rupert
des Lacasse
René-Laennec
de Ronchamp
de Lausanne
Dagenais
Rang St-Elzéar
Rang du Haut-St-François
René-Laennec
Pie-IX
av. des Aristocrates
du Vicomte
440
des Gouverneurs
Notre-Dame-de-Fatima
19
DUVERNAY
De Courtrai
25
St-Martin
SAINT-VINCENT-DE-PAUL
Centre de la Nature
19
av. François-Foucault
Mésy
Fernand
Fiset
Tracy
de Blois
Vanier
du Parc
Lesage
d'Argenson
d'Anjou
Falaise
Leblanc
Rousillon
Rochefort
Taschereau
Auvergne

SUITE PAGE 126

SUITE PAGE 129

SUITE PAGE 125

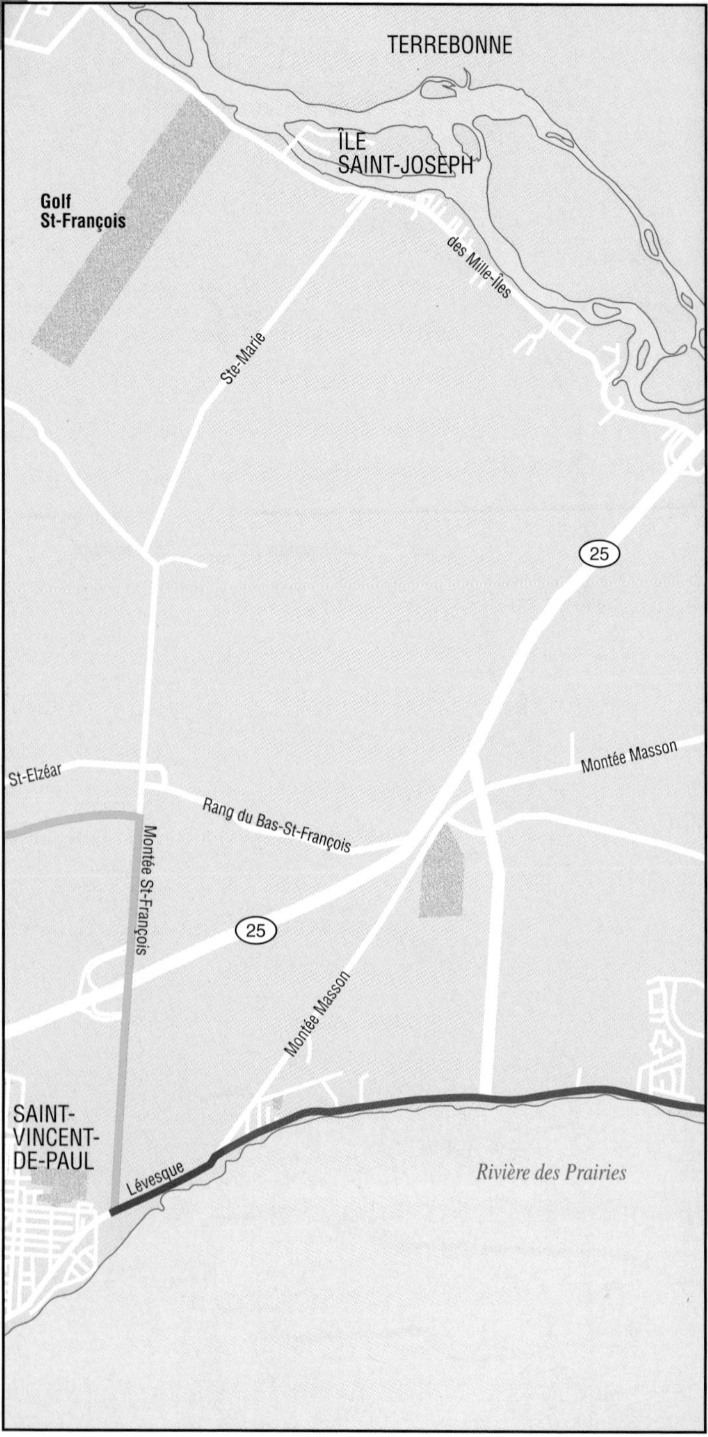
TERREBONNE
ÎLE SAINT-JOSEPH
Golf St-François
des Mille-Îles
Ste-Marie
25
St-Elzéar
Montée Masson
Rang du Bas-St-François
Montée St-François
25
Montée Masson
SAINT-VINCENT-DE-PAUL
Lévesque
Rivière des Prairies

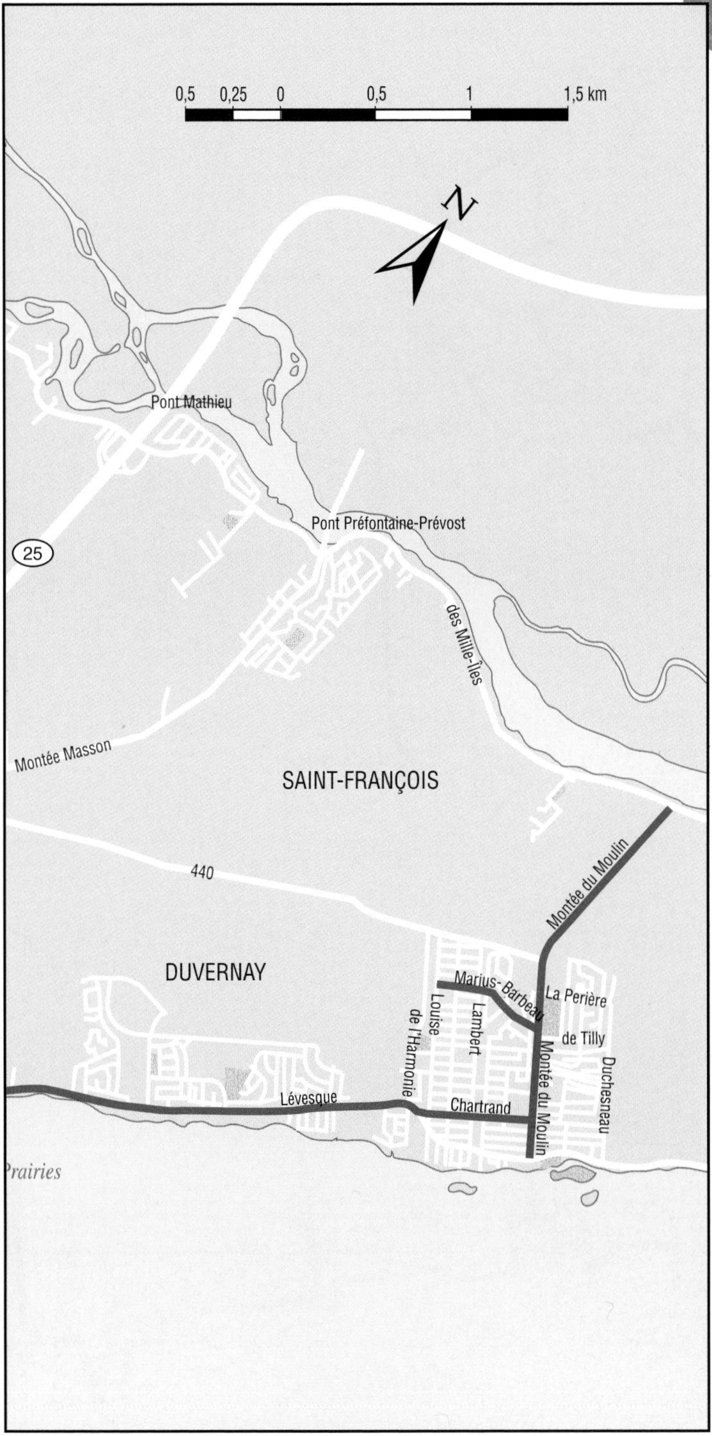
0,5
0,25
0
0,5
1
1,5 km
N
Pont Mathieu
Pont Préfontaine-Prévost
25
des Mille-Îles
Montée Masson
SAINT-FRANÇOIS
440
Montée du Moulin
DUVERNAY
Marius-Barbeau
La Perière
Louise
de l'Harmonie
Lambert
de Tilly
Montée du Moulin
Duchesneau
Lévesque
Chartrand
Prairies

SUITE PAGE 124

SUITE PAGE 123

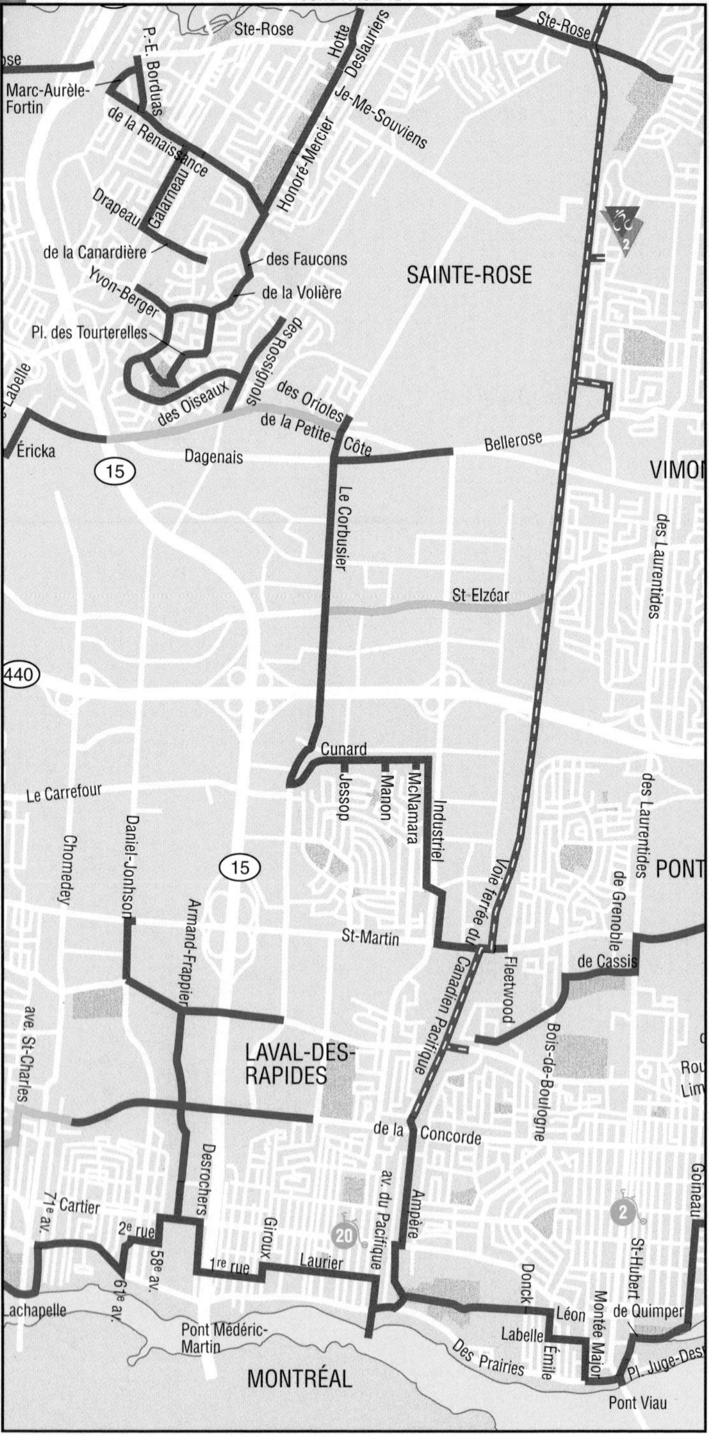
Ste-Rose
Marc-Aurèle-Fortin
P.-E. Borduas
de la Renaissance
Hotte
Deslauriers
Je-Me-Souviens
Honoré-Mercier
Drapeau
Galarneau
de la Canardière
des Faucons
Yvon-Berger
de la Volière
SAINTE-ROSE
Pl. des Tourterelles
des Rossignols
Labelle
des Oiseaux
des Orioles
de la Petite-Côte
Bellerose
Éricka
Dagenais
15
VIMO
Le Corbusier
des Laurentides
St-Elzéar
440
Cunard
Le Carrefour
Jessop
Manon
McNamara
Industriel
Daniel-Johnson
Chomedey
15
Armand-Frappier
Voie ferrée du Canadien Pacifique
PONT
de Grenoble
St-Martin
de Cassis
Fleetwood
av. St-Charles
LAVAL-DES-RAPIDES
Bois-de-Boulogne
Rou
Lim
de la Concorde
Desrochers
Goineau
71e av.
Cartier
2e rue
58e av.
Giroux
av. du Pacifique
Ampère
20
2
1re rue
Laurier
St-Hubert
61e av.
Lachapelle
Donck
Léon
Montée Major
de Quimper
Pont Médéric-Martin
Labelle
Émile
Des Prairies
Pl. Juge-Desr
MONTRÉAL
Pont Viau

SUITE PAGE 125

av. des Perron
Prince-Rupert
Provence
des Lacasse
René-Laennec
de Ronchamp
de Lausanne
MONT
Dagenais
Rang St-Elzéar
Rang du Haut-St- François
René-Laennec
Pie-IX
av. des Aristocrates
du Vicomte
des Gouverneurs
440
19
DUVERNAY
Notre-Dame-de-Fatima
De Courtrai
25
NT-VIAU
St-Martin
SAINT-VINCENT-DE-PAUL
Centre de la Nature
19
av. François-Foucault
Mésy
Fernand
Fiset
d'Argenson
d'Anjou
Tracy
de Blois
Falaise
Leblanc
Lesage
du Parc
Vanier
Rousillon
Limousin
Rochefort
Taschereau
Sorbonne
Victor-Morin
Notre-Dame-de-Fatima
des Alouettes
Auvergne
de la Concorde
Batiscan
Champfleury
Pont Pie-IX
Goineau
Dauphin
Pont Papineau
MONTRÉAL
Desnoyers
0,5 0,25 0 0,5 1 1,5 km

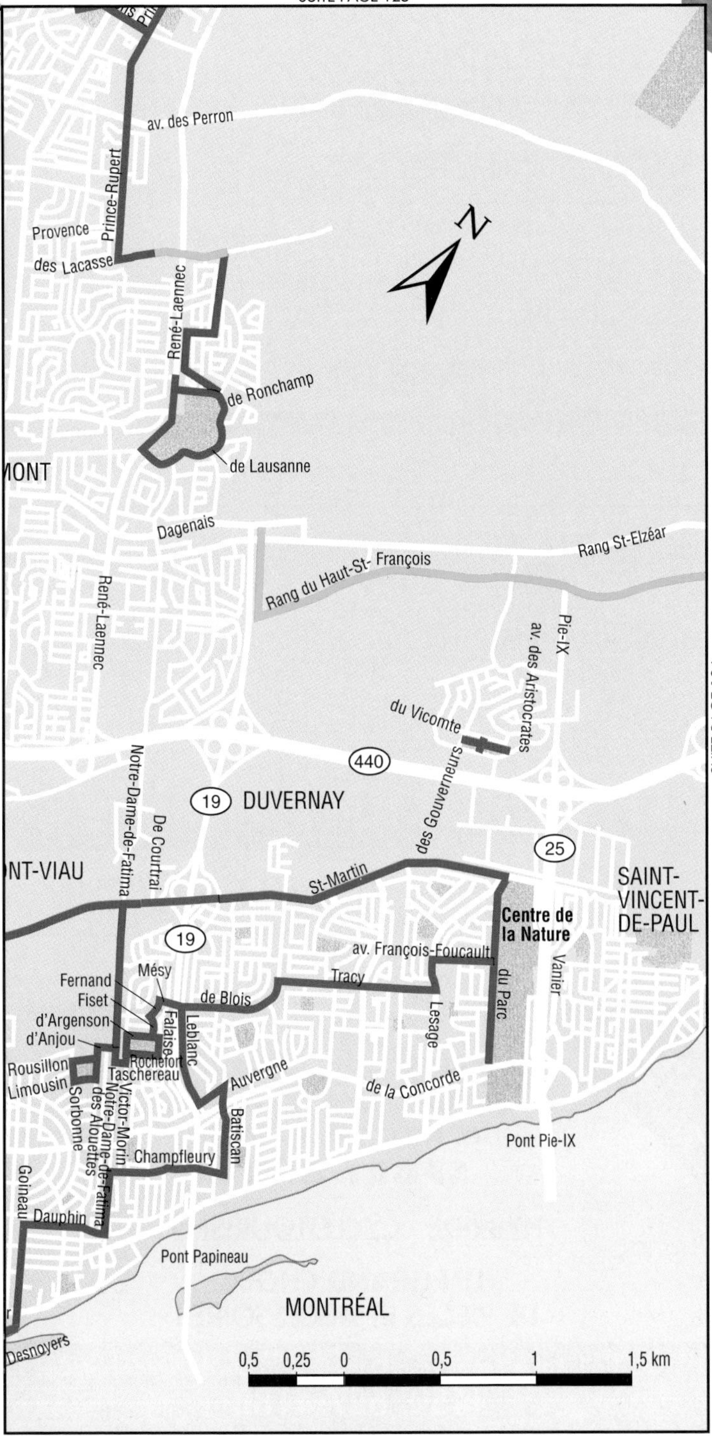

SUITE PAGE 126

PAGE 128 20

PAGE 123 21

PAGE 122 22

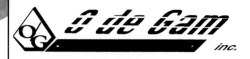

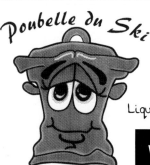

PAGE 124 23

PAGE 123 24

PAGE 124 25

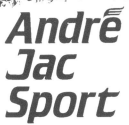

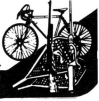

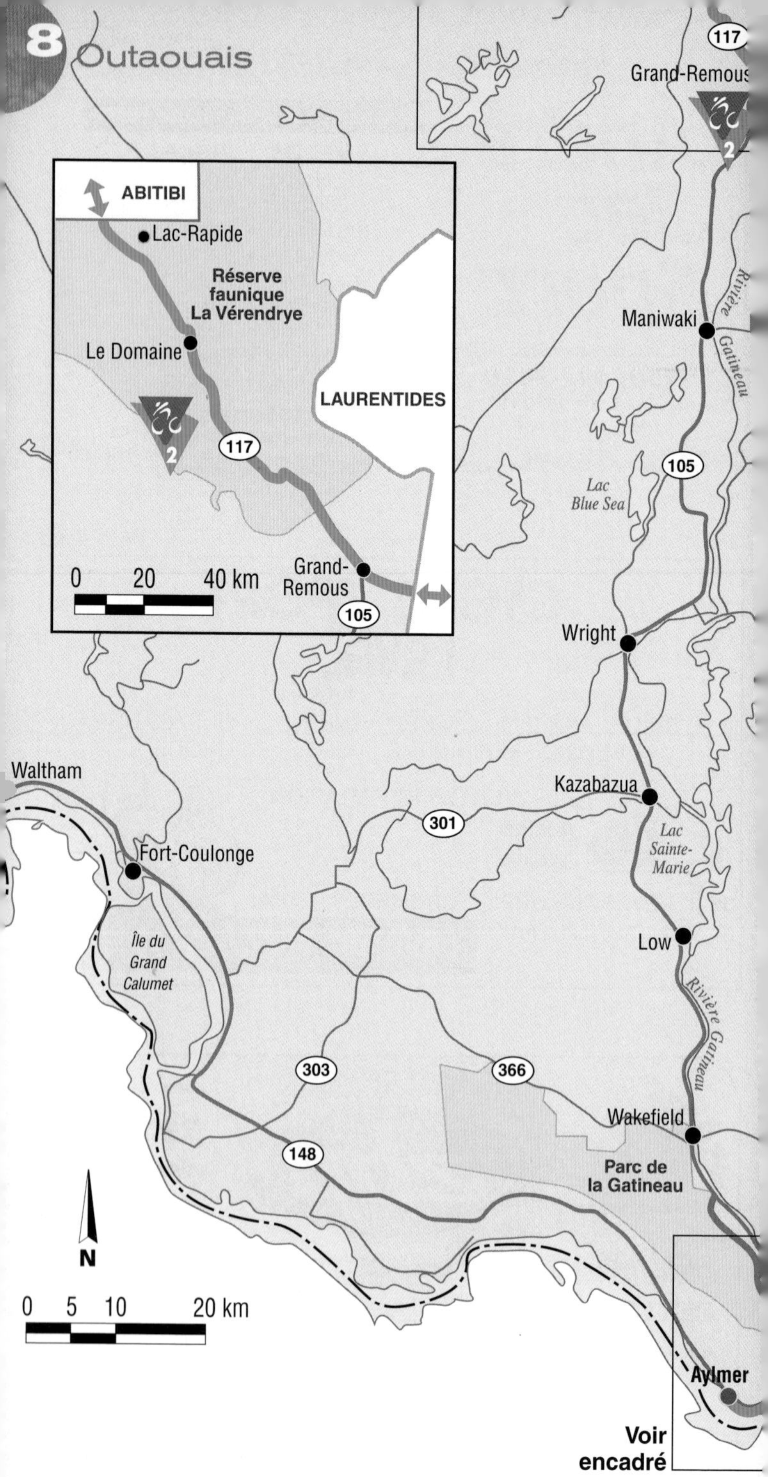
117
Grand-Remous
2
ABITIBI
Lac-Rapide
Réserve faunique La Vérendrye
Le Domaine
LAURENTIDES
2
117
Grand-Remous
0 20 40 km
105
Rivière Gatineau
Maniwaki
105
Lac Blue Sea
Wright
Waltham
Kazabazua
301
Fort-Coulonge
Lac Sainte-Marie
Low
Île du Grand Calumet
Rivière Gatineau
303
366
Wakefield
148
Parc de la Gatineau
N
0 5 10 20 km
Aylmer
Voir encadré

Encadré

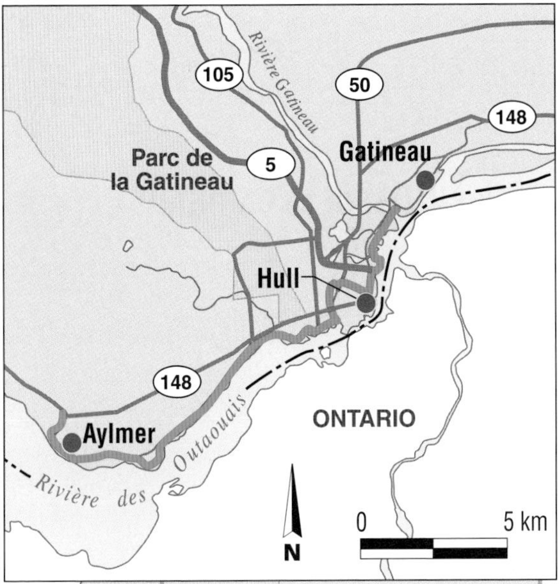

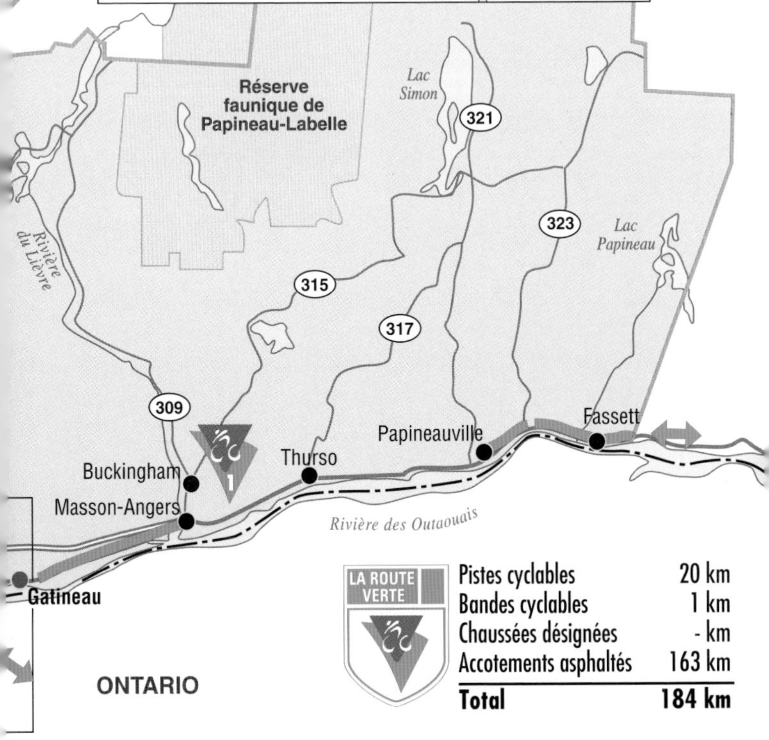

Pistes cyclables	20 km
Bandes cyclables	1 km
Chaussées désignées	- km
Accotements asphaltés	163 km
Total	**184 km**

MRC DE PONTIAC

VOIE CYCLABLE INTERMUNICIPALE

	KM	PISTE CYCLABLE	BANDE CYCLABLE	CHAUSSÉE DÉSIGNÉE
1 Cycloparc P.P.J.	72,0	72,0		
Total	**72,0**			

: 1 800 665-5217 (Tourisme Pontiac)
À l'année
N.B. Vélo de montagne recommandé

PARC LINÉAIRE VALLÉE DE LA GATINEAU

	KM	PISTE CYCLABLE	BANDE CYCLABLE	CHAUSSÉE DÉSIGNÉE
1 Parc linéaire Vallée de la Gatineau	71,0	71,0		
Total	**71,0**			

(819) 463-3241
Juin à octobre

Carte page 136

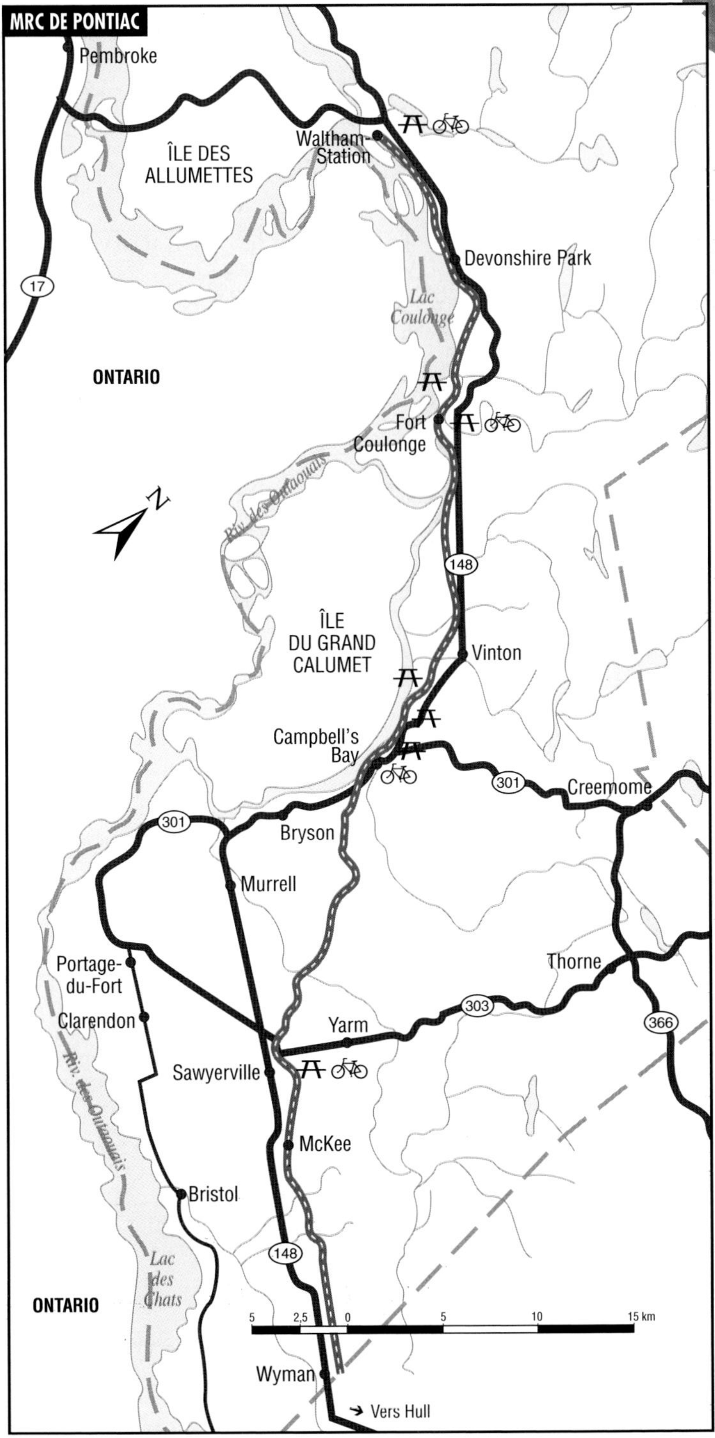
MRC DE PONTIAC
Pembroke
ÎLE DES ALLUMETTES
Waltham-Station
Devonshire Park
Lac Coulonge
ONTARIO
Fort Coulonge
Riv. des Outaouais
148
ÎLE DU GRAND CALUMET
Vinton
Campbell's Bay
301
Creemome
Bryson
Murrell
Portage-du-Fort
Clarendon
Thorne
303
Yarm
366
Sawyerville
McKee
Bristol
Lac des Chats
ONTARIO
5
2,5
0
5
10
15 km
Wyman
Vers Hull
17

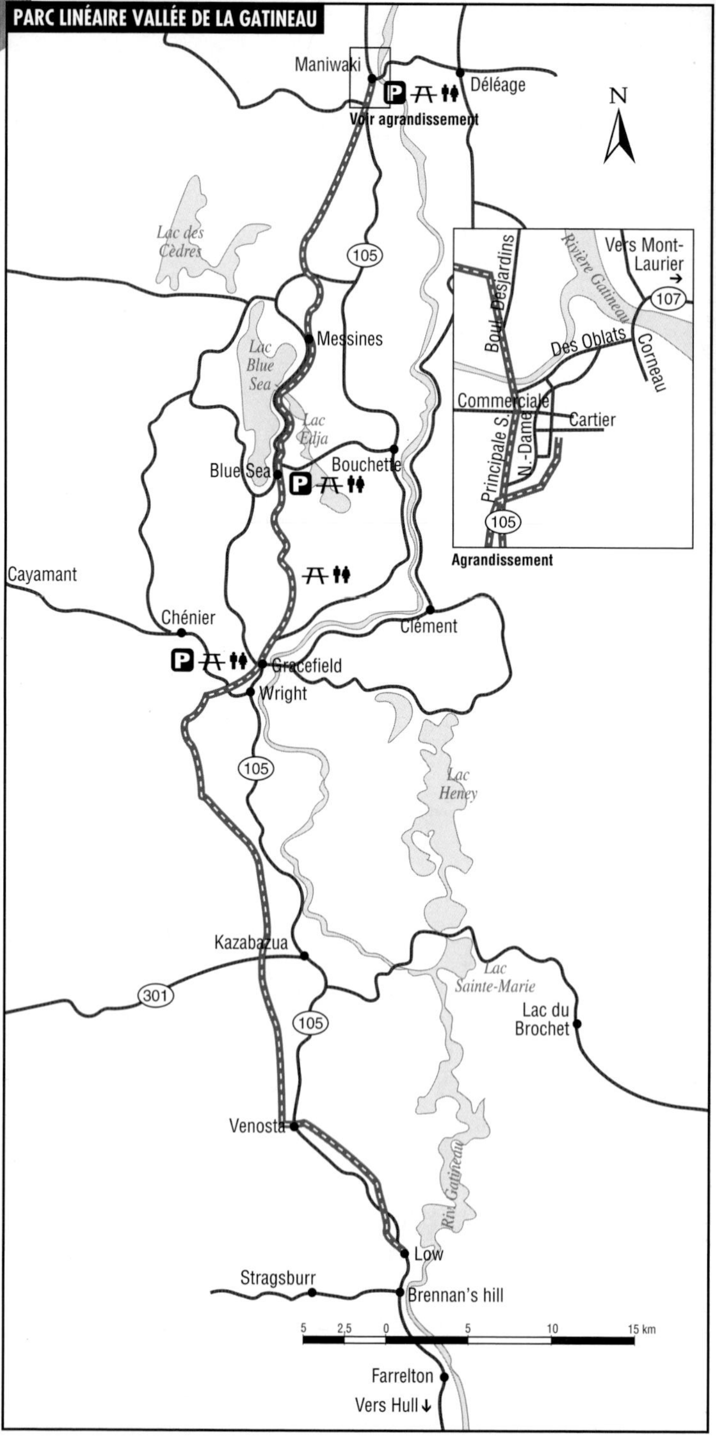
PARC LINÉAIRE VALLÉE DE LA GATINEAU
Maniwaki
Déléage
Voir agrandissement
N
Lac des Cèdres
105
Messines
Lac Blue Sea
Lac Edja
Blue Sea
Bouchette
Cayamant
Chénier
Clément
Gracefield
Wright
105
Lac Heney
Kazabazua
301
Lac Sainte-Marie
105
Lac du Brochet
Venosta
Riv. Gatineau
Low
Stragsburr
Brennan's hill
5 2,5 0 5 10 15 km
Farrelton
Vers Hull
Boul. Desjardins
Rivière Gatineau
Vers Mont-Laurier
107
Des Oblats
Corneau
Commerciale
Cartier
Principale S.
N.-Dame
105
Agrandissement

La présentation des voies cyclables de la ville de Gatineau est différente de celle que vous retrouvez ailleurs dans ce guide. Afin de faciliter la consultation, la ville a été divisée en six cartes.

GATINEAU

	KM	PISTE CYCLABLE	BANDE CYCLABLE	CHAUSSÉE DÉSIGNÉE
Total	**27,5**	22,8	4,3	0,4

(819) 778-2222
Maison du Tourisme
103, rue Laurier,
Gatineau

15 avril au
15 novembre

Cartes Gatineau
page 138 à 143

GATINEAU (Secteur Aylmer)

	KM	PISTE CYCLABLE	BANDE CYCLABLE	CHAUSSÉE DÉSIGNÉE
Total	**22,3**	22,3		

GATINEAU (Secteur Hull)

	KM	PISTE CYCLABLE	BANDE CYCLABLE	CHAUSSÉE DÉSIGNÉE
Total	**67,5**	55,9	10,6	1,0

GATINEAU (Secteur Buckingham)

	KM	PISTE CYCLABLE	BANDE CYCLABLE	CHAUSSÉE DÉSIGNÉE
Total	**5,8**	5,8		

GATINEAU (Secteur Masson-Angers)

	KM	PISTE CYCLABLE	BANDE CYCLABLE	CHAUSSÉE DÉSIGNÉE
Total	**12,4**		12,4	

PAGE 138 26

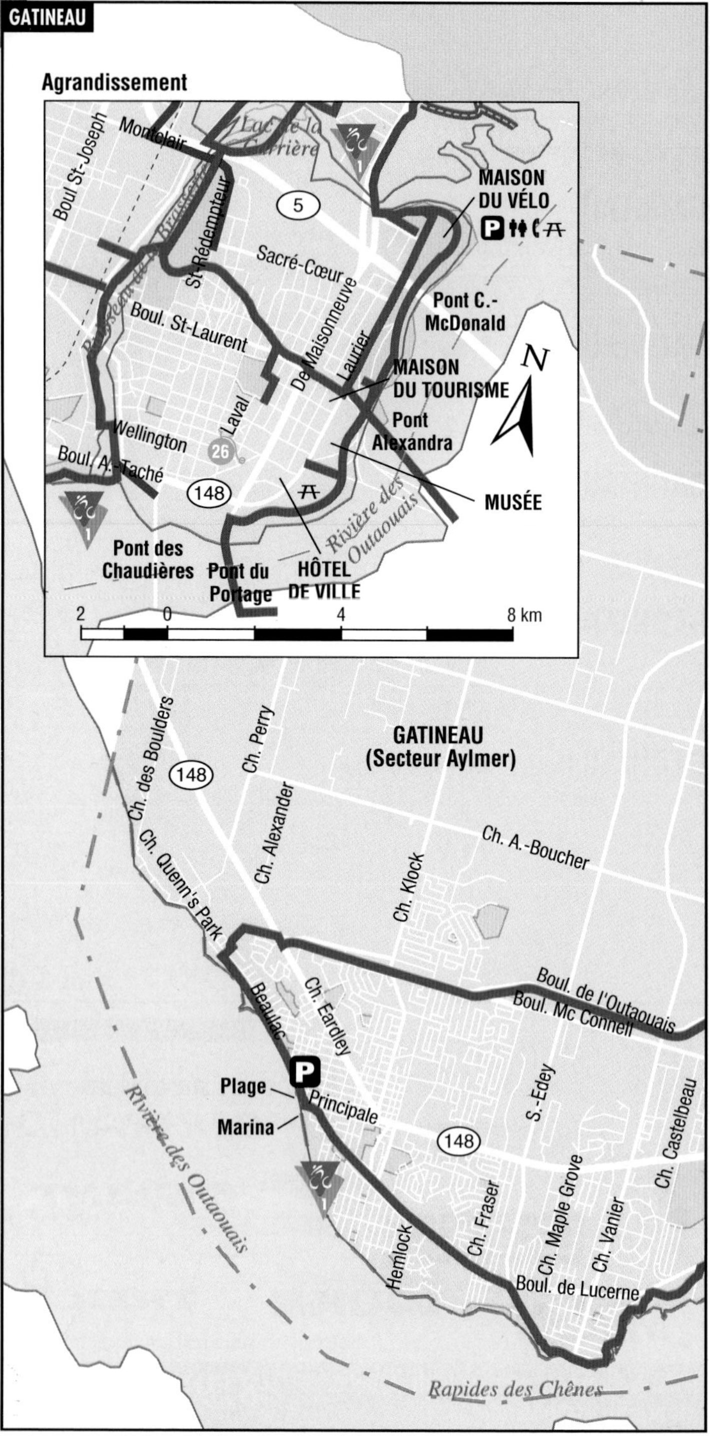
Agrandissement
Montclair
Lac de la Carrière
Boul St-Joseph
Ruisseau de la Brasserie
St-Rédempteur
5
MAISON
DU VÉLO
Sacré-Cœur
De Maisonneuve
Laurier
Pont C.-
McDonald
Boul. St-Laurent
MAISON
DU TOURISME
N
Pont
Alexandra
Wellington
Laval
26
Boul. A.-Taché
148
MUSÉE
Rivière des Outaouais
Pont des
Chaudières
Pont du
Portage
HÔTEL
DE VILLE
2
0
4
8 km
GATINEAU
(Secteur Aylmer)
Ch. des Boulders
148
Ch. Perry
Ch. Alexander
Ch. A.-Boucher
Ch. Quenn's Park
Ch. Klock
Beaulac
Ch. Eardley
Boul. de l'Outaouais
Boul. Mc Connell
Plage
Marina
Principale
S.-Edey
148
Ch. Castelbeau
Rivière des Outaouais
Hemlock
Ch. Fraser
Ch. Maple Grove
Ch. Vanier
Boul. de Lucerne
Rapides des Chênes

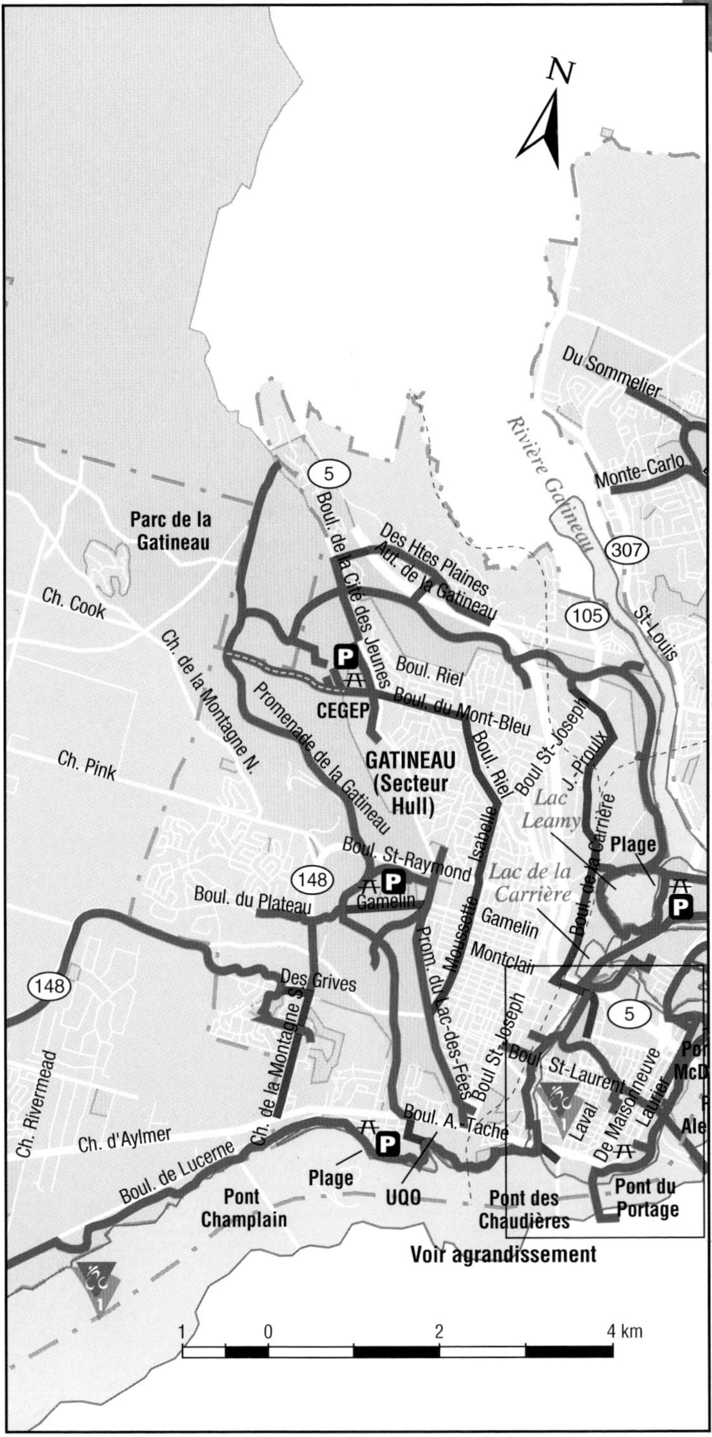
N
Du Sommelier
Monte-Carlo
Rivière Gatineau
307
St-Louis
105
5
Boul. de la Cité des Jeunes
Des Htes Plaines
Aut. de la Gatineau
Parc de la Gatineau
Ch. Cook
Ch. de la Montagne N.
Boul. Riel
Boul. du Mont-Bleu
CEGEP
Promenade de la Gatineau
GATINEAU (Secteur Hull)
Boul. Riel
Boul St-Joseph
J.-Proulx
Ch. Pink
Lac Leamy
Boul. de la Carrière
Plage
Isabelle
Boul. St-Raymond
Lac de la Carrière
148
Gamelin
Boul. du Plateau
Moussette
Gamelin
Montclair
Prom. du Lac-des-Fées
Des Grives
148
Ch. de la Montagne S.
5
Boul St-Joseph
Boul. St-Laurent
De Maisonneuve
Laurier
Laval
Ch. Rivermead
Boul. A.-Taché
Ch. d'Aylmer
Boul. de Lucerne
Plage
UQO
Pont Champlain
Pont des Chaudières
Pont du Portage
Voir agrandissement
1
0
2
4 km
SUITE PAGE 140

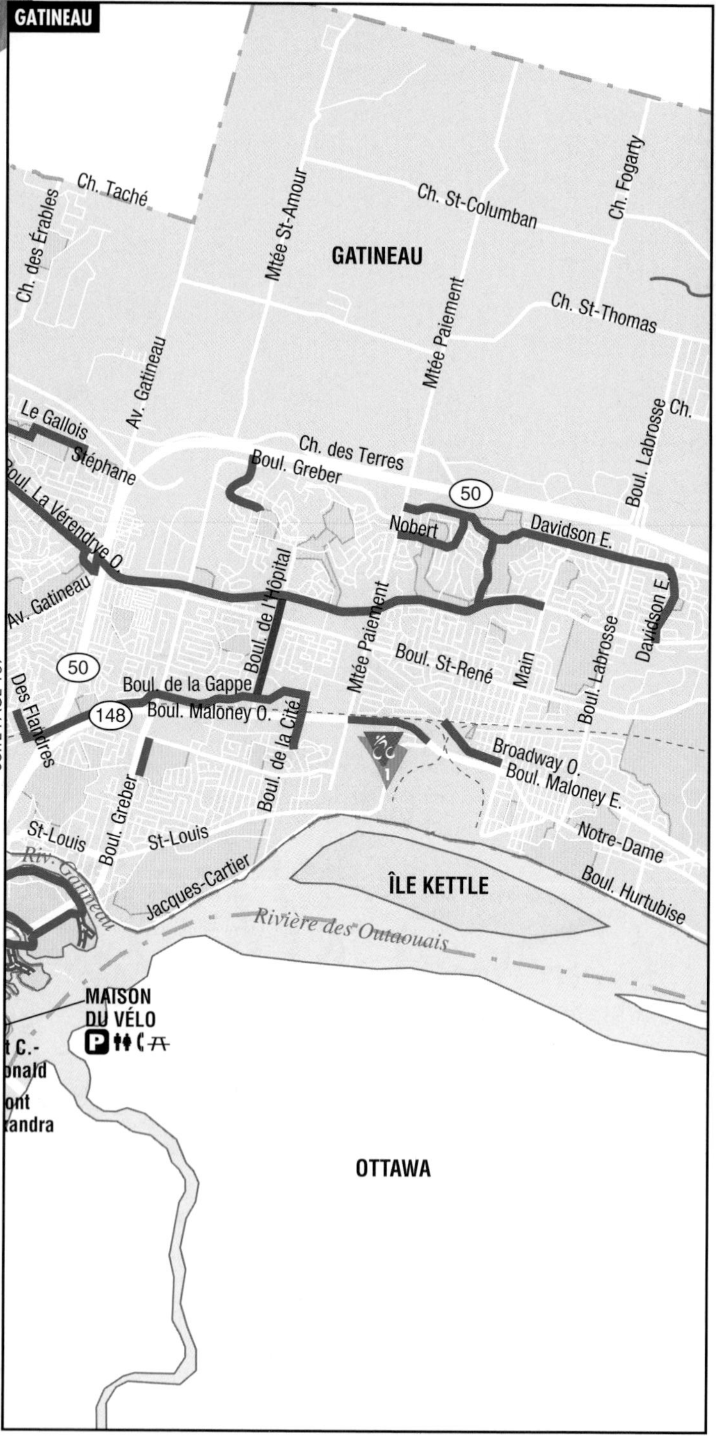
Ch. Taché
Ch. des Érables
Mtée St-Amour
GATINEAU
Ch. St-Columban
Ch. Fogarty
Ch. St-Thomas
Mtée Paiement
Av. Gatineau
Le Gallois
Stéphane
Ch. des Terres
Boul. Greber
Boul. Labrosse
Ch.
50
Nobert
Davidson E.
Boul. La Vérendrye O.
Av. Gatineau
Boul. de l'Hôpital
Mtée Paiement
Davidson E.
Boul. St-René
Main
Boul. Labrosse
50
Des Flandres
Boul. de la Gappe
148
Boul. Maloney O.
Boul. de la Cité
Broadway O.
Boul. Maloney E.
Boul. Greber
St-Louis
St-Louis
Notre-Dame
Riv. Gatineau
Jacques-Cartier
ÎLE KETTLE
Boul. Hurtubise
Rivière des Outaouais
MAISON
DU VÉLO
P
OTTAWA

SUITE PAGE 139

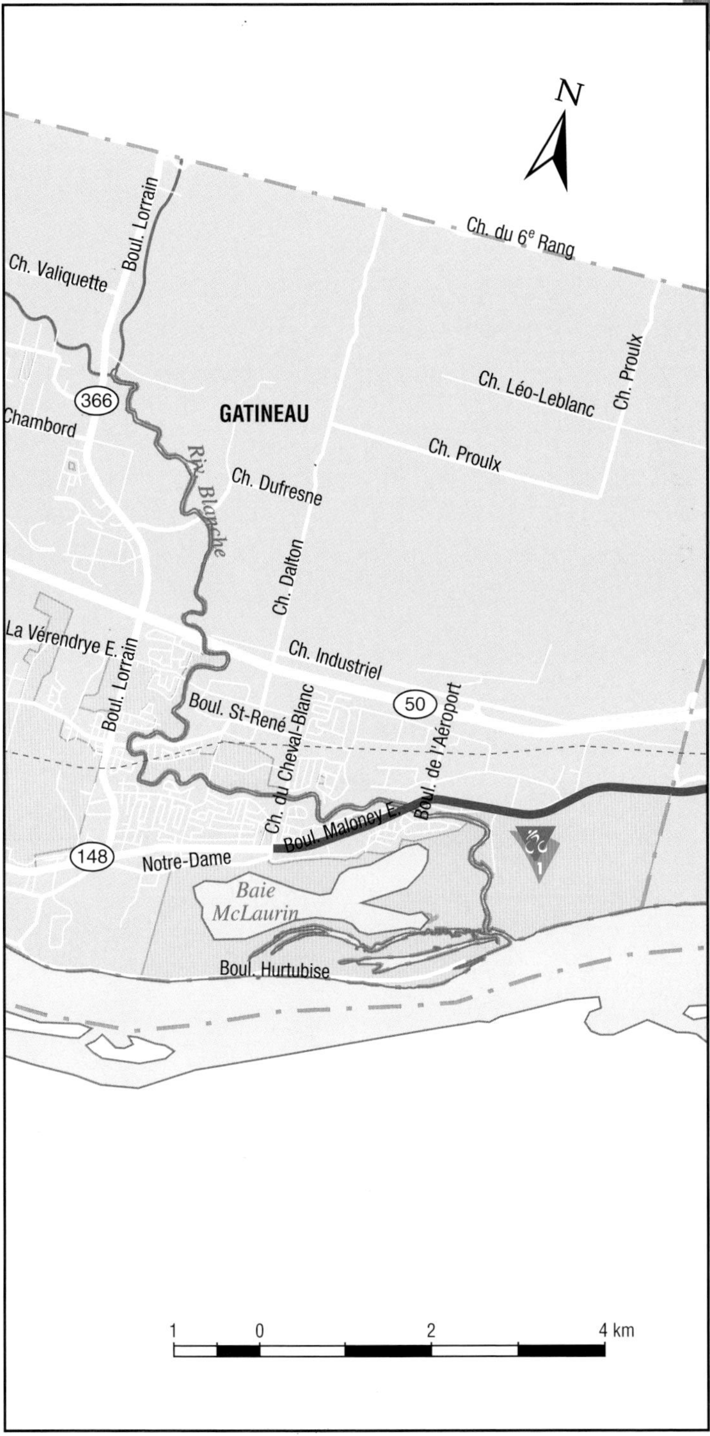

SUITE PAGE 142

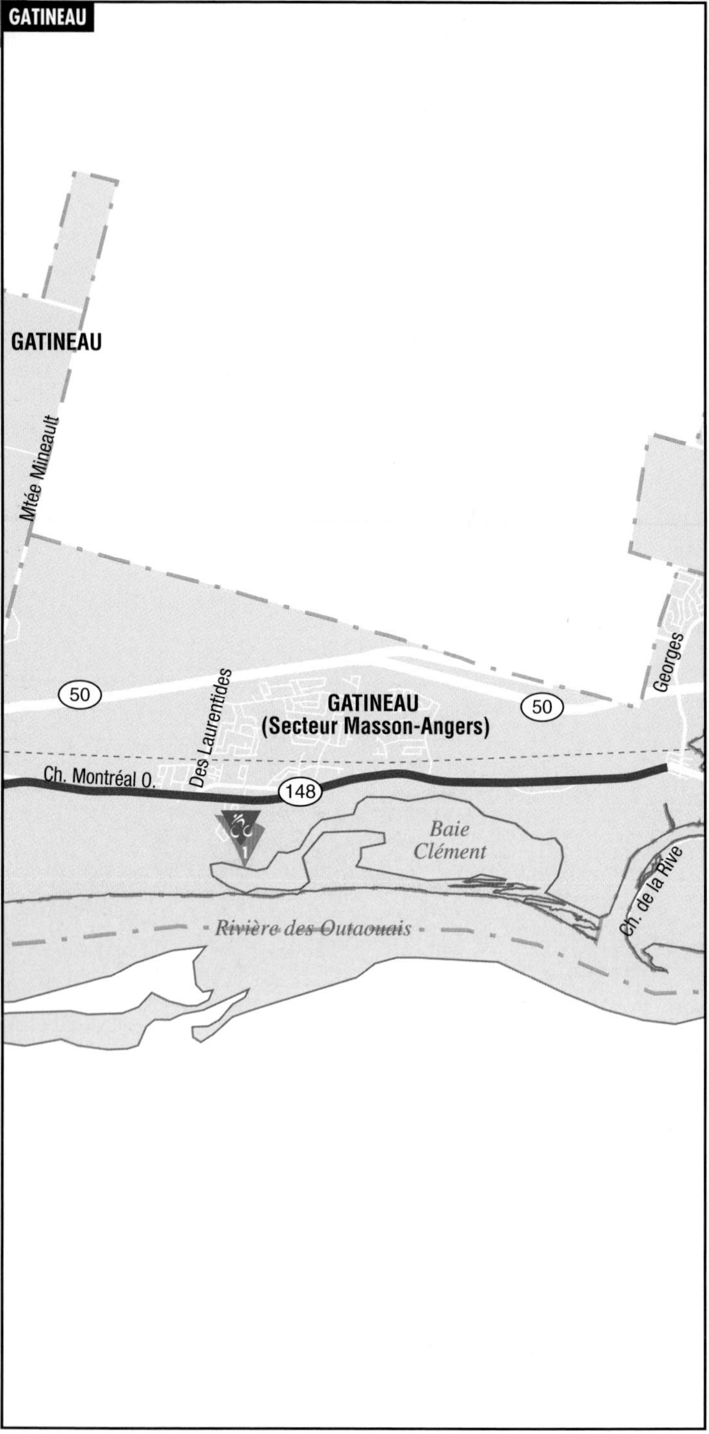
GATINEAU
Mtée Mineault
50
Des Laurentides
GATINEAU
(Secteur Masson-Angers)
50
Georges
Ch. Montréal O.
148
1
Baie
Clément
Ch. de la Rive
Rivière des Outaouais

SUITE PAGE 141

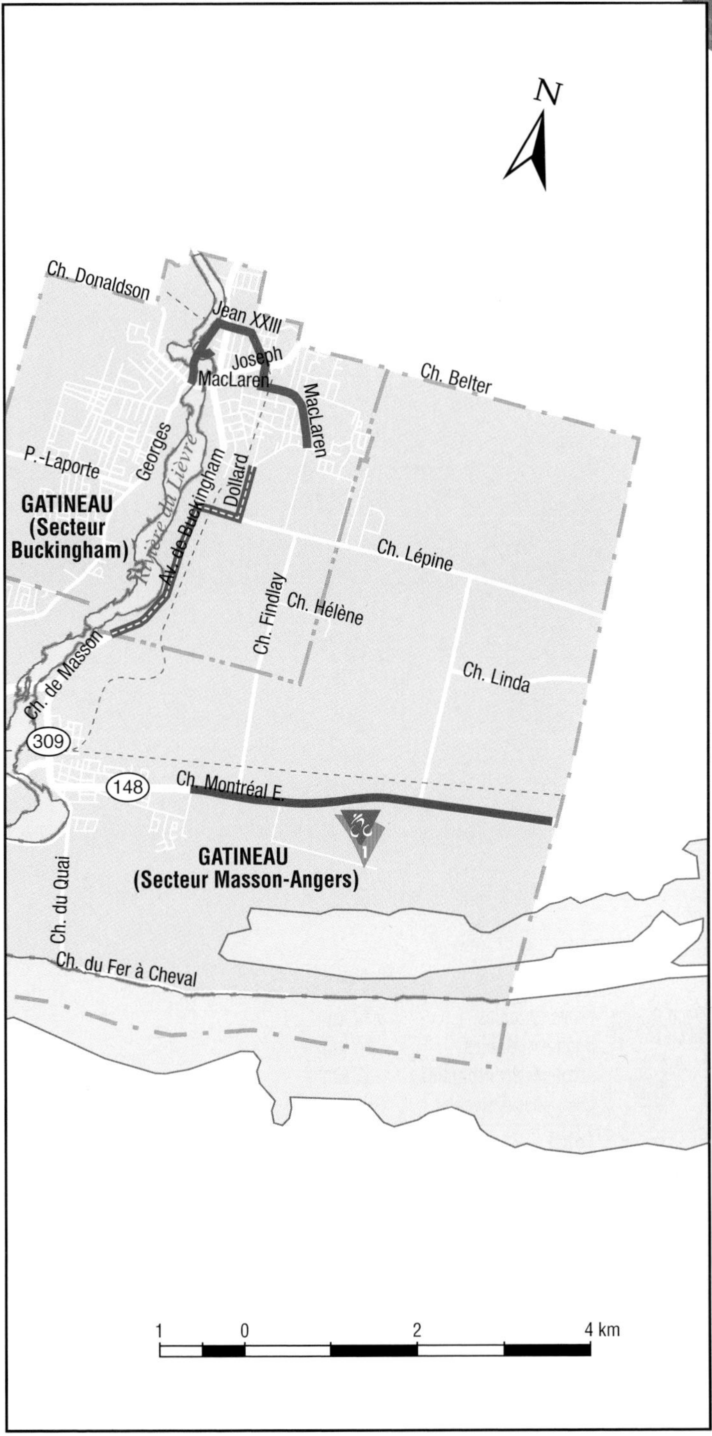
N
Ch. Donaldson
Jean XXIII
Joseph
MacLaren
Ch. Belter
MacLaren
Georges
P.-Laporte
Rivière du Lièvre
Av. de Buckingham
Dollard
GATINEAU
(Secteur
Buckingham)
Ch. Lépine
Ch. Findlay
Ch. Hélène
Ch. de Masson
Ch. Linda
309
148
Ch. Montréal E.
1
GATINEAU
(Secteur Masson-Angers)
Ch. du Quai
Ch. du Fer à Cheval
1
0
2
4 km

9 Laurentides

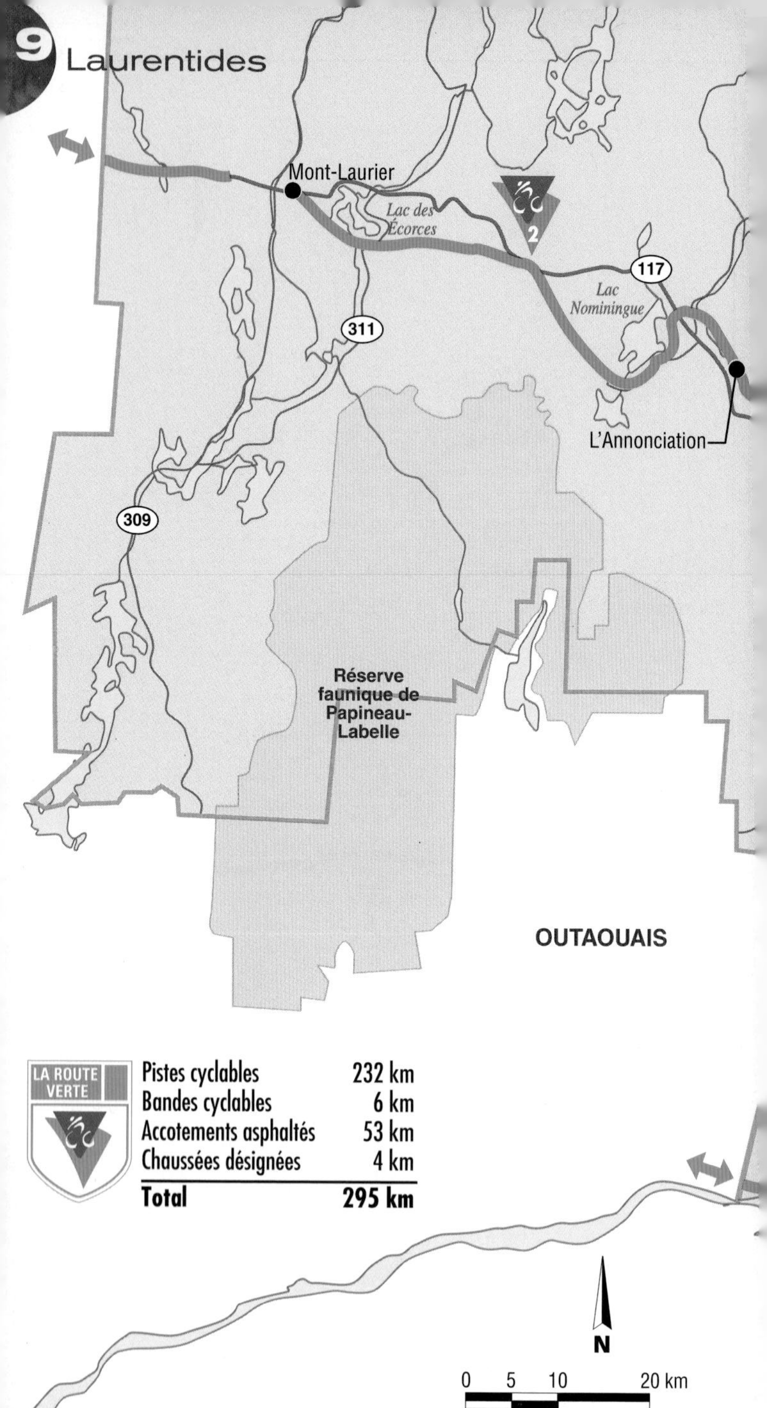

LA ROUTE VERTE

Pistes cyclables	232 km
Bandes cyclables	6 km
Accotements asphaltés	53 km
Chaussées désignées	4 km
Total	**295 km**

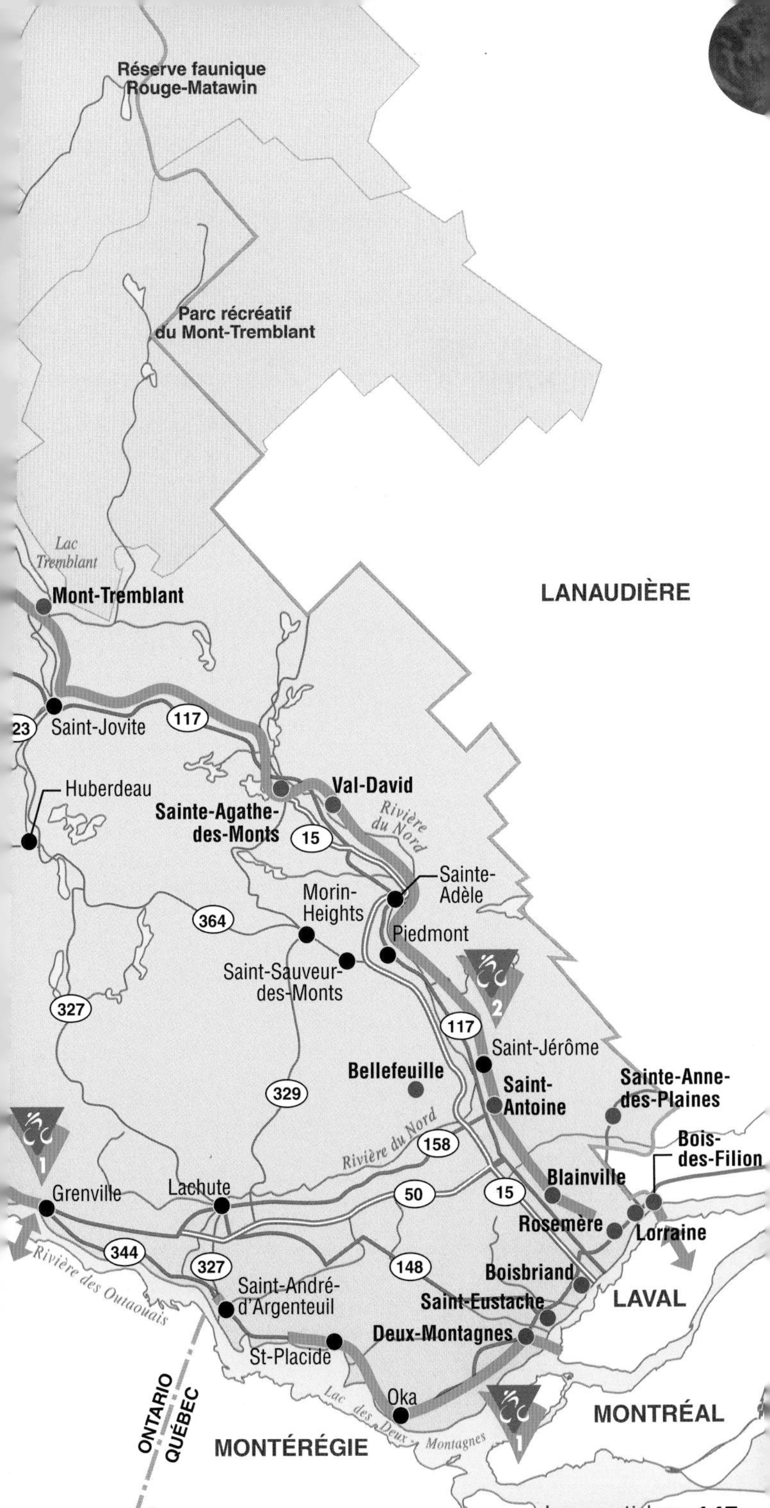
Réserve faunique Rouge-Matawin
Parc récréatif du Mont-Tremblant
Lac Tremblant
Mont-Tremblant
LANAUDIÈRE
Saint-Jovite
117
23
Huberdeau
Val-David
Sainte-Agathe-des-Monts
15
Rivière du Nord
Sainte-Adèle
Morin-Heights
364
Piedmont
Saint-Sauveur-des-Monts
2
327
117
Saint-Jérôme
Bellefeuille
Saint-Antoine
Sainte-Anne-des-Plaines
329
1
Rivière du Nord
158
Bois-des-Filion
Blainville
Grenville
Lachute
50
15
Rosemère
Lorraine
344
327
148
Rivière des Outaouais
Boisbriand
Saint-André-d'Argenteuil
Saint-Eustache
LAVAL
Deux-Montagnes
St-Placide
ONTARIO
QUÉBEC
Oka
1
MONTRÉAL
Lac des Deux Montagnes
MONTÉRÉGIE

PARC LINÉAIRE LE P'TIT TRAIN DU NORD

2

VOIE CYCLABLE INTERMUNICIPALE

	KM	PISTE CYCLABLE	BANDE CYCLABLE	CHAUSSÉE DÉSIGNÉE
1 Parc linéaire Le P'tit Train du Nord	200,0	200,0		

(450) 436-8532
1 800 561-6673
(450) 227-3313

Mai à octobre

$ 15 $/saison, 5 $/jour, 17 ans et moins : gratuit (incluant Parc linéaire le Corridor aérobique et le Parc linéaire des Basses Laurentid

PARC LINÉAIRE DES BASSES LAURENTIDES

2

	KM	PISTE CYCLABLE	BANDE CYCLABLE	CHAUSSÉE DÉSIGNÉE
1 Parc linéaire des Basses Laurentides	18,0	18,0		

(450) 227-3313

Avril à octobre

$ 15 $/saison, 5 $/jour, 17 ans et moins : gratuit (incluant Parc linéaire le P'tit Train du Nord et le Corridor aérobique

Carte page 149

CORRIDOR AÉROBIQUE

VOIE CYCLABLE INTERMUNICIPALE

	KM	PISTE CYCLABLE	BANDE CYCLABLE	CHAUSSÉE DÉSIGNÉE
1 Corridor aérobique	56,0	56,0		

NOTE : Vélo de montagne recommandé.

(450) 436-8532
1 800 561-6673

Mai à octobre

$ 15 $/saison, 5 $/jour, 17 ans et moins : gratuit (incluant Parc linéaire le P'tit Train du Nord et le Parc linéai des Basses-Laurentides

Carte page 150

LA VAGABONDE

VOIE CYCLABLE INTERMUNICIPALE

	KM	PISTE CYCLABLE	BANDE CYCLABLE	CHAUSSÉE DÉSIGNÉE
1 St-Placide à Oka	19,5		19,5	
2 Oka à Deux-Montagnes	18,5	10,8	5,7	2,0
3 St-Eustache	20,1	1,6	15,6	2,9
Total	**58,1**			

(450) 491-4444

Avril à octobre

Cartes pages 151 à 153

PAGE 148 27

PARC LINÉAIRE LE P'TIT TRAIN DU NORD

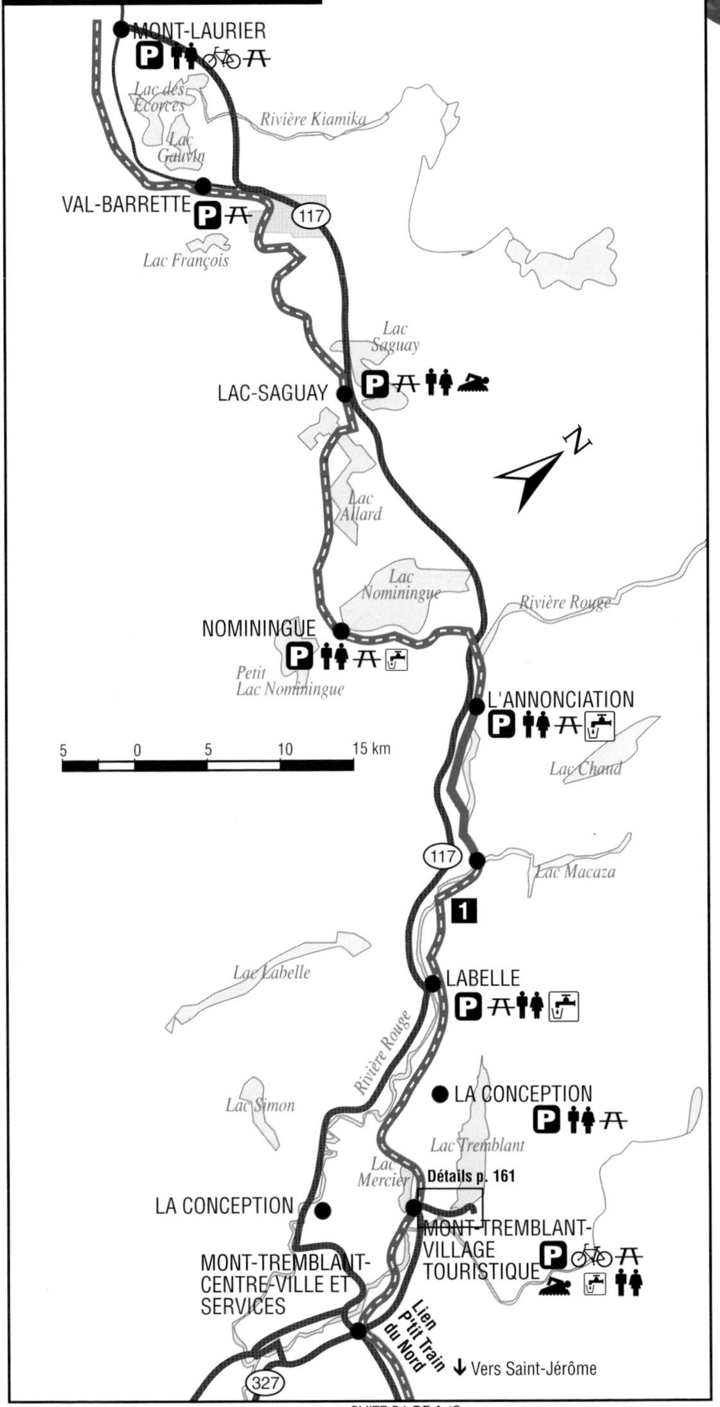
MONT-LAURIER
Lac des Écorces
Rivière Kiamika
Lac Gauvin
VAL-BARRETTE
117
Lac François
Lac Saguay
LAC-SAGUAY
N
Lac Allard
Lac Nominingue
Rivière Rouge
NOMININGUE
Petit Lac Nominingue
L'ANNONCIATION
5
0
5
10
15 km
Lac Chaud
117
Lac Macaza
1
Lac Labelle
LABELLE
Rivière Rouge
LA CONCEPTION
Lac Simon
Lac Tremblant
Lac Mercier
Détails p. 161
LA CONCEPTION
MONT-TREMBLANT-VILLAGE TOURISTIQUE
MONT-TREMBLANT-CENTRE-VILLE ET SERVICES
Lien P'tit Train du Nord
Vers Saint-Jérôme
327

SUITE PAGE 148

SUITE PAGE 147

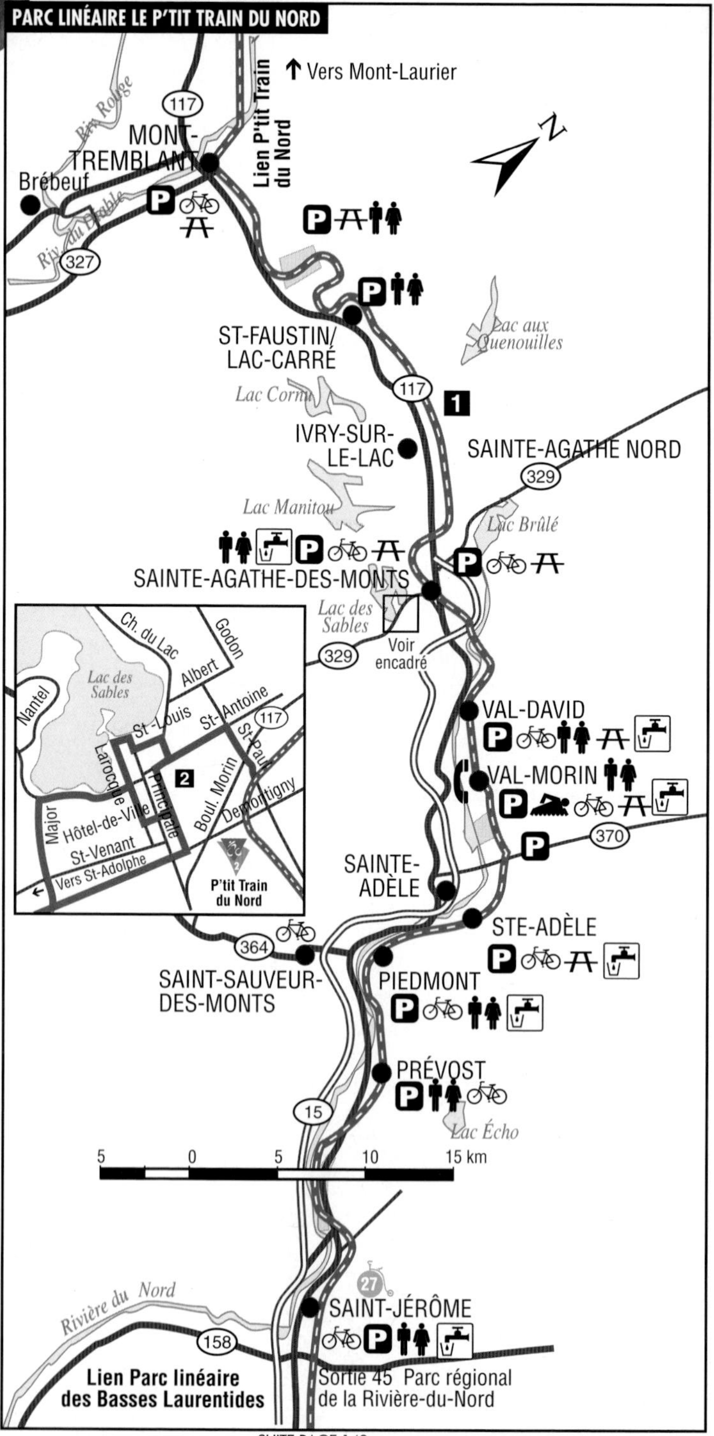
PARC LINÉAIRE LE P'TIT TRAIN DU NORD
Vers Mont-Laurier
Lien P'tit Train du Nord
N
Riv. Rouge
117
MONT-TREMBLANT
Brébeuf
Riv. du Diable
327
ST-FAUSTIN/ LAC-CARRÉ
Lac aux Quenouilles
Lac Cornu
1
IVRY-SUR-LE-LAC
SAINTE-AGATHE NORD
329
Lac Manitou
Lac Brûlé
SAINTE-AGATHE-DES-MONTS
Lac des Sables
Voir encadré
Ch. du Lac
Godon
Albert
Nantel
St-Louis
St-Antoine
Larocque
Principale
2
Boul. Morin
St-Paul
Demontigny
Major
Hôtel-de-Ville
St-Venant
Vers St-Adolphe
P'tit Train du Nord
VAL-DAVID
VAL-MORIN
370
SAINTE-ADÈLE
STE-ADÈLE
364
SAINT-SAUVEUR-DES-MONTS
PIEDMONT
PRÉVOST
15
Lac Écho
5 0 5 10 15 km
27
SAINT-JÉRÔME
Rivière du Nord
158
Lien Parc linéaire des Basses Laurentides
Sortie 45 Parc régional de la Rivière-du-Nord

SUITE PAGE 149

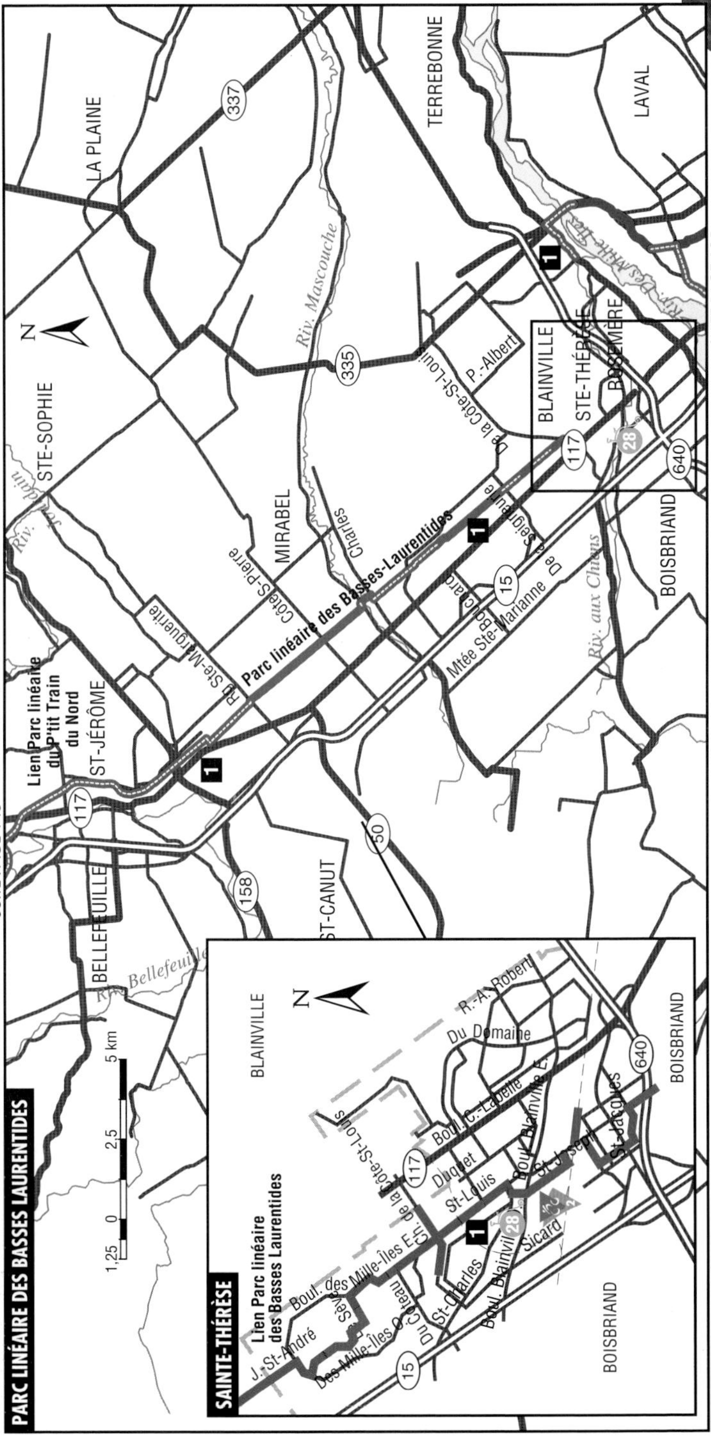
PARC LINÉAIRE DES BASSES LAURENTIDES
SUITE PAGE 148
SUITE PAGE 125
LA PLAINE
TERREBONNE
LAVAL
STE-SOPHIE
MIRABEL
BLAINVILLE
STE-THÉRÈSE
ROSEMÈRE
BOISBRIAND
ST-JÉRÔME
BELLEFEUILLE
ST-CANUT
Lien Parc linéaire du P'tit Train du Nord
Parc linéaire des Basses-Laurentides
Riv. Mascouche
Riv. aux Chiens
Riv. Bellefeuille
Riv. Des Mille Îles
P.-Albert
De la Côte-St-Louis
Côte-S-Pierre
Charles
Mtée Ste-Marianne
Rg Ste-Marguerite
1,25 0 2,5 5 km
SAINTE-THÉRÈSE
Lien Parc linéaire des Basses Laurentides
R.-A.-Robert
Du Domaine
Boul. C.-Labelle
Boul. Blainville E.
Duquet
St-Louis
St-Joseph
St-Jacques
Sicard
Boul. des Mille-Îles E.
J.-St-André
Des Mille-Îles O.
Du Coteau
St-Charles
Boul. Blainville
BLAINVILLE
BOISBRIAND

SUITE PAGE 148

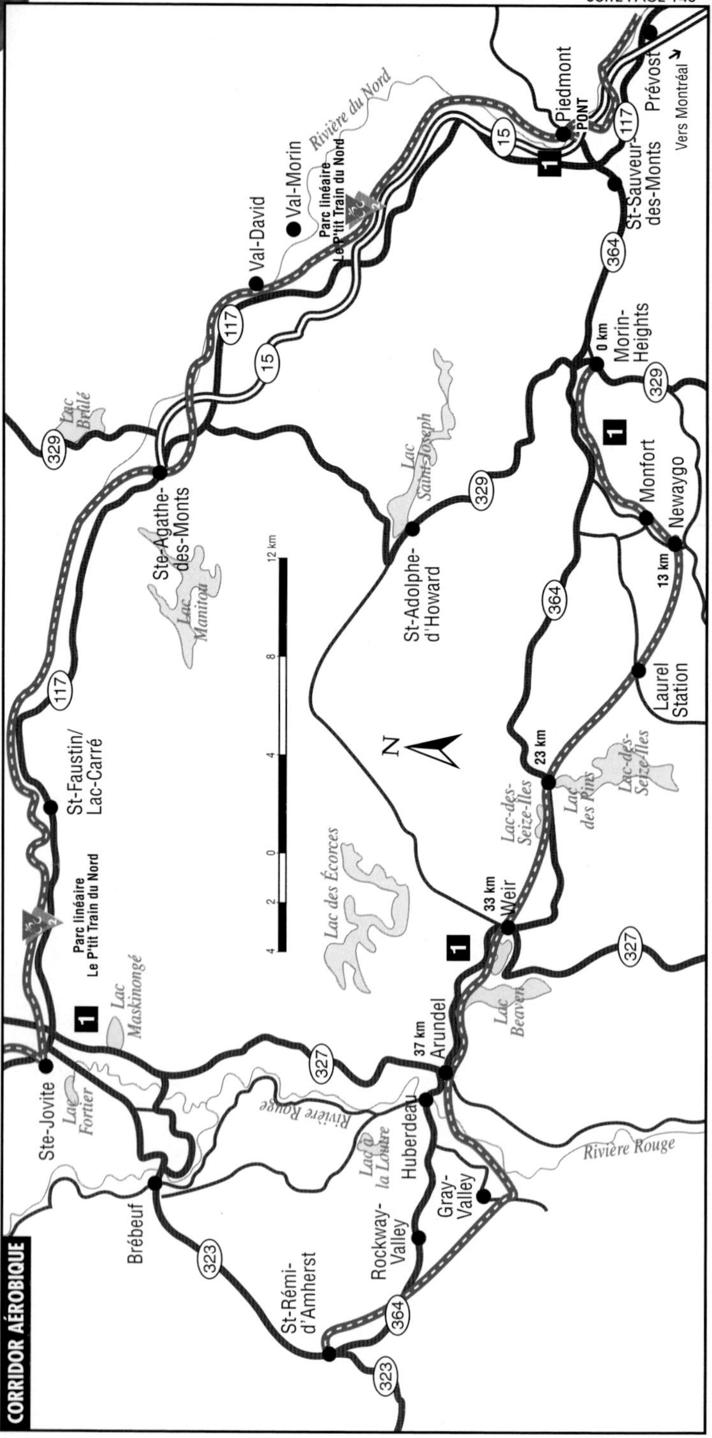

SUITE PAGE 147

SUITE PAGE 152

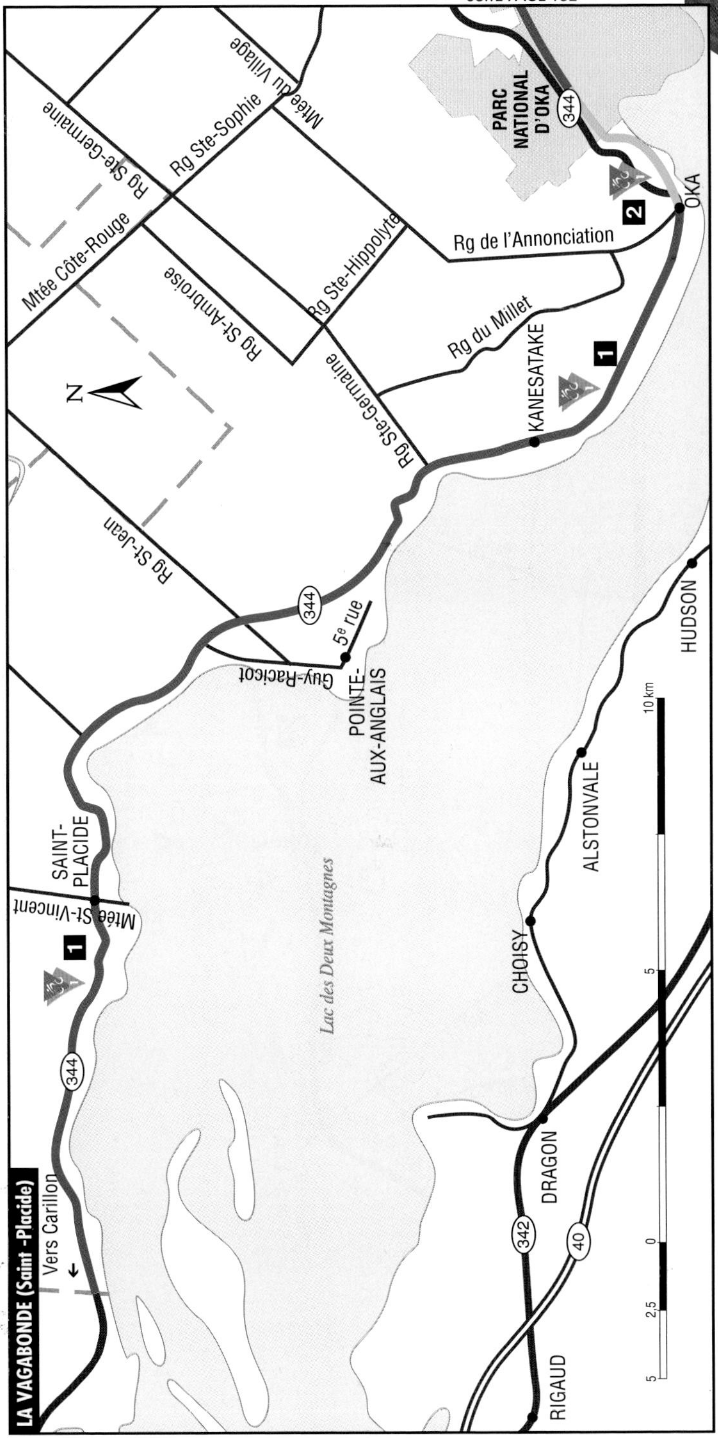
LA VAGABONDE (Saint-Placide)
Vers Carillon
344
1
Mtée St-Vincent
SAINT-PLACIDE
Lac des Deux Montagnes
Guy-Racicot
5e rue
POINTE-AUX-ANGLAIS
Rg St-Jean
N
Rg Ste-Germaine
KANESATAKE
1
Rg du Millet
Rg St-Ambroise
Rg Ste-Hippolyte
Mtée Côte-Rouge
Rg Ste-Germaine
Rg Ste-Sophie
Mtée du Village
Rg de l'Annonciation
2
OKA
PARC NATIONAL D'OKA
HUDSON
ALSTONVALE
CHOISY
DRAGON
RIGAUD
342
40
5
2,5
0
5
10 km

SUITE PAGE 153

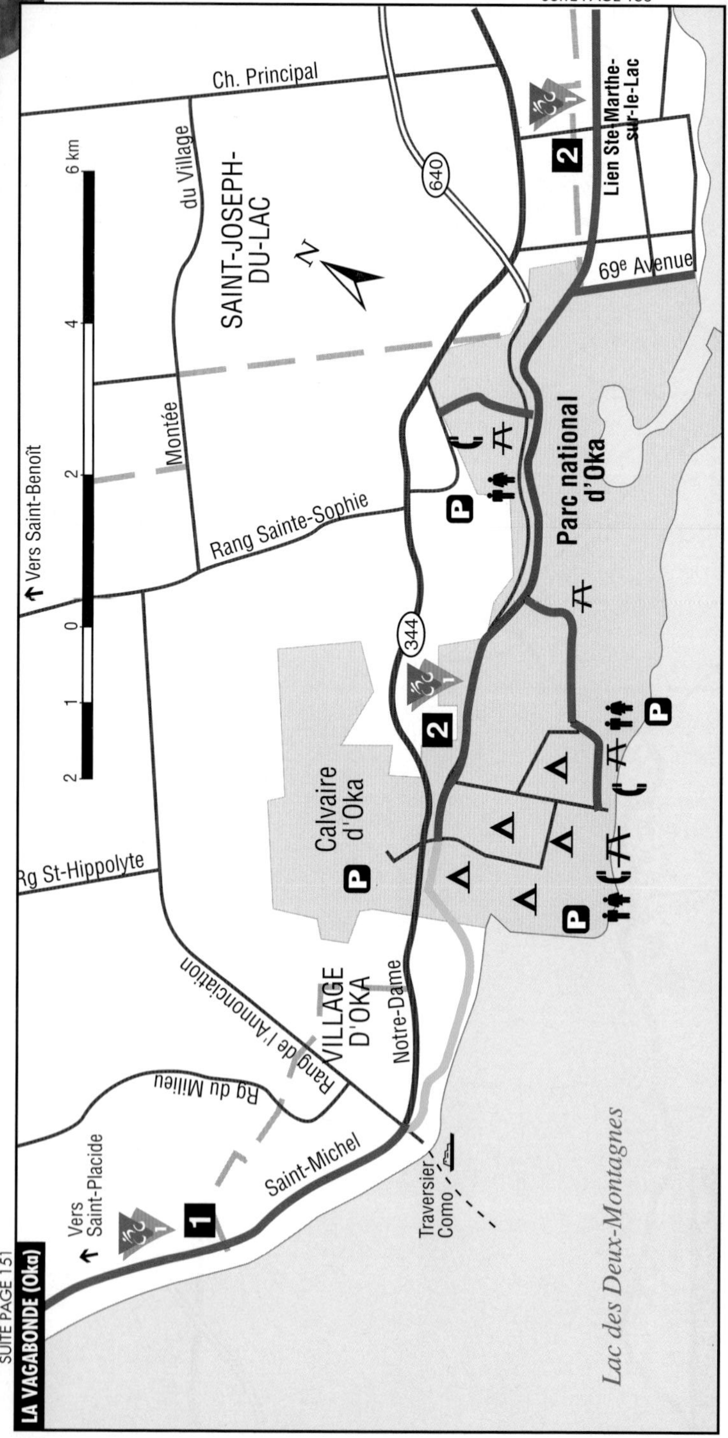
LA VAGABONDE (Oka)
SUITE PAGE 151
Vers Saint-Placide
Vers Saint-Benoît
0
1
2
4
6 km
Ch. Principal
du Village
SAINT-JOSEPH-DU-LAC
N
640
Lien Ste-Marthe-sur-le-Lac
2
69e Avenue
Montée
Rang Sainte-Sophie
Parc national d'Oka
344
2
Calvaire d'Oka
Rg St-Hippolyte
Rang de l'Annonciation
Rg du Milieu
VILLAGE D'OKA
Notre-Dame
Saint-Michel
1
Traversier Como
Lac des Deux-Montagnes

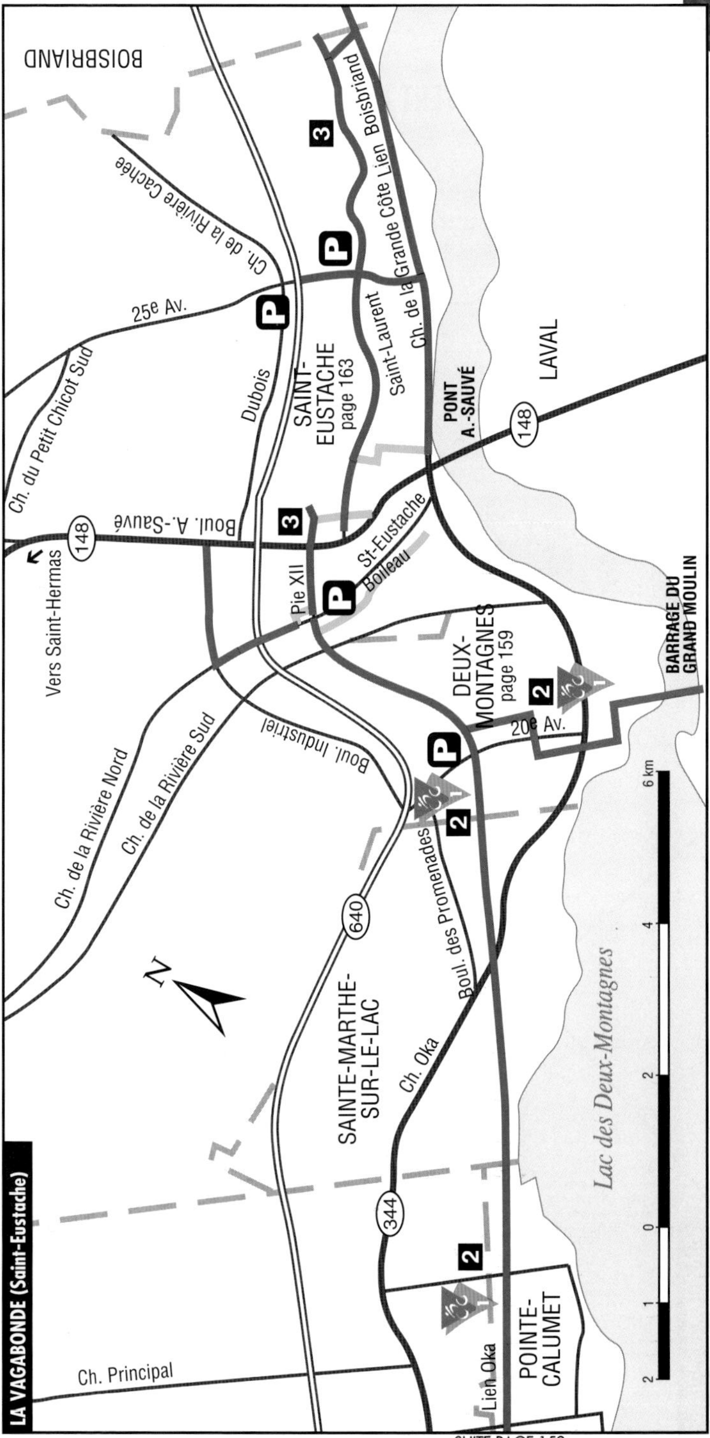

SUITE PAGE 152

PARC DU DOMAINE VERT

	KM	PISTE CYCLABLE	BANDE CYCLABLE	CHAUSSÉE DÉSIGNÉE
1 St-Augustin	2,0	2,0		
2 Le Lièvre	4,0	4,0		
3 Bob Lacourse	5,0	5,0		
Total	**11,0**			

(450) 435-6510
15 avril au 1er novembre
$ 4 $/auto + 1,50 $/adulte, 1 $/enfant

SUITE PAGE 156

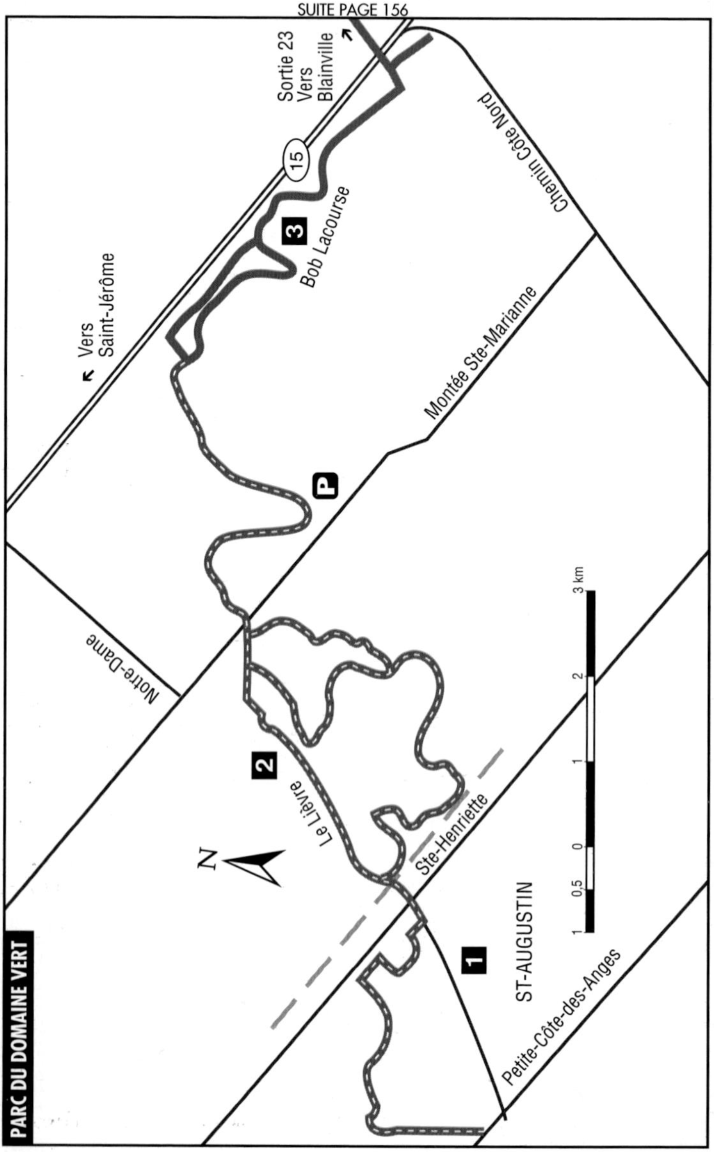

BLAINVILLE

	KM	PISTE CYCLABLE ■	BANDE CYCLABLE ■	CHAUSSÉE DÉSIGNÉE ▨
1 Réseau municipal	23,9	14,8	9,1	
2 Route verte 2	6,9	6,9		
Total	**30,8**			

☎ (450) 434-5299
🚲 15 avril au 15 novembre

Carte page 156

BOISBRIAND

	KM	PISTE CYCLABLE ■	BANDE CYCLABLE ■	CHAUSSÉE DÉSIGNÉE ▨
1 Sanche/Entreprises	2,1	1,7	0,4	
2 Gr.-Côte/J.-Duceppe	5,5	0,7	4,8	
3 Châteauneuf	1,5		1,5	
4 A.-Chartrand	0,8		0,8	
5 Gr.-Allée/Cartier	5,0	2,3	2,7	
6 R.-Cachée/Bastille	2,1	0,3	1,8	
7 Le Corbusier	0,3	0,3		
8 C.I.N.	1,0	1,0		
9 Parc Régional	1,9	1,4	0,5	
Total	**20,2**			

☎ (450) 435-1954
🚲 Dès que la température le permet

Carte page 157

PAGES 149-157 **28**

SUITE PAGE 149

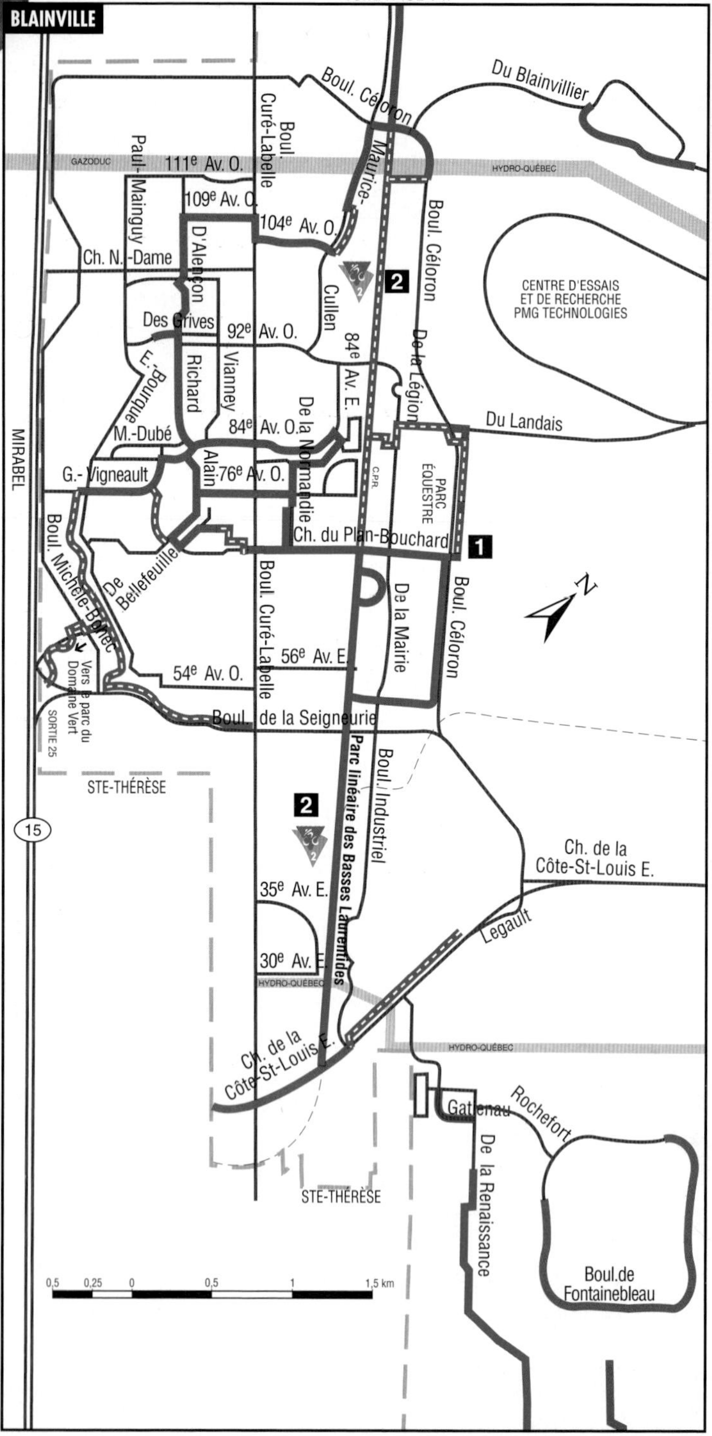
BLAINVILLE
Boul. Céloron
Du Blainvillier
Boul. Curé-Labelle
Maurice-Cullen
GAZODUC
111e Av. O.
HYDRO-QUÉBEC
Paul-Mainguy
109e Av. O.
104e Av. O.
Boul. Céloron
D'Alençon
Ch. N.-Dame
2
CENTRE D'ESSAIS
ET DE RECHERCHE
PMG TECHNOLOGIES
Des Grives
92e Av. O.
84e Av. E.
De la Légion
E.-Bourque
Richard
Vianney
Du Landais
De la Normandie
M.-Dubé
84e Av. O.
MIRABEL
G.-Vigneault
Alain
76e Av. O.
C.P.R.
PARC ÉQUESTRE
Ch. du Plan-Bouchard
1
Boul. Michèle-Bohec
De Bellefeuille
Boul. Curé-Labelle
De la Mairie
Boul. Céloron
N
Vers le parc du Domaine Vert
56e Av. E.
54e Av. O.
Boul. de la Seigneurie
SORTIE 25
Parc linéaire des Basses Laurentides
Boul. Industriel
STE-THÉRÈSE
2
15
Ch. de la Côte-St-Louis E.
35e Av. E.
Legault
30e Av. E.
HYDRO-QUÉBEC
Ch. de la Côte-St-Louis E.
Gatineau
Rochefort
De la Renaissance
STE-THÉRÈSE
0,5 0,25 0 0,5 1 1,5 km
Boul.de Fontainebleau

SUITE PAGE 154

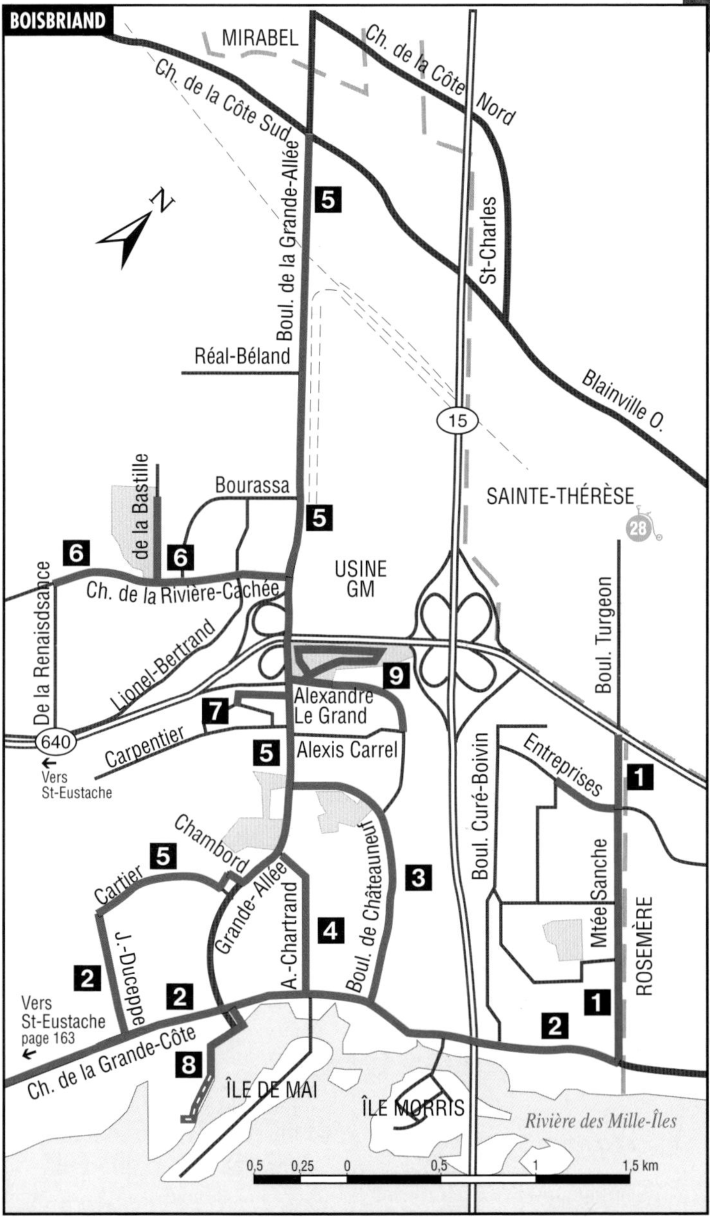
BOISBRIAND
MIRABEL
Ch. de la Côte Nord
Ch. de la Côte Sud
Boul. de la Grande-Allée
5
N
St-Charles
Réal-Béland
Blainville O.
15
de la Bastille
Bourassa
SAINTE-THÉRÈSE
28
6
6
5
USINE GM
De la Renaisdsance
Ch. de la Rivière-Cachée
Lionel-Bertrand
Boul. Turgeon
9
Alexandre Le Grand
7
640
Carpentier
5
Alexis Carrel
Boul. Curé-Boivin
Entreprises
1
Vers St-Eustache
Chambord
5
Cartier
3
Boul. de Châteauneuf
Mtée Sanche
ROSEMÈRE
J.-Duceppe
Grande-Allée
4
A.-Chartrand
2
2
1
2
Vers St-Eustache page 163
Ch. de la Grande-Côte
8
ÎLE DE MAI
ÎLE MORRIS
Rivière des Mille-Îles
0,5
0,25
0
0,5
1
1,5 km

BOIS-DES-FILION

		KM	PISTE CYCLABLE ■	BANDE CYCLABLE ■	CHAUSSÉE DÉSIGNÉE ■
1	A.-Chapleau	1,5	1,5		
2	Vandelac/Carmelle	2,5		2,5	
	Total	**4,0**			

📞 (450) 621-1460
🚲 15 avril au 15 novembre

PAGE 158

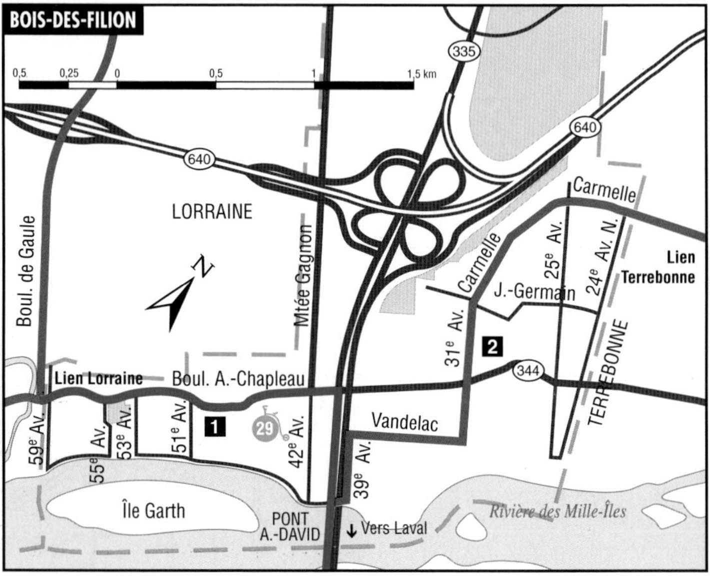

DEUX-MONTAGNES

	KM	PISTE CYCLABLE	BANDE CYCLABLE	CHAUSSÉE DÉSIGNÉE
1 Boul. Deux-Montagnes	1,5	1,5		
2 Edmond Lefebvre	1,2	1,2		
3 8e Ave./H.-Dunant	2,4		2,4	
Total	**5,1**			

(450) 473-4688
Avril à novembre

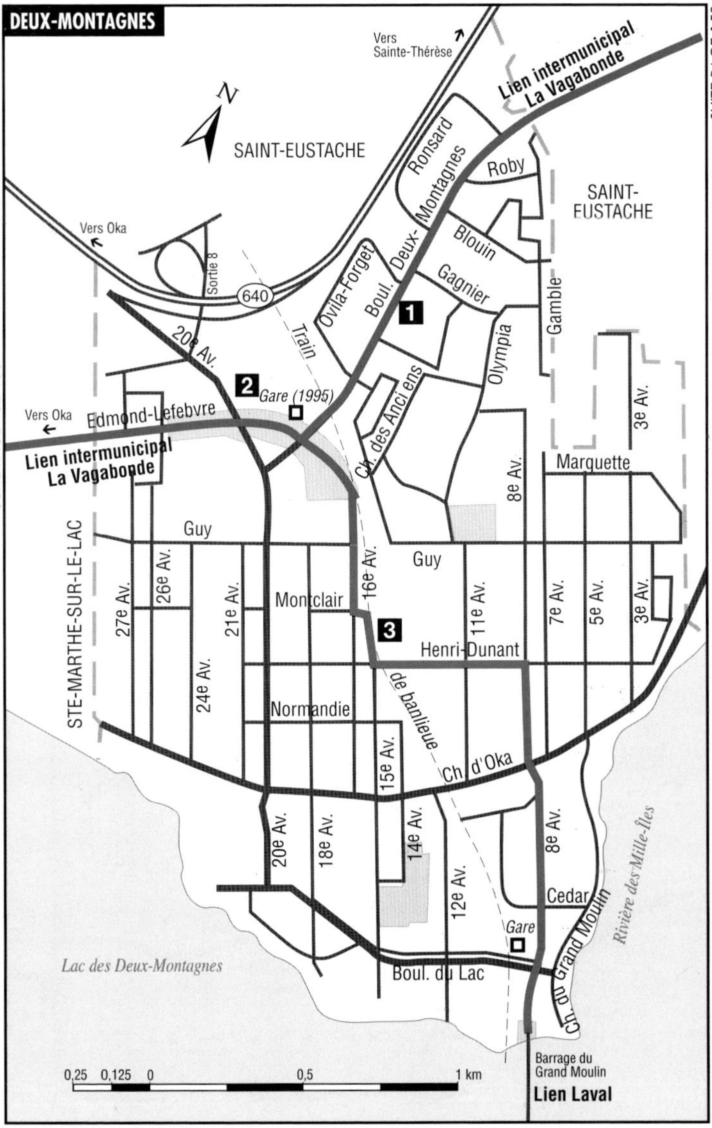

LORRAINE

	KM	PISTE CYCLABLE	BANDE CYCLABLE	CHAUSSÉE DÉSIGNÉE
1 Boul. de Gaulle	2,5		2,5	
2 Boul. de Nancy	0,5		0,5	
3 Boul. d'Orléans	0,2		0,2	
4 Boul. de Vignory	1,1		1,1	
5 Route verte 2	0,4	0,4		
Total	**4,7**			

(450) 621-8550

Mai à novembre

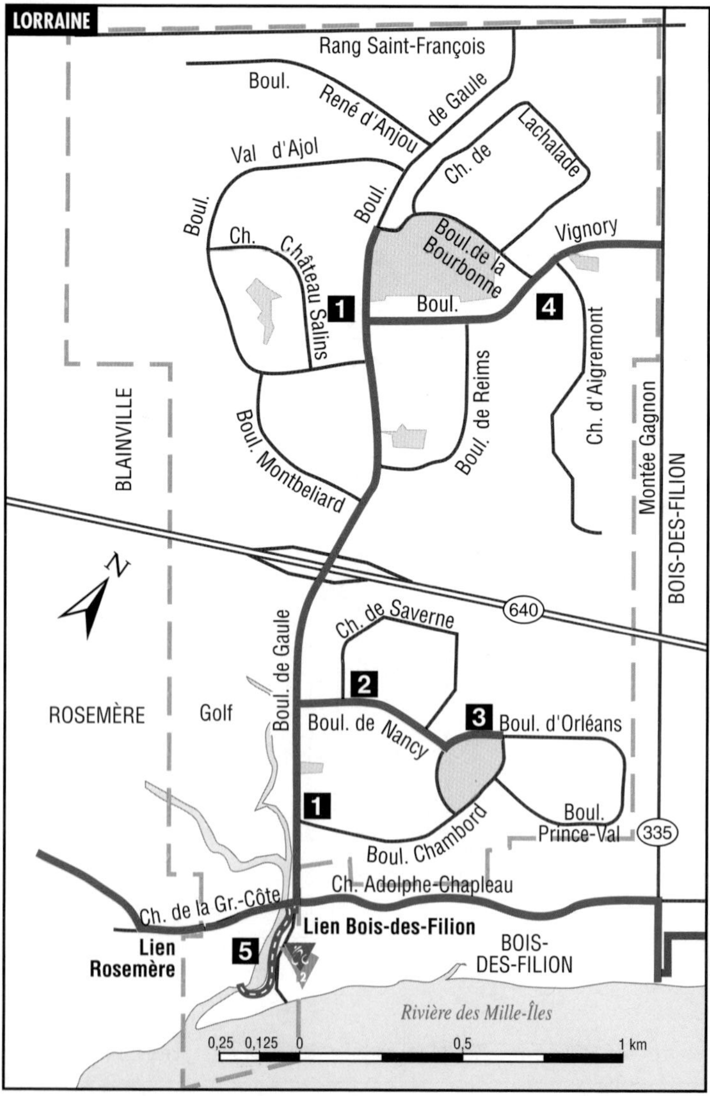

SUITE PAGE 158

MONT-TREMBLANT

	KM	PISTE CYCLABLE ■	BANDE CYCLABLE ■	CHAUSSÉE DÉSIGNÉE ■
1 Multifonctionnelle	11,4	11,4		

☎ (819) 425-3300
Info St-Jovite
(819) 425-2434
Info Mont-Tremblant

🚲 Mai à octobre

CENTRE DE SKI MONT-TREMBLANT

Lac Miroir

Ch. Duplessis

GOLF DU MONT-TREMBLANT

Riv. du Diable

Lac Tremblant

Ch. du Lac-Tremblant

Riv. Cachée

Chemin du village

Ch. de l'Érablière

Lac Moore

N

Lac Mercier

Parc linéaire du P'tit Train du Nord

MONT-TREMBLANT

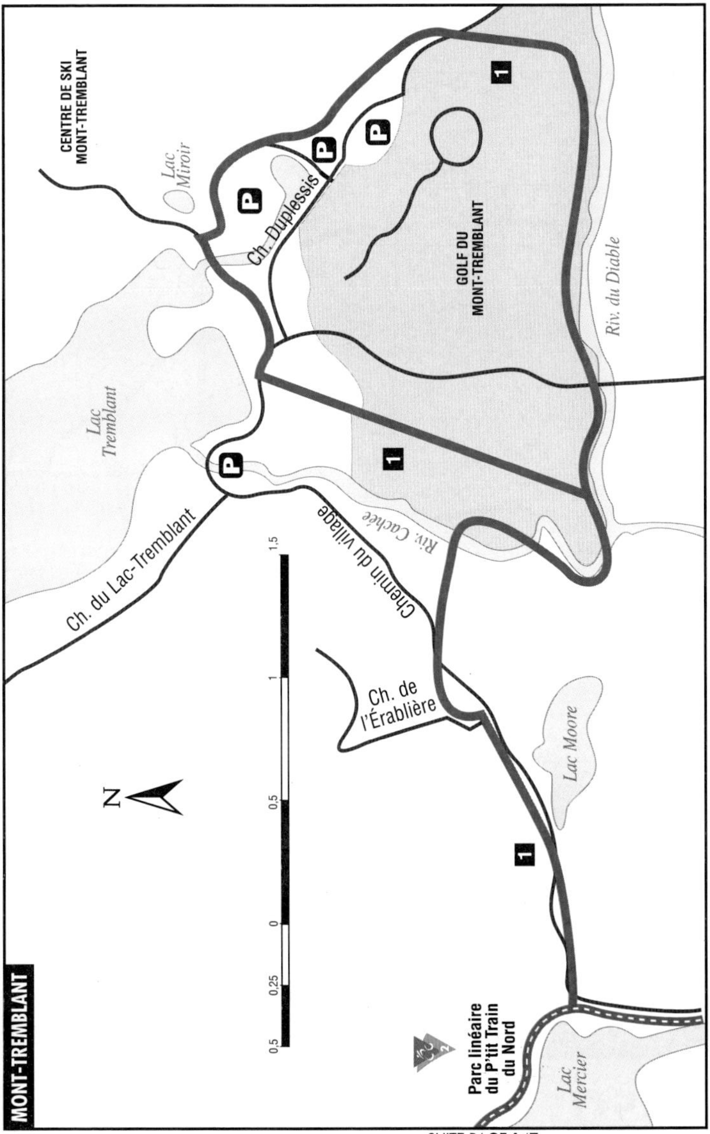

SUITE PAGE 148

SUITE PAGE 147

ROSEMÈRE

		KM	PISTE CYCLABLE ■	BANDE CYCLABLE ■	CHAUSSÉE DÉSIGNÉE ■
1	Roland-Durand	4,0		4,0	
2	Grande Côte	0,25		0,25	
3	Montée Lesage	2,0		2,0	
	Total	**6,25**			

📞 (450) 621-3500
🚲 À l'année

SUITE PAGE 157

SUITE PAGE 160

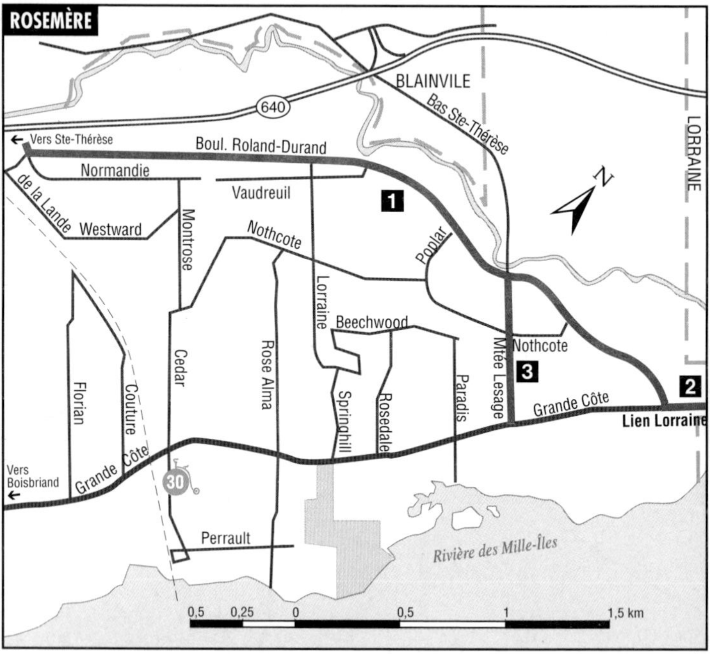

PAGE 162

SAINT-EUSTACHE

📞 (450) 974-5111
🚲 Avril à novembre

	KM	PISTE CYCLABLE ■	BANDE CYCLABLE ■	CHAUSSÉE DÉSIGNÉE ▪
1 Réseau cyclable	24,5	10,0	10,8	3,7

SUITE PAGE 157

SUITE PAGE 122

SUITE PAGE 153

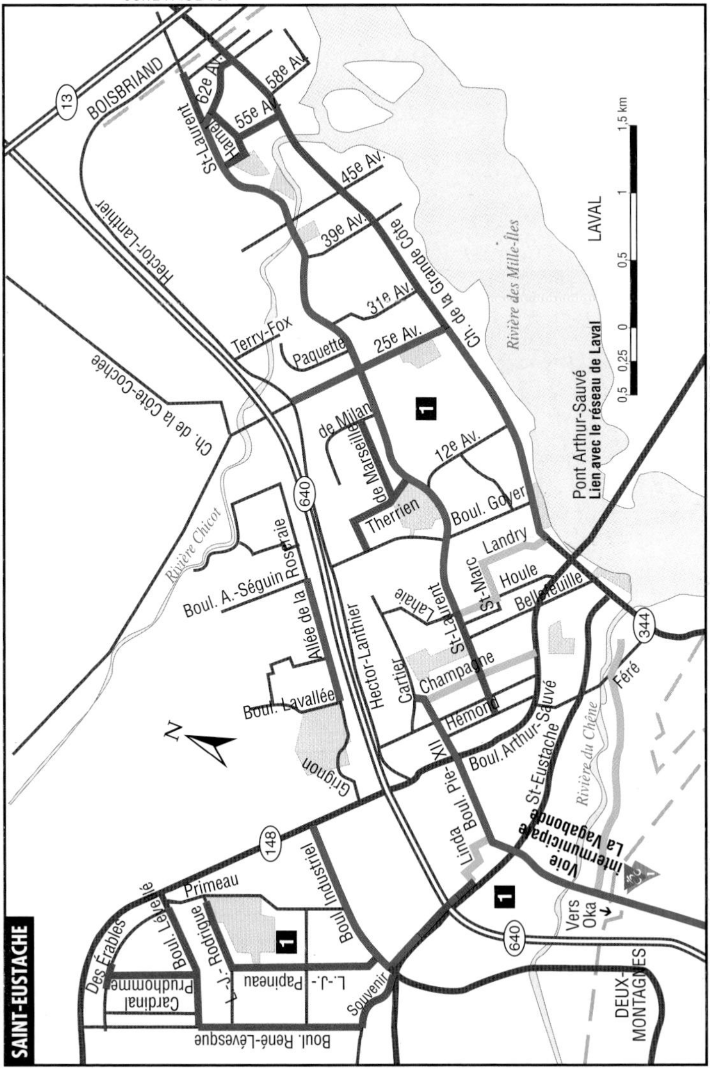

SAINTE-AGATHE-DES-MONTS

	KM	PISTE CYCLABLE ■	BANDE CYCLABLE ■	CHAUSSÉE DÉSIGNÉE ■
1 Centre-ville	5,0		5,0	

☎ MRC des Laurentides, (819) 326-0457, 1 888 326-0457

🚲 15 avril au 15 octobre

Carte page 148

SAINTE-ANNE-DES-PLAINES

	KM	PISTE CYCLABLE ■	BANDE CYCLABLE ■	CHAUSSÉE DÉSIGNÉE ■
1 Des Cèdres	3,2		3,2	
2 Guénette/Neuville	2,2		2,2	
3 2e/Champagne	3,0		3,0	
Total	**8,4**			

☎ (450) 478-0211

🚲 15 avril au 15 octobre

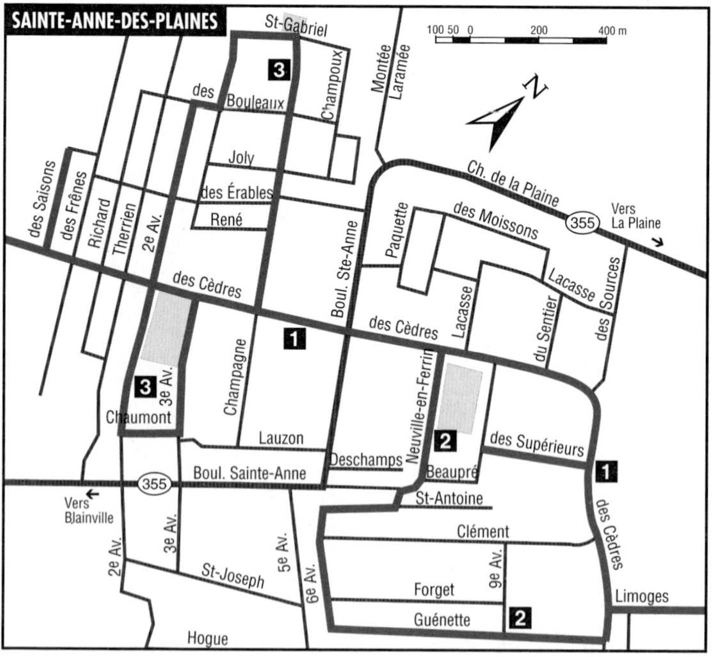

SAINTE-THÉRÈSE

	KM	PISTE CYCLABLE ■	BANDE CYCLABLE ■	CHAUSSÉE DÉSIGNÉE ■
1 Réseau cyclable	7,4	2,1	5,2	0,1

☎ (450) 434-1440

🚲 Avril à octobre

Carte page 149

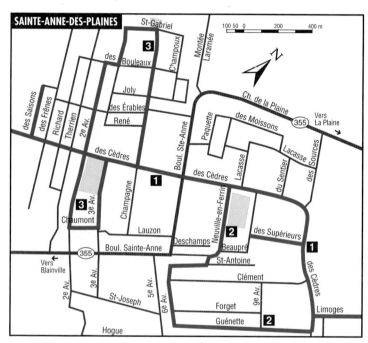

VAL-DAVID

	KM	PISTE CYCLABLE ■	BANDE CYCLABLE ■	CHAUSSÉE DÉSIGNÉE ■
1 P'tit train du Nord	4,0	4,0		
2 Doncaster	2,5		2,5	
3 De la Rivière	0,5		0,5	
Total	**7,0**			

☎ 1 (888) 322-7030, poste 235

🚲 15 avril au 15 novembre

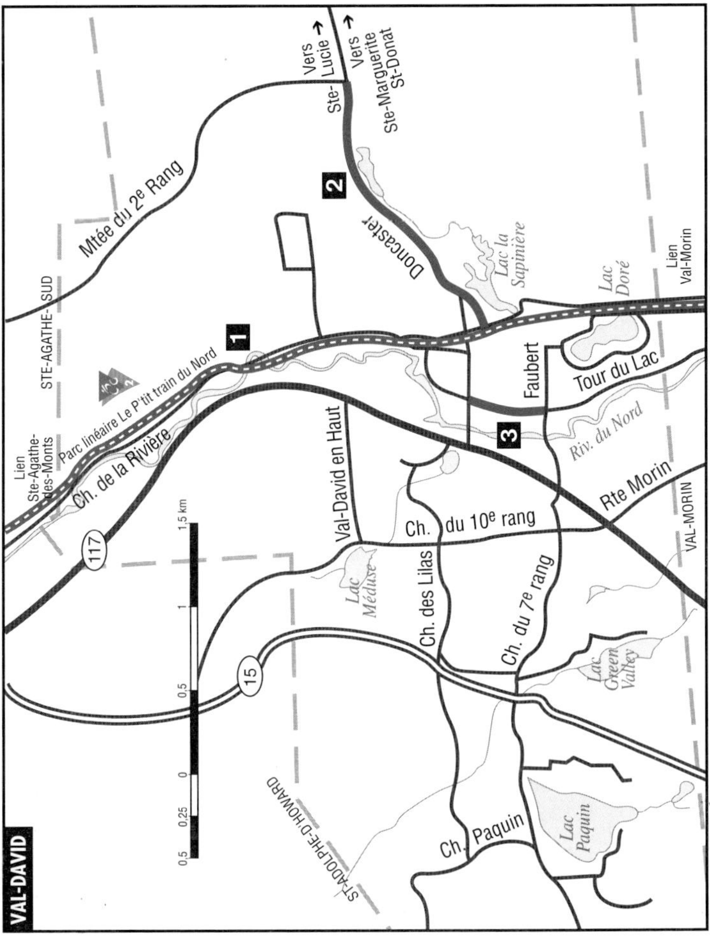

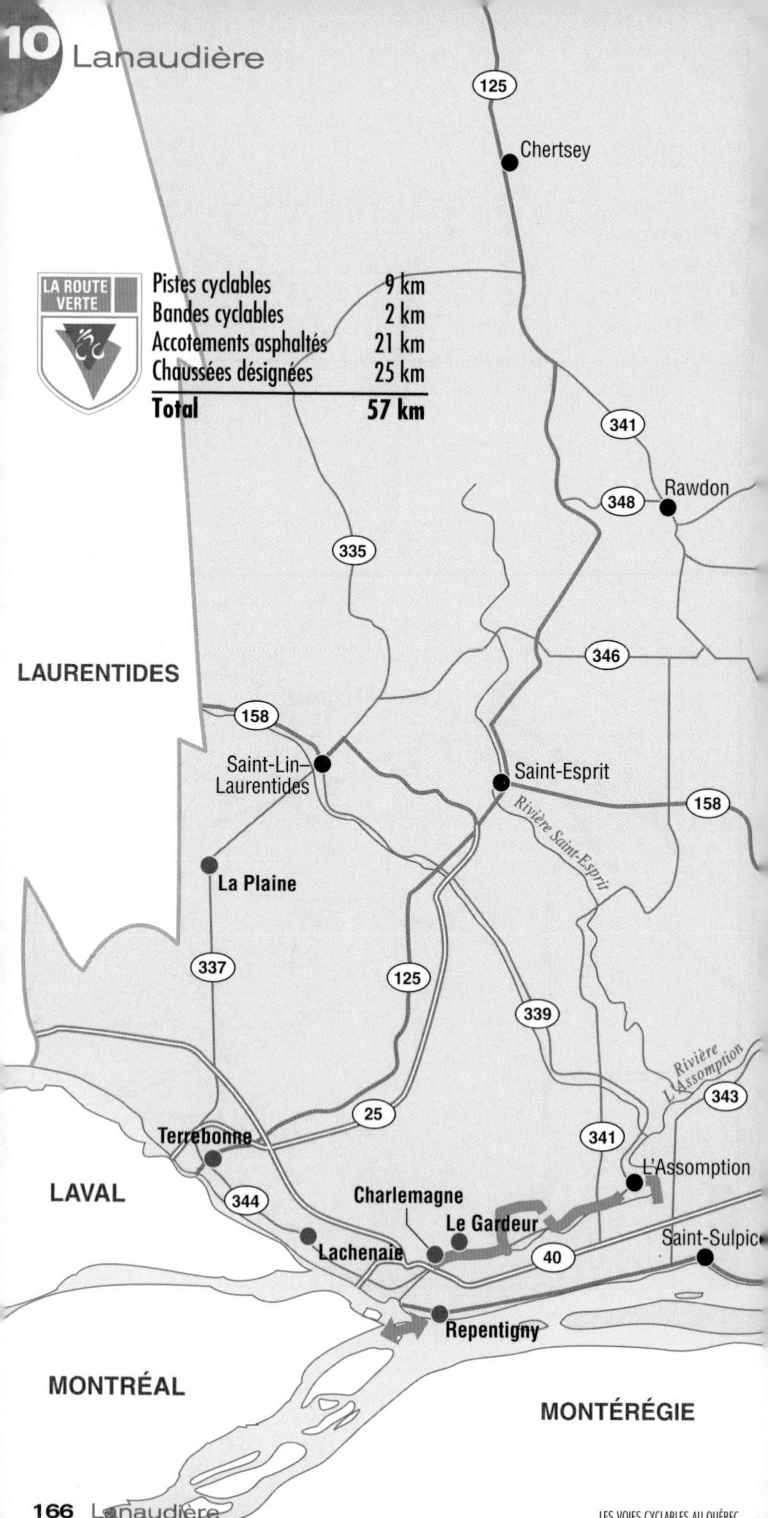
LA ROUTE VERTE
Pistes cyclables 9 km
Bandes cyclables 2 km
Accotements asphaltés 21 km
Chaussées désignées 25 km
Total 57 km
125
Chertsey
341
Rawdon
348
335
346
LAURENTIDES
158
Saint-Lin–Laurentides
Saint-Esprit
158
Rivière Saint-Esprit
La Plaine
337
125
339
Rivière L'Assomption
343
25
341
Terrebonne
L'Assomption
LAVAL
344
Charlemagne
Le Gardeur
Saint-Sulpice
Lachenaie
40
Repentigny
MONTRÉAL
MONTÉRÉGIE

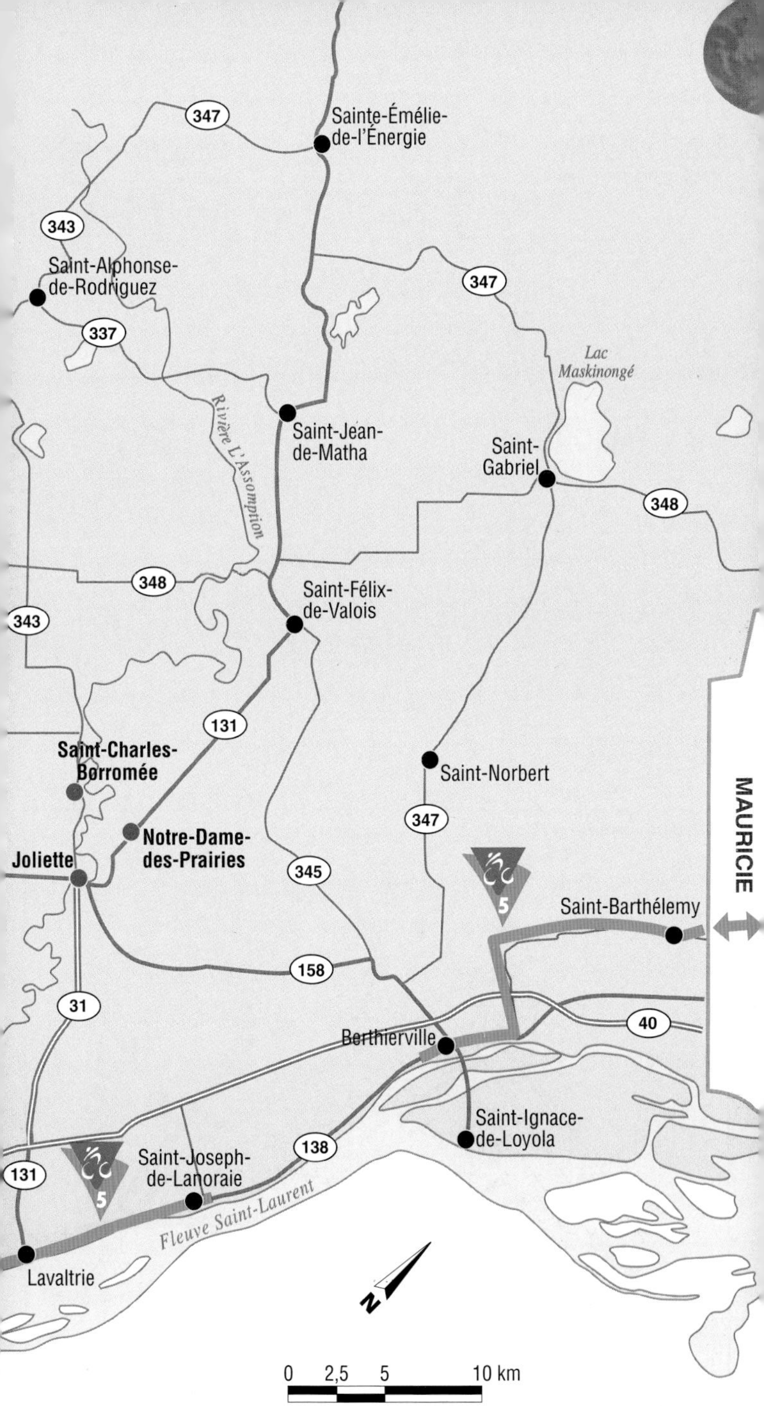

347
Sainte-Émélie-de-l'Énergie
343
Saint-Alphonse-de-Rodriguez
337
347
Lac Maskinongé
Rivière L'Assomption
Saint-Jean-de-Matha
Saint-Gabriel
348
348
343
Saint-Félix-de-Valois
131
Saint-Charles-Borromée
Saint-Norbert
347
Notre-Dame-des-Prairies
Joliette
345
MAURICIE
5
Saint-Barthélemy
158
31
40
Berthierville
Saint-Ignace-de-Loyola
5
Saint-Joseph-de-Lanoraie
138
131
Fleuve Saint-Laurent
Lavaltrie
N
0 2,5 5 10 km

MRC D'AUTRAY

VOIE CYCLABLE INTERMUNICIPALE

	KM	PISTE CYCLABLE	BANDE CYCLABLE	CHAUSSÉE DÉSIGNÉE	ACCOTEMENT
1 Route 138	4,7		4,7		
2 Ile Dupas	5,9			5,9	
3 St-Ignace-de-Loyola	14,0			14,0	
4 Route verte 5	24,2	0,2	2,0	17,0	5,0
5 Chemin du Roy	14,0	2,8		11,2	
Total	**62,8**				

(450) 836-7007

Dès que la température le permet

Cartes pages 169-170

CHARLEMAGNE

	KM	PISTE CYCLABLE	BANDE CYCLABLE	CHAUSSÉE DÉSIGNÉE	ACCOTEMENT
1 Presqu'île	0,7	0,7			
2 Voie de service 40	2,0	2,0			
3 Ricard/Longchamps	0,7		0,7		
4 Sacré-Coeur/Laurin	0,9	0,3	0,6		
5 C.N.	0,2	0,2			
6 Saint-Jacques	0,2		0,2		
7 Saint-Paul	0,2		0,2		
8 Médéric-Lebeau	0,1	0,1			
9 Route verte	0,5	0,5			
Total	**5,5**				

(450) 581-2541

Dès que la température le permet

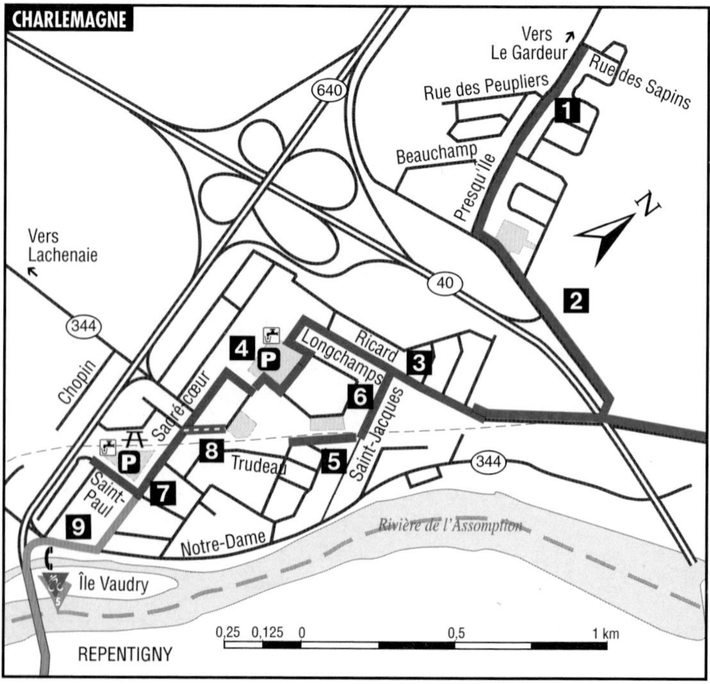

SUITE PAGE 173

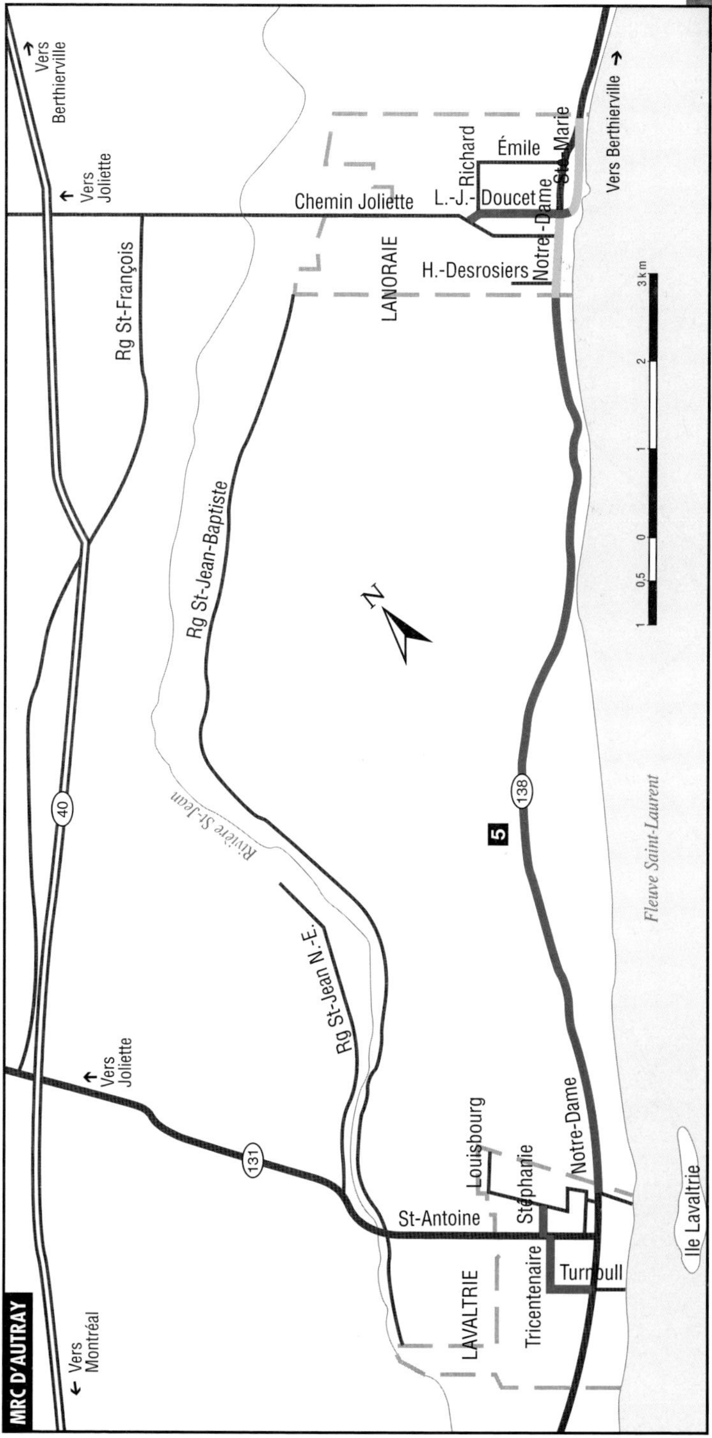
MRC D'AUTRAY
Vers Berthierville
Vers Joliette
Vers Montréal
Vers Joliette
Vers Berthierville
Chemin Joliette
Rg St-François
Rg St-Jean-Baptiste
Rivière St-Jean
Rg St-Jean N.-E.
LANORAIE
L.-J.-Doucet
Richard
Émile
Ste-Marie
Notre-Dame
H.-Desrosiers
LAVALTRIE
St-Antoine
Louisbourg
Stéphanie
Notre-Dame
Tricentenaire
Turnbull
Ile Lavaltrie
Fleuve Saint-Laurent
40
131
138
5
N
0,5
0
1
2
3 km

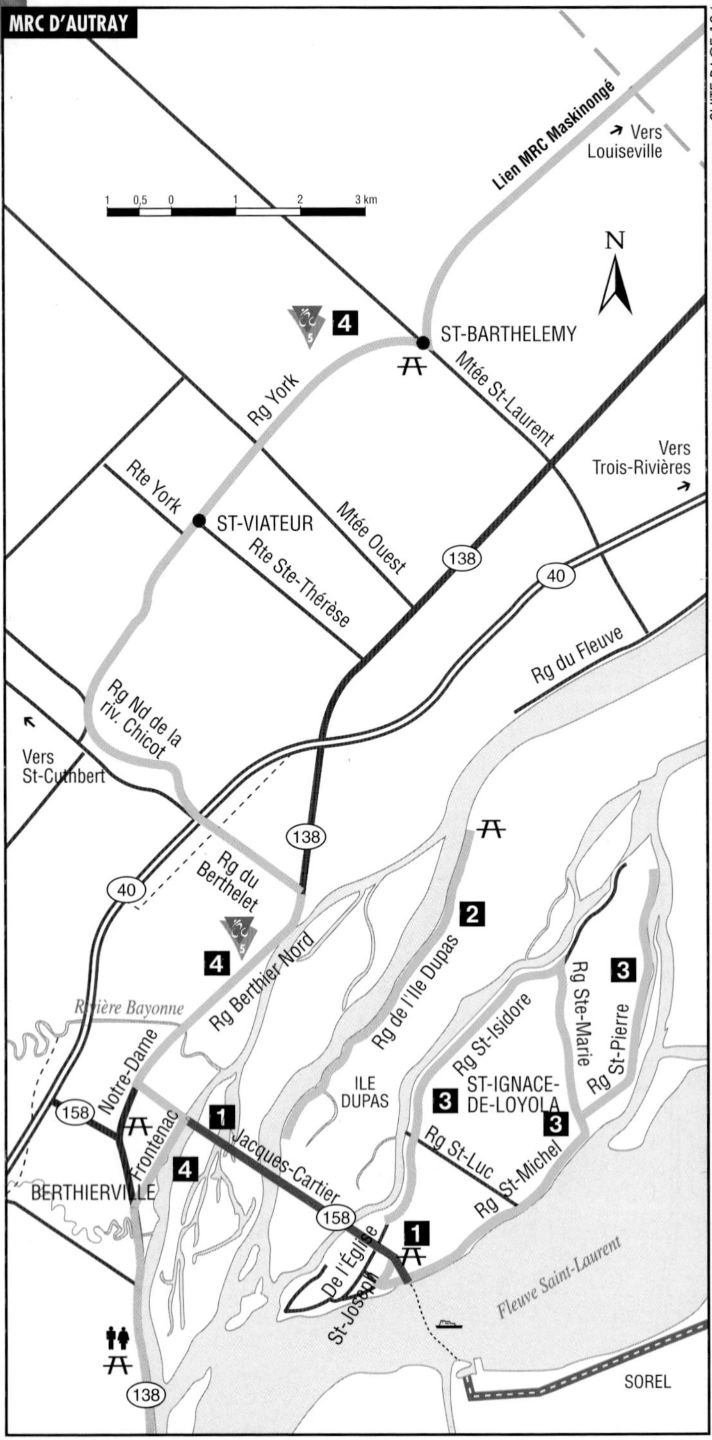
MRC D'AUTRAY
SUITE PAGE 184
Lien MRC Maskinongé
Vers Louiseville
1 0,5 0 1 2 3 km
N
4
ST-BARTHELEMY
Mtée St-Laurent
Rg York
Rte York
ST-VIATEUR
Rte Ste-Thérèse
Mtée Ouest
Vers Trois-Rivières
138
40
Rg du Fleuve
Rg Nd de la riv. Chicot
Vers St-Cuthbert
138
Rg du Berthelet
40
2
4
Rg Berthier Nord
Rg de l'Ile Dupas
Rg Ste-Marie
3
Rg St-Pierre
Rivière Bayonne
Notre-Dame
Rg St-Isidore
ILE DUPAS
3
ST-IGNACE-DE-LOYOLA
3
158
1
Jacques-Cartier
Frontenac
Rg St-Luc
Rg St-Michel
4
BERTHIERVILLE
158
1
De l'Église
St-Joseph
Fleuve Saint-Laurent
SORLE
138

JOLIETTE

	KM	PISTE CYCLABLE	BANDE CYCLABLE	CHAUSSÉE DÉSIGNÉE
1 Réseau	25,0	8,5	12,0	4,5

(450) 753-8050
1er mai au 30 octobre

SUITE PAGE 176

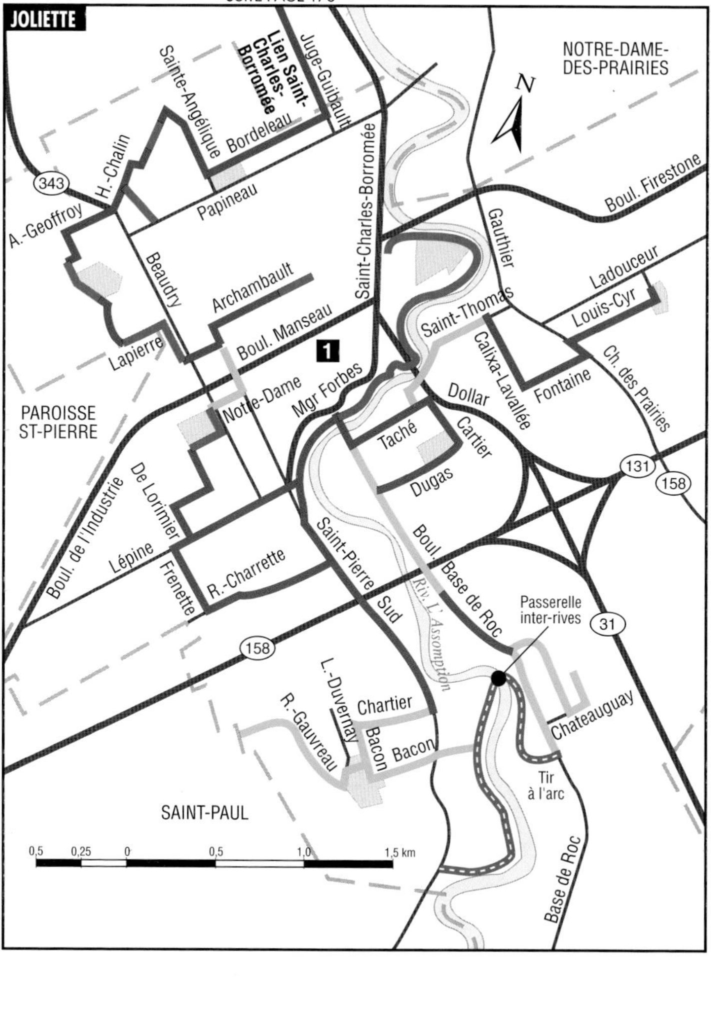

LAC MASKINONGÉ

		KM	PISTE CYCLABLE ■	BANDE CYCLABLE ■	CHAUSSÉE DÉSIGNÉE ■
1	Provost/McLaren	1,0			1,0
2	Rue Dequoy	1,6			1,6
3	Route 138	2,2		2,2	
4	Rang St-Louis	1,6		1,6	
	Total	**6,4**			

☎ (450) 836-7007

🚲 Dès que la température le permet

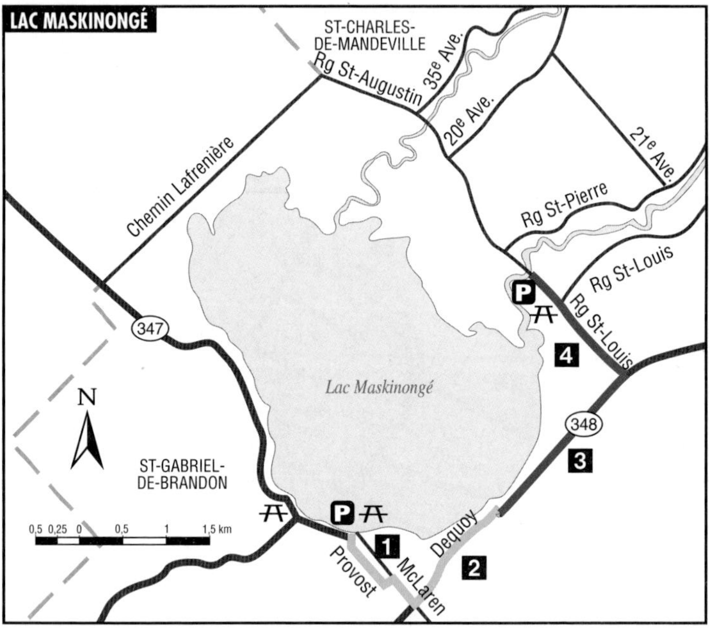

REPENTIGNY (Le Gardeur)

		KM	PISTE CYCLABLE	BANDE CYCLABLE	CHAUSSÉE DÉSIGNÉE
1	Boul. Pierre Le Gardeur	3,6	3,6		
2	Rivest	1,2	0,5	0,7	
3	Boul. Le Bourg-Neuf	1,6	1,6		
4	Colbert/de La Paix	1,3	0,5	0,8	
5	Arthur-Foucher	1,8	1,8		
6	Saint-Paul	0,7	0,7		
7	De la Presqu'île	3,5	3,5		
	Total	**13,7**			

(450) 585-1143
www.ville.repentigny.qc.ca
1er avril au 30 novembre

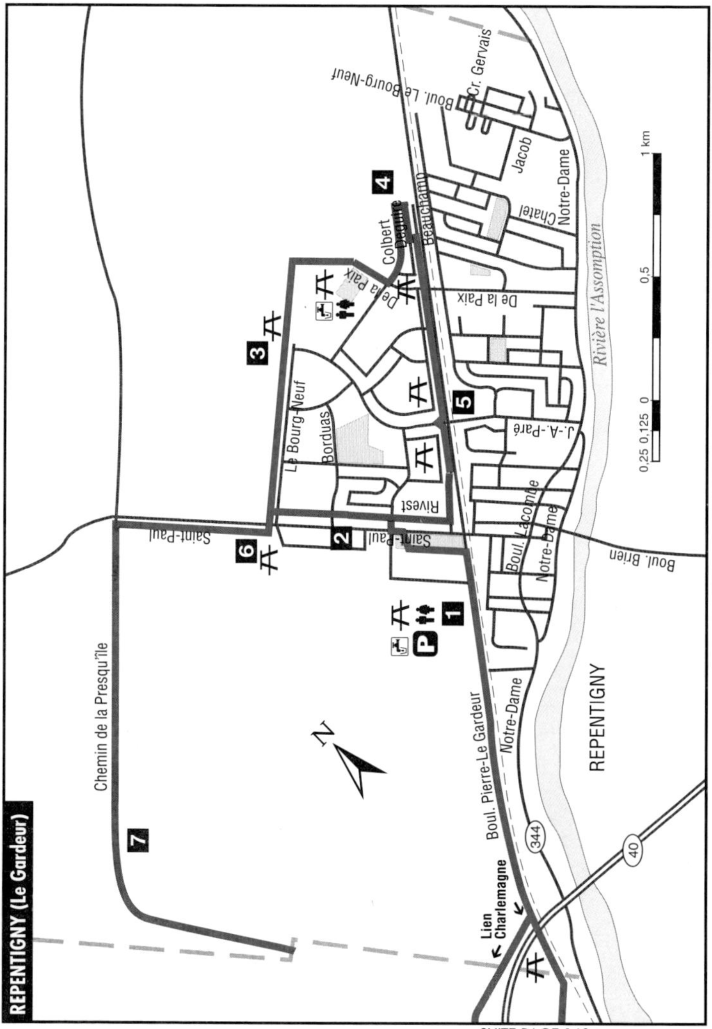

SUITE PAGE 168

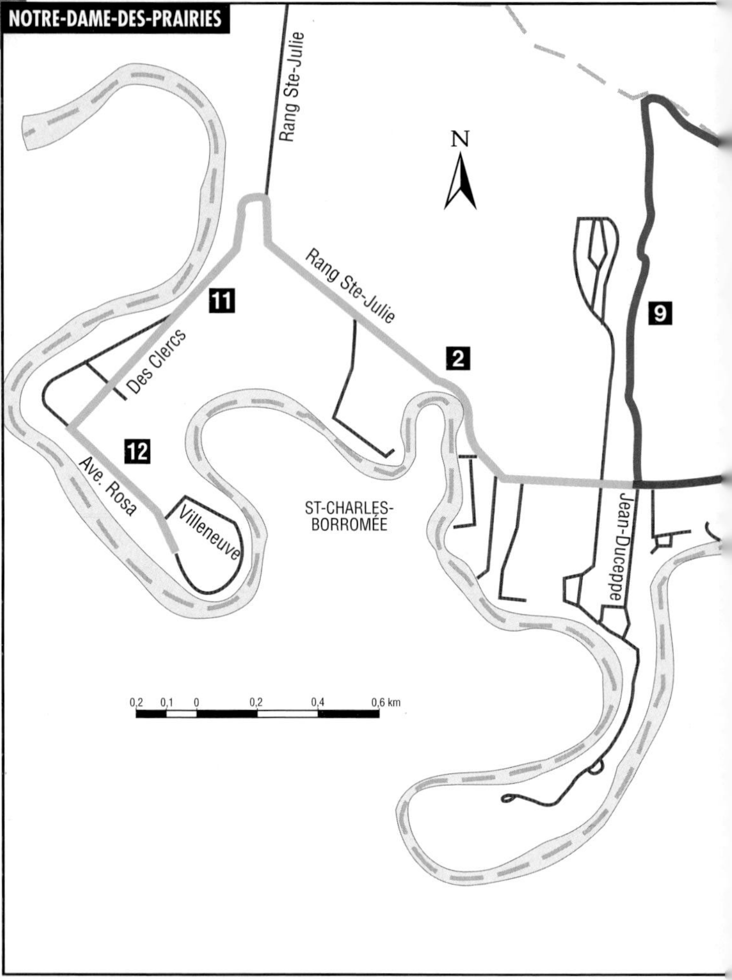

NOTRE-DAME-DES-PRAIRIES

(450) 759-7741
1er mai au 1er novembre

		KM	PISTE CYCLABLE	BANDE CYCLABLE	CHAUSSÉE DÉSIGNÉE
1	Boul. Antonio-Barrette	1,4		1,4	
2	Rang Ste-Julie	4,4		2,6	1,8
3	Des Cormiers	0,1	0,1		
4	3e Avenue	0,1	0,1		
5	Riverain	1,6			1,6
6	Vivaldi	2,0			2,0
7	Notre-Dame	1,8			1,8
8	Bocage	2,6			2,6
9	Champêtre	3,8	3,8		
10	Deshaies	0,4			0,4
11	Des Clers	1,0			1,0
12	Ave Rosa	0,5			0,5
	Total	**19,7**			

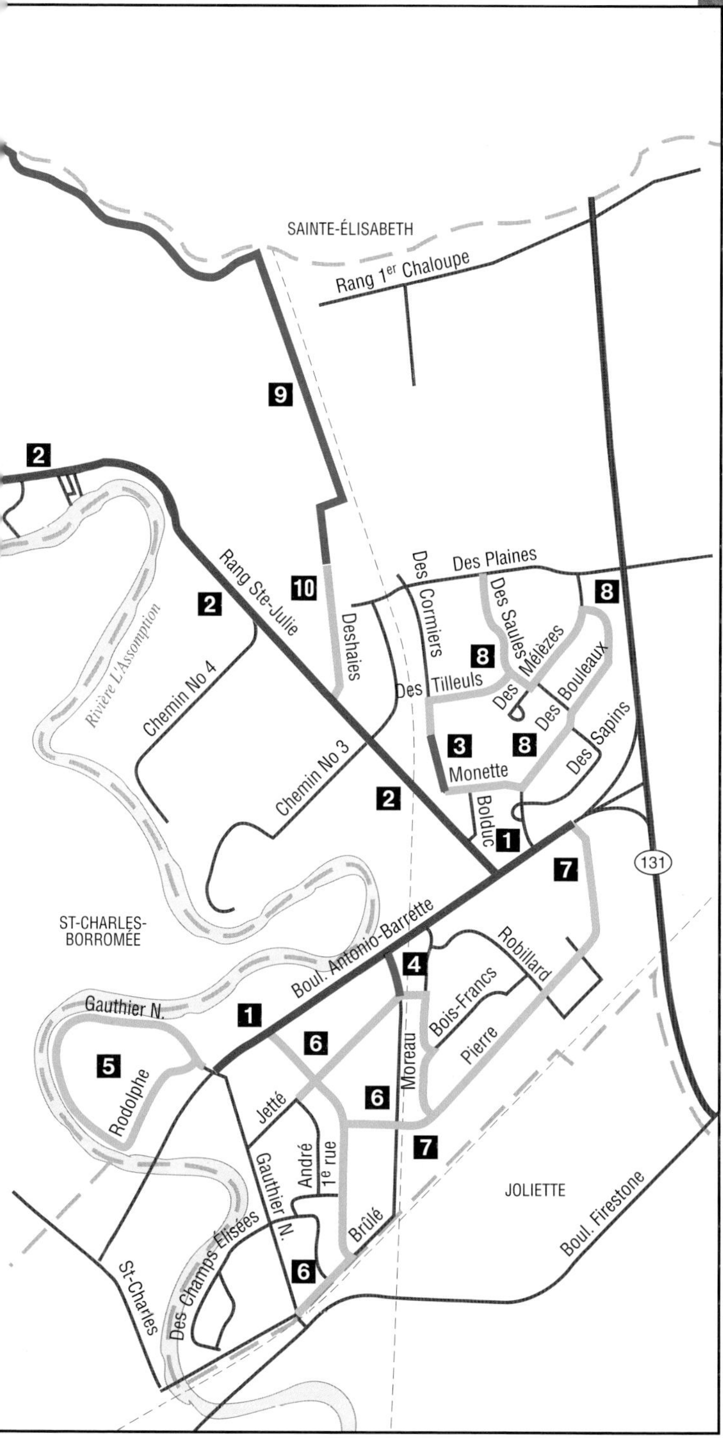
SAINTE-ÉLISABETH
Rang 1er Chaloupe
9
2
10
2
Rang Ste-Julie
Des Plaines
Des Cormiers
Des Saules
8
Deshaies
Des Mélèzes
8
Des Tilleuls
Des Bouleaux
Des
Des
Des Sapins
Rivière L'Assomption
Chemin No 4
Chemin No 3
3
8
Monette
2
Bolduc
1
131
7
ST-CHARLES-BORROMÉE
Boul. Antonio-Barrette
Robillard
4
Gauthier N.
1
Bois-Francs
6
5
Moreau
Pierre
Rodolphe
6
Jetté
7
André
1e rue
Gauthier N.
JOLIETTE
Brûlé
Des Champs Élisées
6
Boul. Firestone
St-Charles

SAINT-CHARLES-BORROMÉE

☎ (450) 759-4415

🚲 1er mai au 1er novembre

		KM	PISTE CYCLABLE ■	BANDE CYCLABLE ■	CHAUSSÉE DÉSIGNÉE ■
1	Juge Guibault	1,2	0,7	0,5	
2	Pelletier	0,7		0,7	
3	De l'Entente	2,8		2,8	
4	Des Pins	0,5		0,5	
5	Jean-Livernoche	0,7		0,7	
6	Curé-M.-Neyron	0,5	0,2	0,3	
7	Parc Bois-Brûlé	0,6	0,6		
8	Des Pionniers	4,5			4,5
9	Chemin du Golf	1,0	1,0		
10	De la Visitation	1,0		1,0	
	Total	**13,5**			

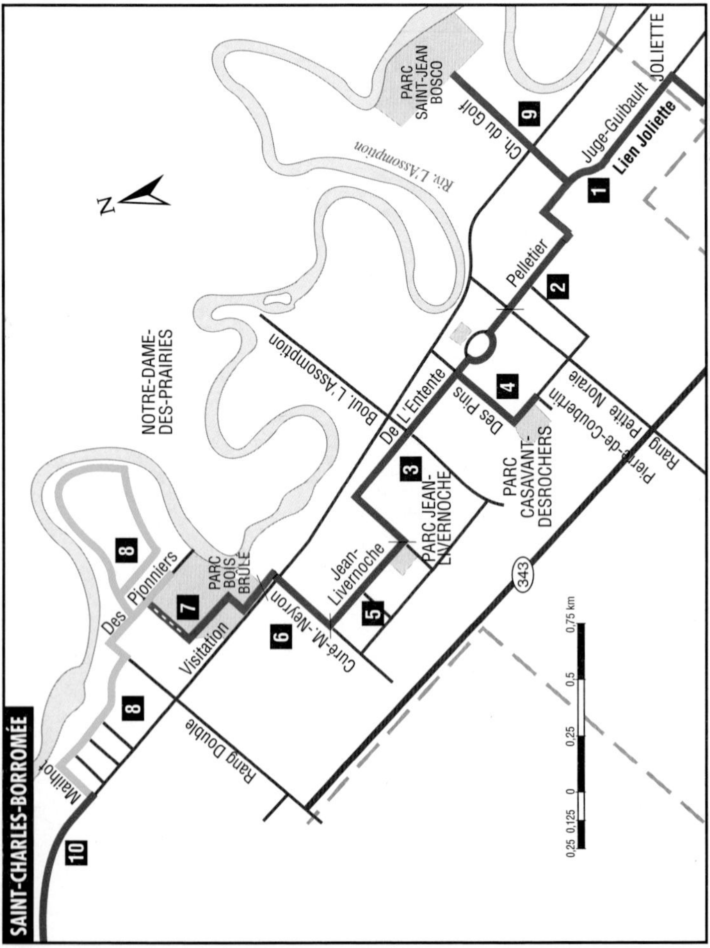

SUITE PAGE 171

TERREBONNE (La Plaine)

☎ (450) 478-2555
🚲 Mai à octobre

	KM	PISTE CYCLABLE ■	BANDE CYCLABLE ■	CHAUSSÉE DÉSIGNÉE ▦
1 Réseau cyclable	10,0		10,0	

TERREBONNE (La Plaine)

Vers Mascouche →

Mtée Major

Trudel

2e Avenue

Curé-Barrette

Rivière St-Pierre

Du Lilas

Picard

Brochu

Rodrigue

des Chouettes

Adonis

Ouellette

Guérin

Mtée Major

Chartrand

de l'Hortensia

Guérin

Boul. Laurier

337

Vers → Terrebonne

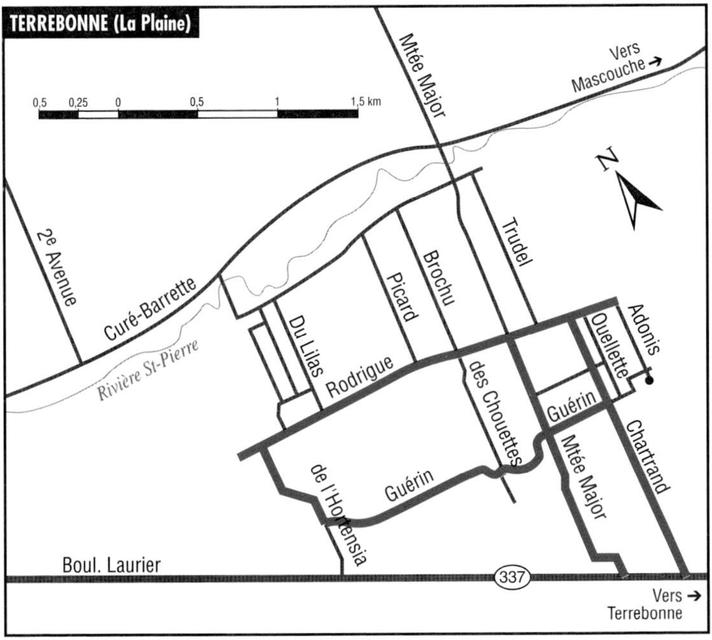

TERREBONNE

	KM	PISTE CYCLABLE	BANDE CYCLABLE	CHAUSSÉE DÉSIGNÉE
1 Trans-Terbonne	13,2	13,2		
2 Réseau urbain	58,6	8,4	44,5	5,7
Total	**71,8**			

(450) 471-4192

1er avril au 1er novembre

PAGE 179 31

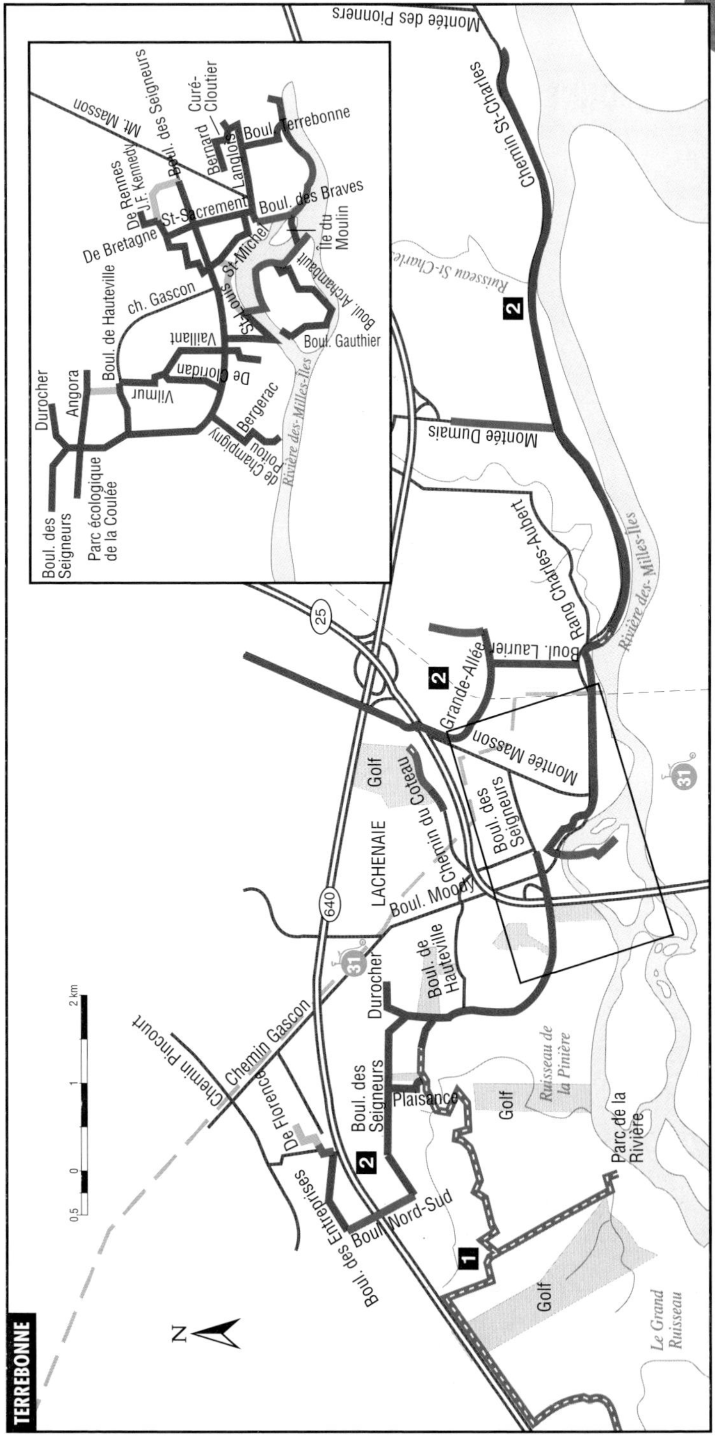

TERREBONNE
Boul. des Seigneurs
Parc écologique de la Coulée
Durocher
Angora
Boul. de Hauteville
ch. Gascon
De Bretagne
De Rennes
J.F. Kennedy
Boul. des Seigneurs
Mt. Masson
Bernard
Curé-Cloutier
Langlois
Boul. Terrebonne
St-Sacrement
Boul. des Braves
Île du Moulin
St-Michel
St-Louis
Boul. Archambault
Boul. Gauthier
Vaillant
De Cloridan
Vilmur
Bergerac
Poitou
de Champigny
Rivière des-Milles-Îles
Montée des Pionniers
Chemin St-Charles
Ruisseau St-Charles
2
Montée Dumais
Rang Charles-Aubert
Rivière des-Milles-Îles
Boul. Laurier
25
Grande-Allée
2
Montée Masson
31
Golf
Chemin du Coteau
LACHENAIE
Boul. des Seigneurs
Boul. Moody
640
31
Durocher
Boul. de Hauteville
Chemin Gascon
Chemin Pincourt
De Florence
Boul. des Seigneurs
Plaisance
Golf
Ruisseau de la Pinière
Parc de la Rivière
2
Boul. des Entreprises
Boul. Nord-Sud
1
Golf
Le Grand Ruisseau
N
0.5
0
1
2 km

TERREBONNE (Lachenaie)

☎ (450) 471-2555
🚲 Mai à octobre

	KM	PISTE CYCLABLE ■	BANDE CYCLABLE ■	CHAUSSÉE DÉSIGNÉE ▪
1 Grande Allée	1,35		1,35	
2 Boul. Laurier	1,2		1,2	
3 Des Vignobles	0,5	0,5		
4 Ch. du Coteau	1,65	0,65	1,0	
5 Mtée Masson	1,0		1,0	
6 Charles-Aubert	1,1		1,1	
7 Ch. St-Charles	7,6		7,6	
8 Mtée Dumais	1,3	1,3		
Total	**15,7**			

PAGE 181 32

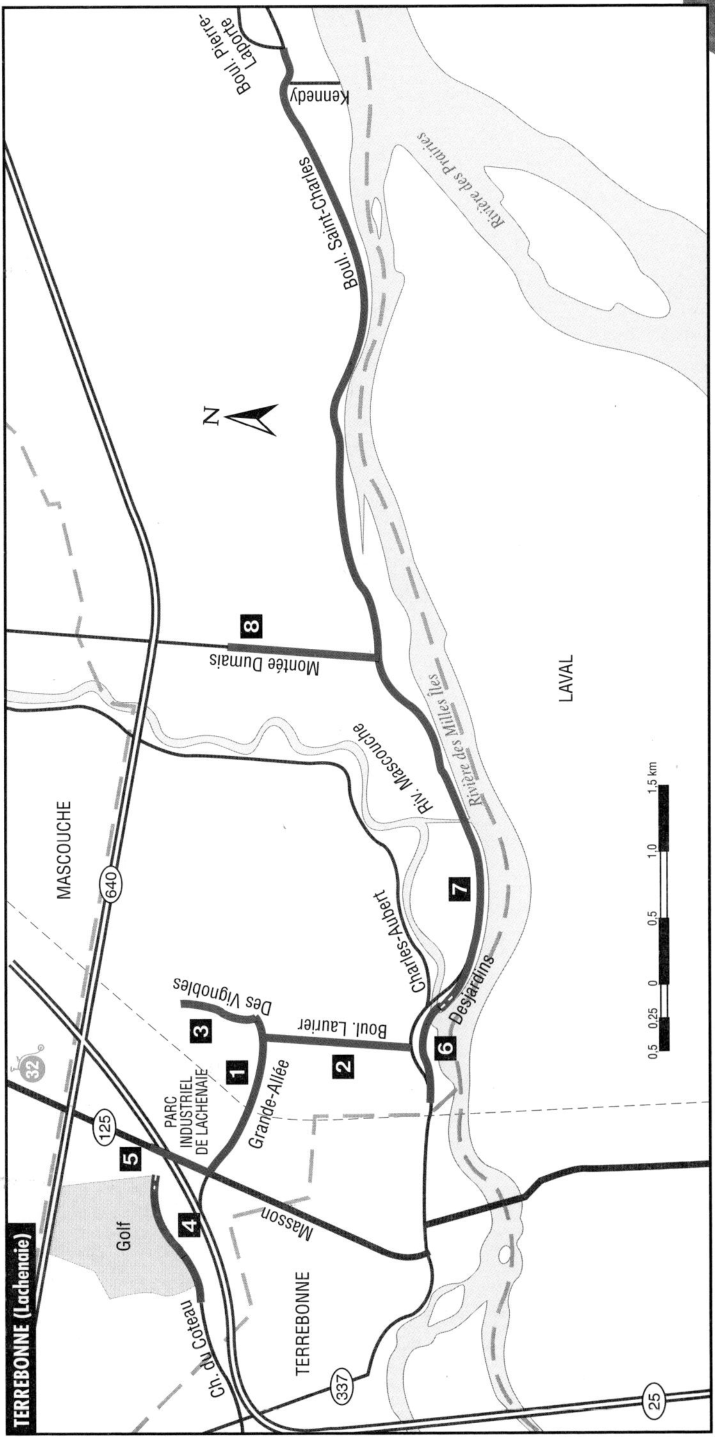
TERREBONNE (Lachenaie)
MASCOUCHE
TERREBONNE
LAVAL
PARC INDUSTRIEL DE LACHENAIE
Golf
Ch. du Coteau
Masson
Grande-Allée
Des Vignobles
Boul. Laurier
Desjardins
Charles-Aubert
Riv. Mascouche
Rivière des Milles Îles
Montée Dumais
Boul. Saint-Charles
Kennedy
Boul. Pierre-Laporte
Rivière des Prairies
N
640
125
337
25
32
1
2
3
4
5
6
7
8
0,5 0,25 0 0,5 1,0 1,5 km

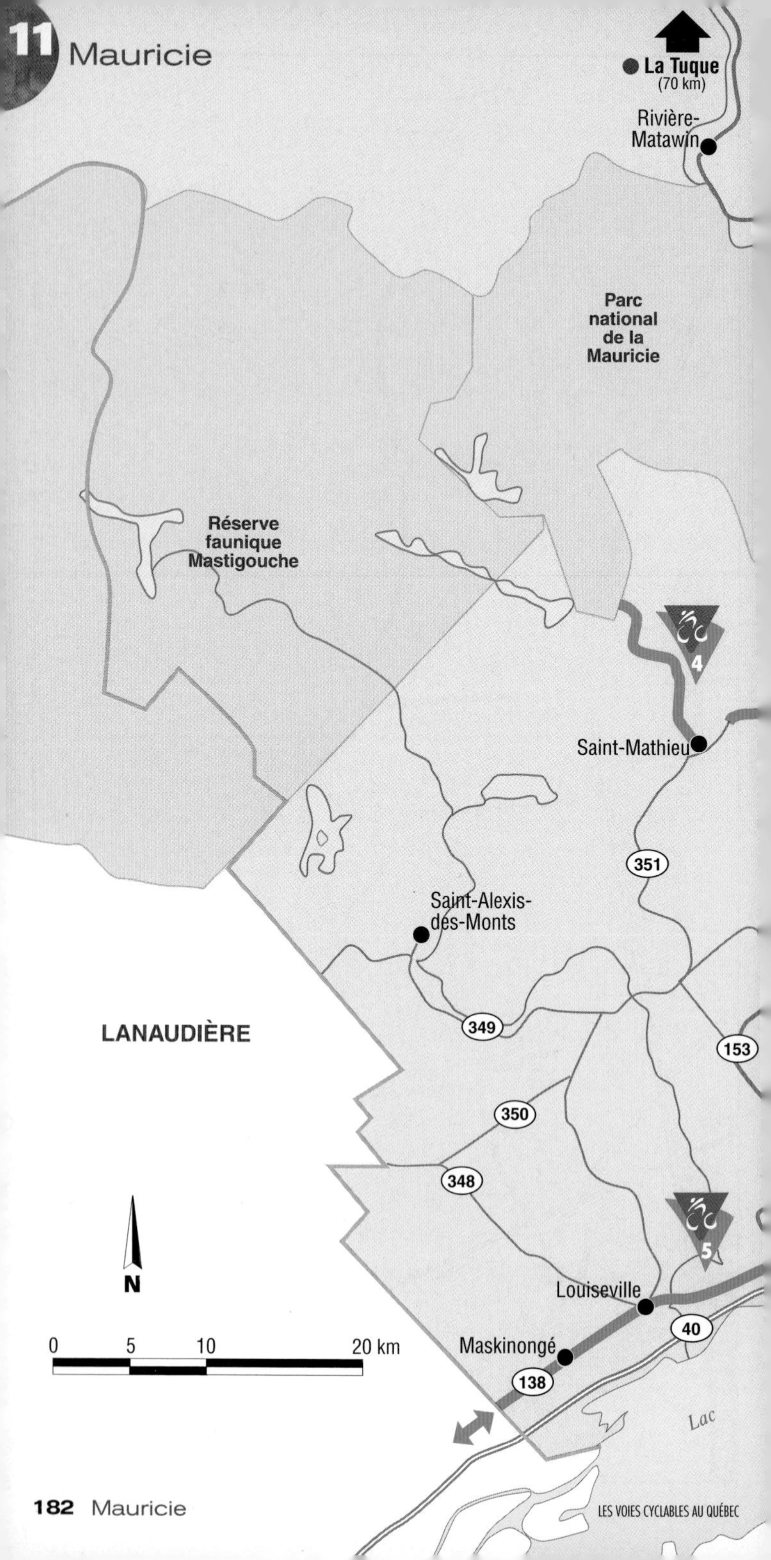
La Tuque
(70 km)
Rivière-Matawin
Parc national de la Mauricie
Réserve faunique Mastigouche
4
Saint-Mathieu
351
Saint-Alexis-des-Monts
349
LANAUDIÈRE
153
350
348
5
N
Louiseville
40
Maskinongé
0
5
10
20 km
138
Lac

Pistes cyclables	31 km
Bandes cyclables	33 km
Chaussées désignées	37 km
Accotements asphaltés	62 km
Total	**163 km**

MRC DES CHENAUX

(819) 295-5115
Dès que la température le permet

	KM	PISTE CYCLABLE	BANDE CYCLABLE	CHAUSSÉE DÉSIGNÉE	ACCOTEMENT
1 Route verte 5	47,8	2,5			45,3

MRC MASKINONGÉ

(819) 228-9461
Dès que la température le permet

	KM	PISTE CYCLABLE	BANDE CYCLABLE	CHAUSSÉE DÉSIGNÉE	ACCOTEMENT
1 Route verte 5	38,1	19,0	0,9	4,3	13,9
2 Route verte 4	34,6			27,6	7,0
3 Intermunicipale	86,6			60,8	25,8
Total	**159,3**				

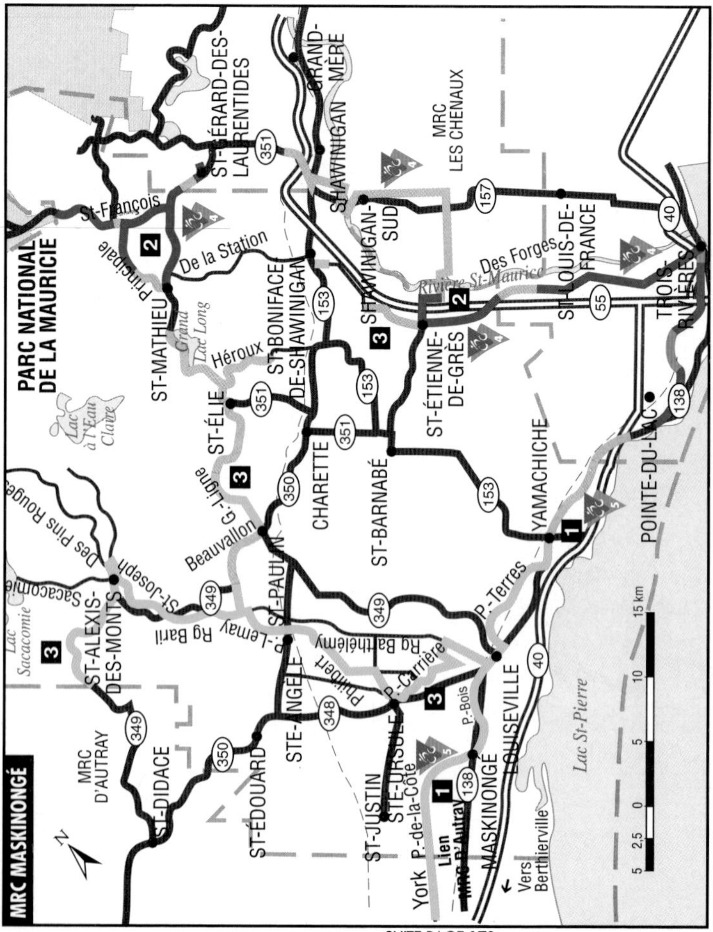

SUITE PAGE 170

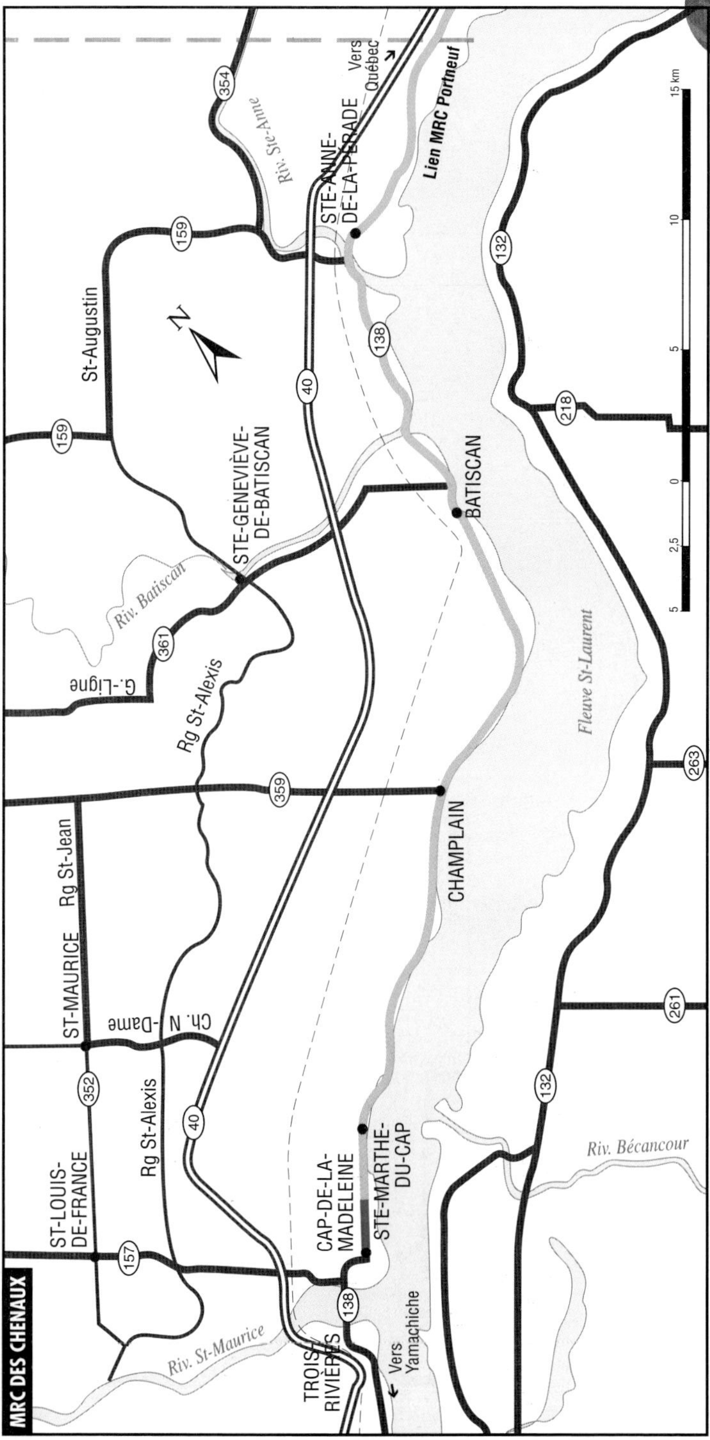
MRC DES CHENAUX
TROIS-RIVIÈRES
CAP-DE-LA-MADELEINE
STE-MARTHE-DU-CAP
ST-LOUIS-DE-FRANCE
ST-MAURICE
CHAMPLAIN
BATISCAN
STE-GENEVIÈVE-DE-BATISCAN
STE-ANNE-DE-LA-PÉRADE
St-Augustin
Rg St-Jean
Rg St-Alexis
Ch. N.-Dame
G.-Ligne
Riv. St-Maurice
Riv. Batiscan
Riv. Ste-Anne
Riv. Bécancour
Fleuve St-Laurent
Lien MRC Portneuf
Vers Québec
Vers Yamachiche
N
40
138
157
352
359
361
159
354
132
261
263
218
5
2,5
0
5
10
15 km

LA TUQUE

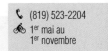

	KM	PISTE CYCLABLE	BANDE CYCLABLE	CHAUSSÉE DÉSIGNÉE
1 La Tuque	12,6	4,1	8,5	

(819) 523-2204
1er mai au 1er novembre

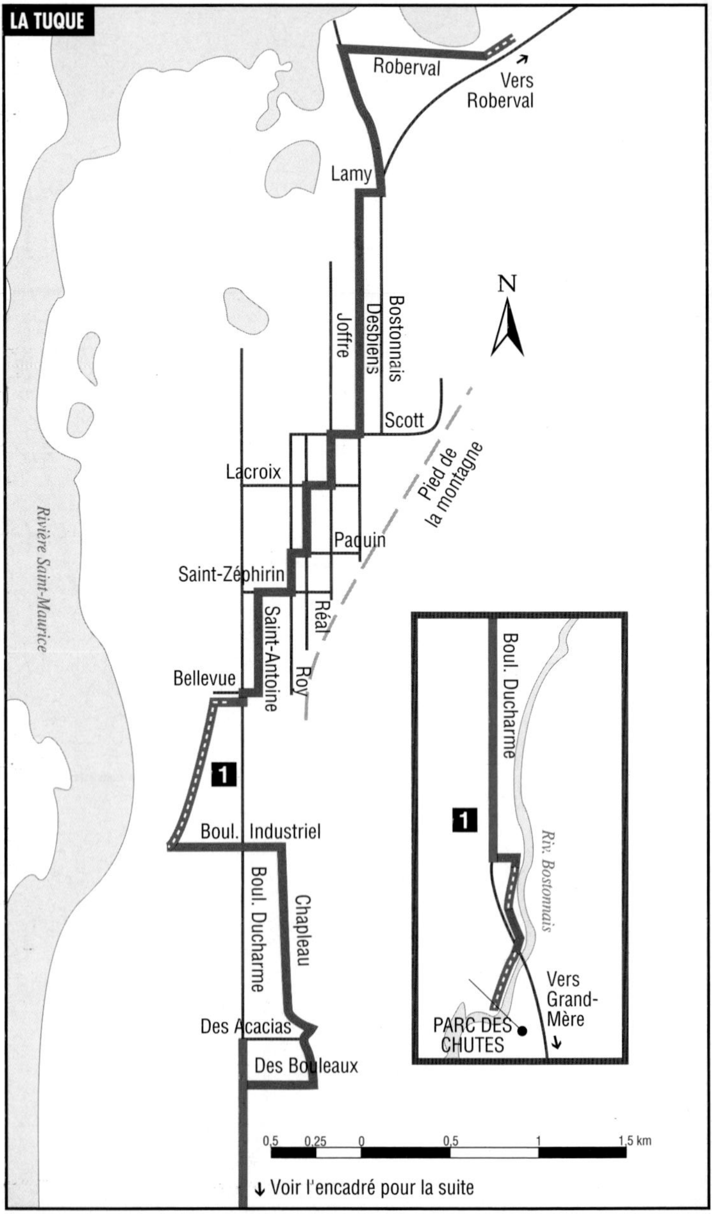

SHAWINIGAN

		KM	PISTE CYCLABLE ■	BANDE CYCLABLE ■	CHAUSSÉE DÉSIGNÉE ▪
1	Shawinigan	8,1	4,3	1,5	2,3
2	Shawinigan-Sud	7,5	0,2	7,3	
3	Grand-Mère	19,5	3,2	14,5	1,8
4	St-Jean-des-Piles	4,7		3,0	1,7
5	St-Gérard-des-Laurentides	3,1		3,1	
6	St-Georges-de-Champlain	7,2	1,4	1,8	4,0
	Total	**50,1**			

☏ (819) 536-7200

🚲 Mai à octobre

Cartes
pages 188-189

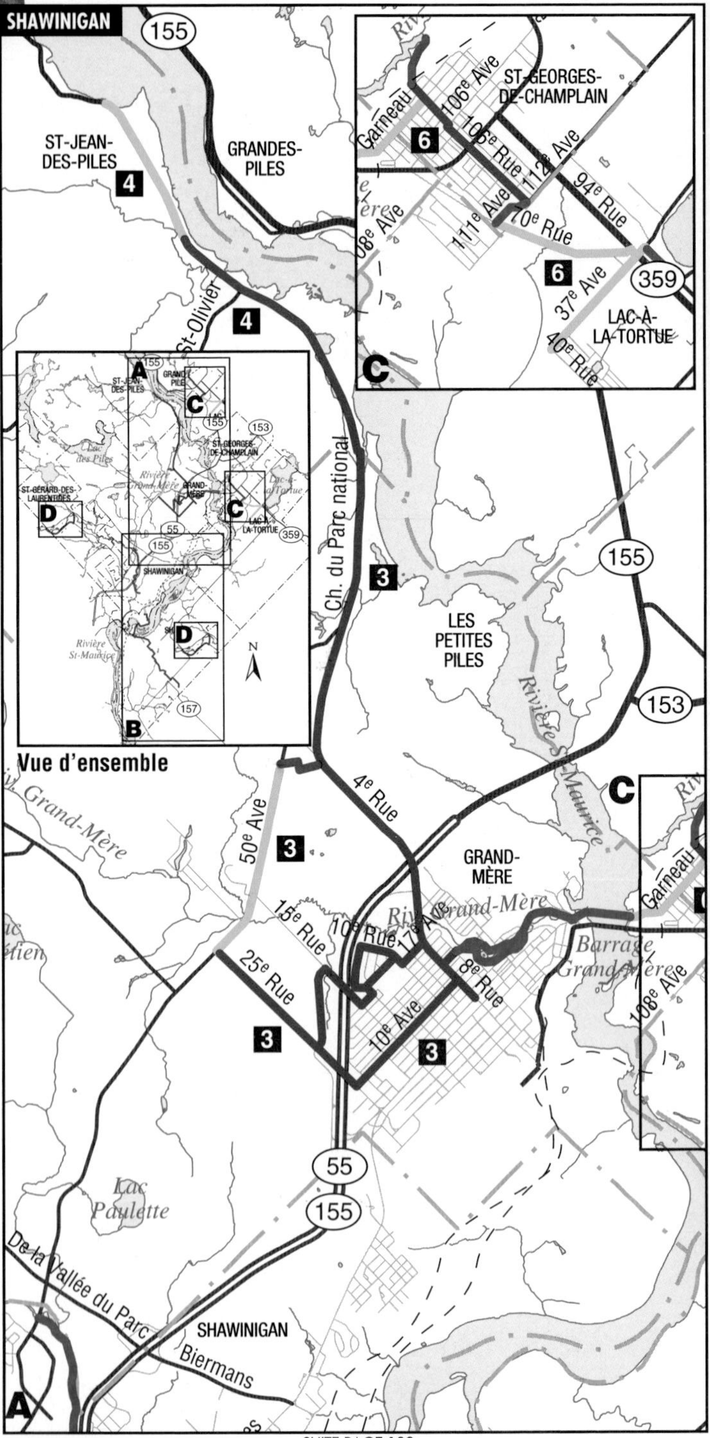
155
ST-JEAN-DES-PILES
4
GRANDES-PILES
ST-GEORGES-DE-CHAMPLAIN
106e Ave
106e Rue
112e Ave
94e Rue
Garneau
6
108e Ave
111e Ave
70e Rue
6
359
37e Ave
LAC-À-LA-TORTUE
40e Rue
C
St-Olivier
4
Ch. du Parc national
3
155
LES PETITES PILES
Rivière St-Maurice
153
Vue d'ensemble
C
4e Rue
50e Ave
3
GRAND-MÈRE
Riv. Grand-Mère
Barrage Grand-Mère
15e Rue
10e Rue
17e Ave
8e Rue
25e Rue
10e Ave
3
3
108e Ave
Garneau
55
155
Lac Paulette
De la Vallée du Parc
SHAWINIGAN
Biermans
A

SUITE PAGE 189

SUITE PAGE 188

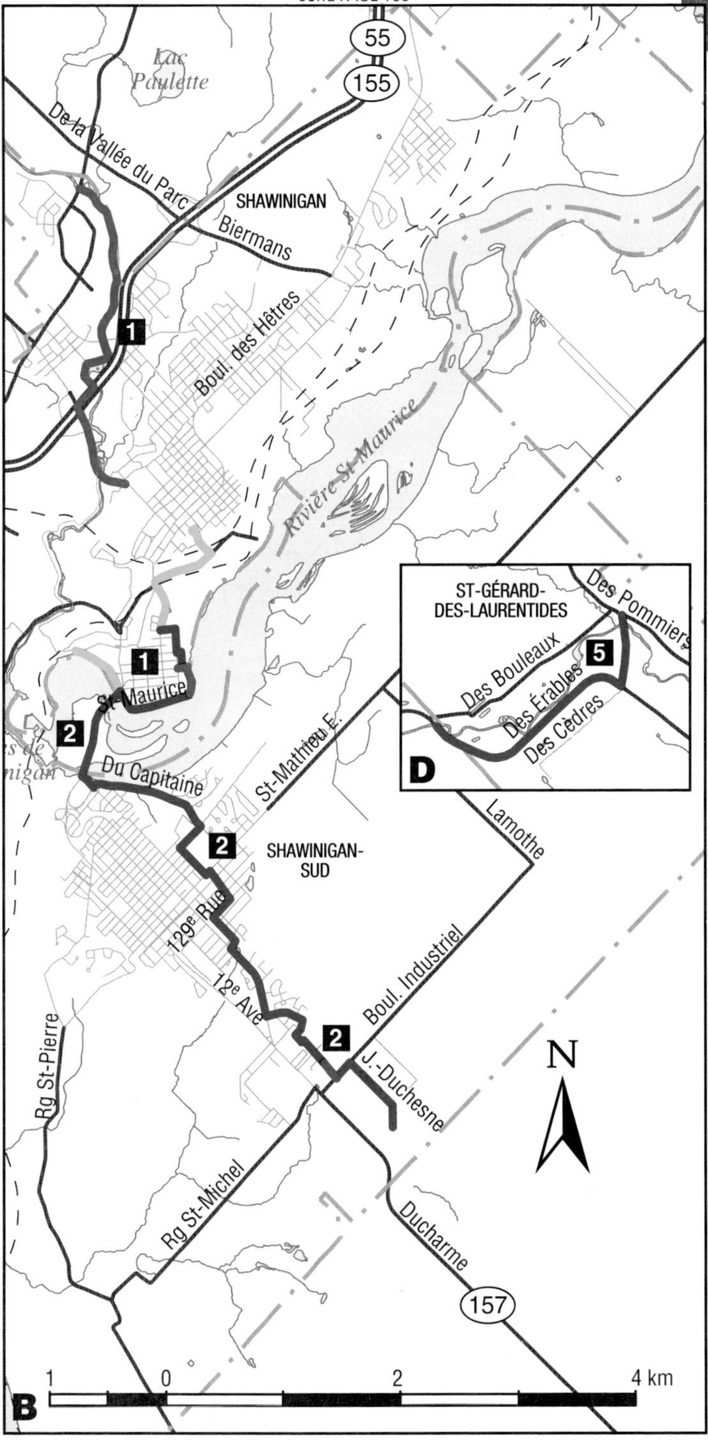

TROIS-RIVIÈRES

📞 (819) 372-4621
🚲 15 mai au 15 octobre

	KM	PISTE CYCLABLE ■	BANDE CYCLABLE ■	CHAUSSÉE DÉSIGNÉE ■
1 Route verte 5	10,0	10,0		
2 Boul. des Forges	8,2	2,0	5,7	0,5
3 Sainte-Marguerite	3,0		1,0	2,0
4 Papineau/C.-Moreau	5,0			5,0
5 Des Chenaux	7,0		2,5	4,5
6 Bellefeuille/St-Denis/ St-François	11,5		2,5	9,0

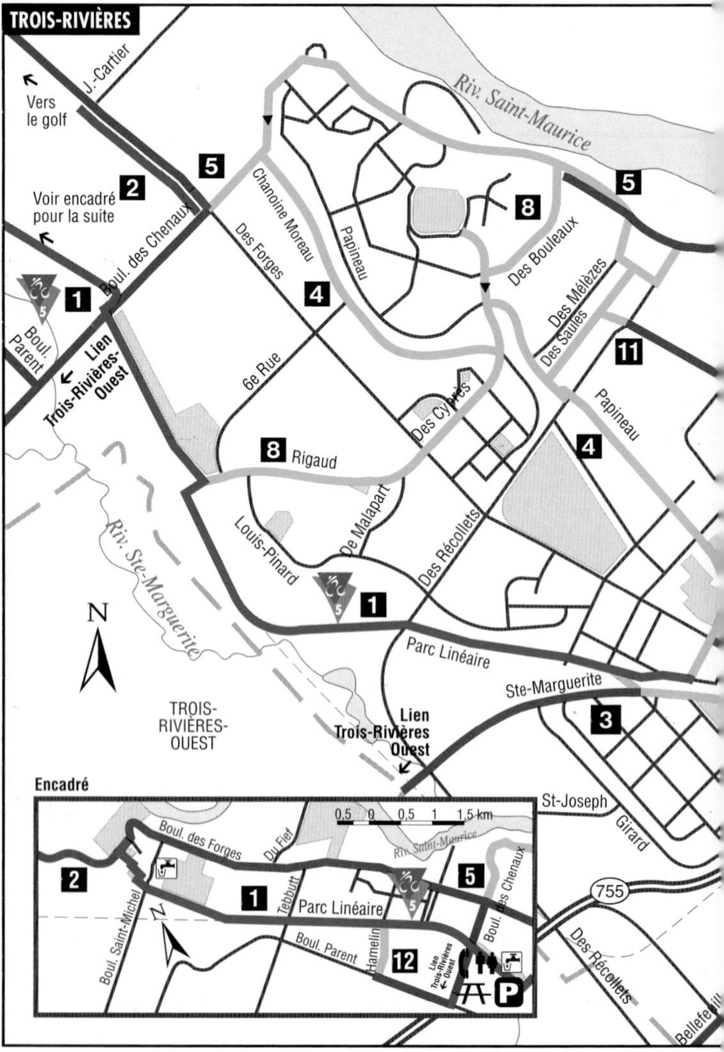

SUITE PAGE 195

TROIS-RIVIÈRES

		KM	PISTE CYCLABLE	BANDE CYCLABLE	CHAUSSÉE DÉSIGNÉE
7	Lajoie/Du Carmel	3,0		1,0	2,0
8	Des Bouleaux/Rigaud	3,0			3,0
9	Whithead/Ste-Julie	3,0			3,0
10	Les Iles	4,0	4,0		
11	Laviolette	2,5		1,5	1,0
12	Parent/Hamelin	1,5		1,2	0,3
	Total	**61,7**			

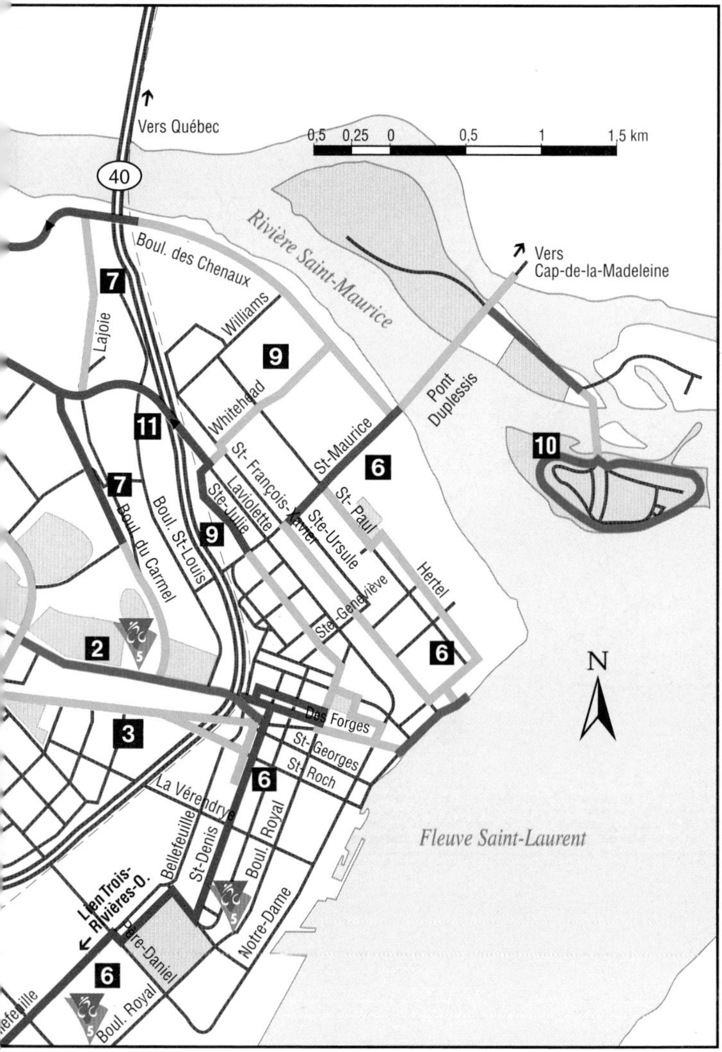

TROIS-RIVIÈRES (Cap-de-la-Madeleine)

☎ (819) 372-4621
🚲 15 mai au 15 octobre

		KM	PISTE CYCLABLE ■	BANDE CYCLABLE ■	CHAUSSÉE DÉSIGNÉE ■
1	St-Maurice	5,4		5,4	
2	Madelinois	4,2		4,2	
3	Boucle 1	4,0	4,0		
	Boucle 2	3,4	3,4		
	Boucle 3	4,3	4,3		
	Boucle 4	4,5	4,5		
4	Parc St-Maurice	0,5	0,5		
	Total	**26,3**			

TROIS-RIVIÈRES (Cap-de-la-Madeleine)

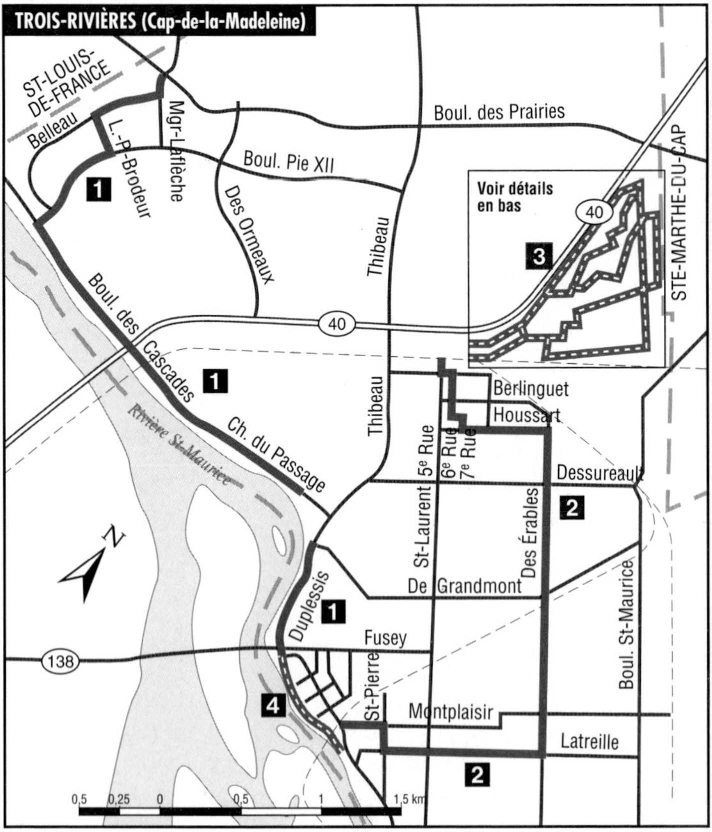

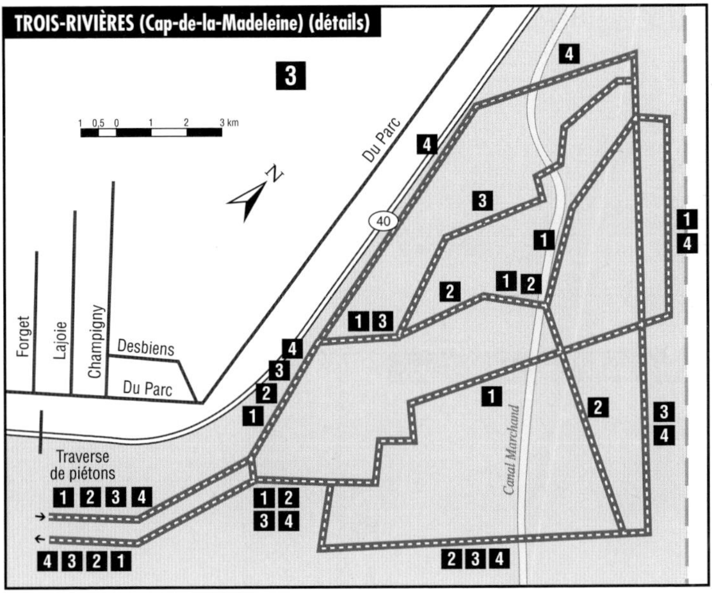
TROIS-RIVIÈRES (Cap-de-la-Madeleine) (détails)
3
1 0,5 0 1 2 3 km
N
Du Parc
40
Forget
Lajoie
Champigny
Desbiens
Du Parc
Traverse
de piétons
Canal Marchand
1 2 3 4
4 3 2 1
2 3 4

TROIS-RIVIÈRES (Saint-Louis-de-France)

☎ (819) 372-4621
🚲 15 mai au 15 octobre

	KM	PISTE CYCLABLE ■	BANDE CYCLABLE ■	CHAUSSÉE DÉSIGNÉE ■
1 St-Alexis/ St-Jean	2,9	2,5	0,4	
2 St-Jean/ Ste-Marguerite	3,5	3,5		
3 Chemin Masse	1,5	0,7	0,8	
4 Ste-Marguerite/ Camping	2,5	2,5		
5 Carrière	2,5	1,3	1,2	
6 Ste-Louis/Caron	0,7		0,7	
Total	**13,6**			

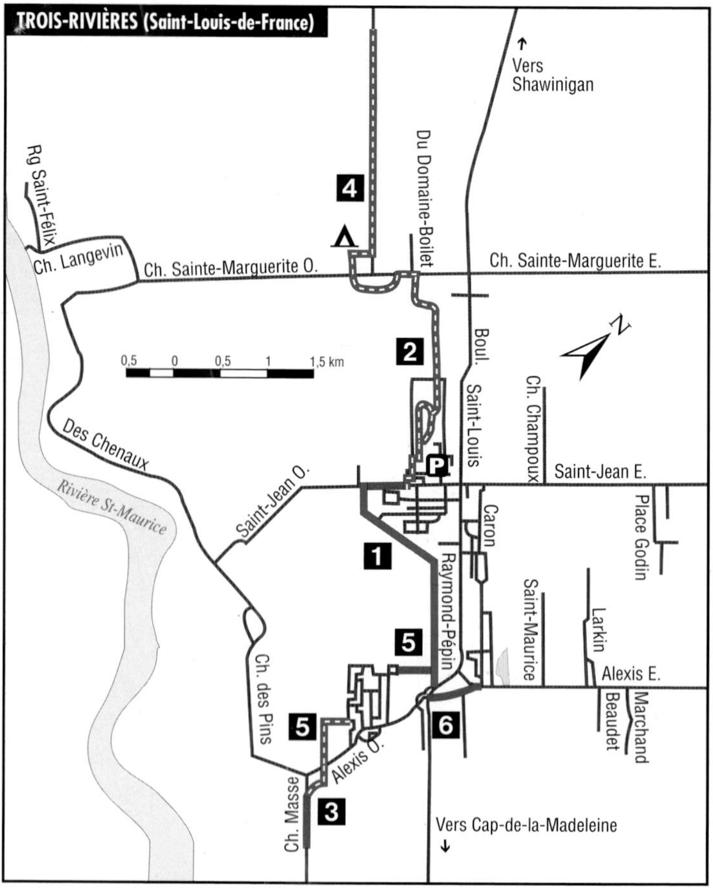

TROIS-RIVIÈRES (Trois-Rivières-Ouest)

📞 (819) 372-4621
🚲 15 mai au 15 octobre

		KM	PISTE CYCLABLE ■	BANDE CYCLABLE ■	CHAUSSÉE DÉSIGNÉE ■
1	Notre-Dame-O./ Boul. Royal	3,6	1,9	1,5	0,2
2	Boul. Mauricien				2,2
3	Côte Richelieu	4,5		3,1	1,4
4	Jean XXIII	5,5	1,3		4,2
5	Cherbourg	1,9		1,9	
6	Côte Rosemont	2,6		2,6	
	Total	**18,1**			

SUITE PAGE 190

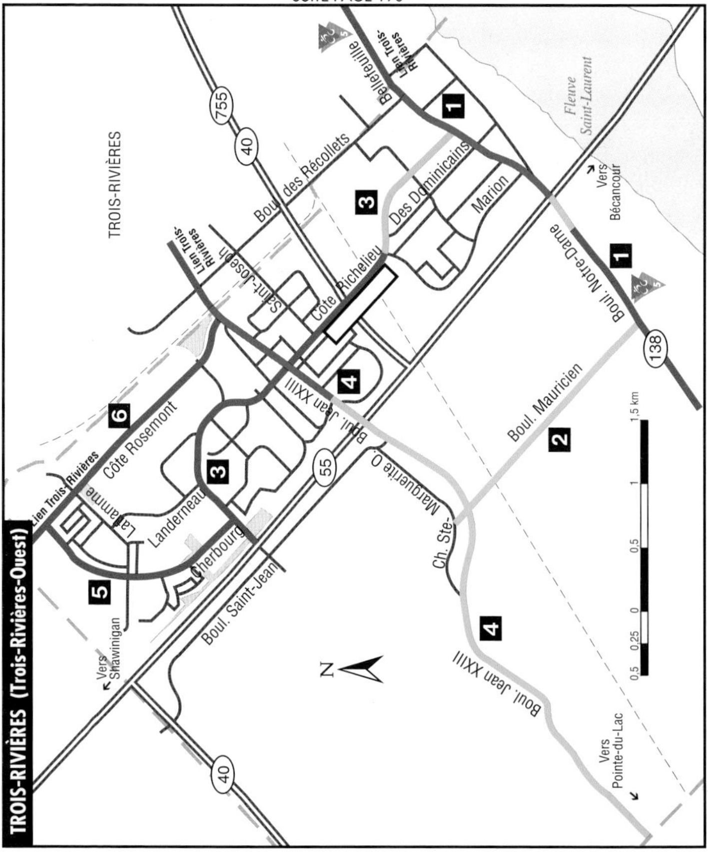

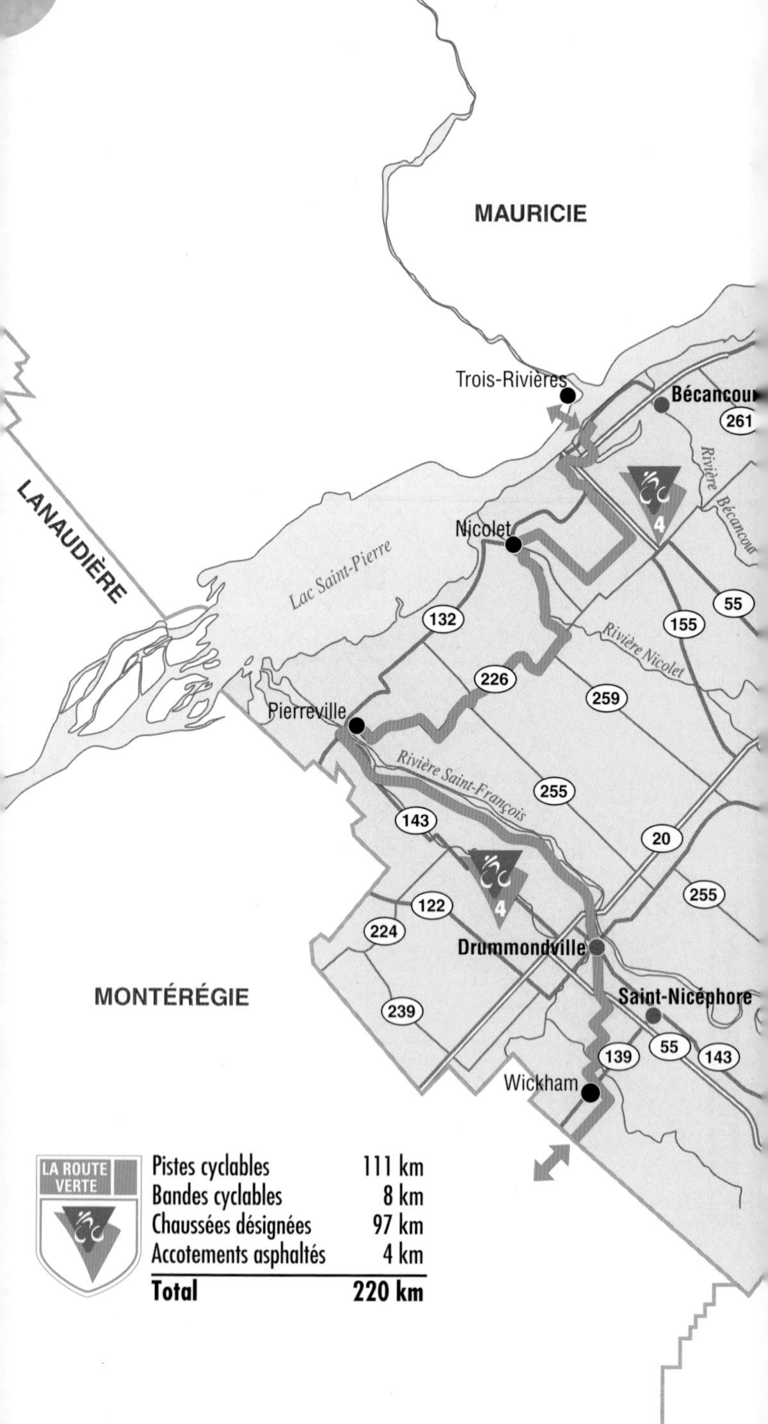

LA ROUTE VERTE

Pistes cyclables	111 km
Bandes cyclables	8 km
Chaussées désignées	97 km
Accotements asphaltés	4 km
Total	**220 km**

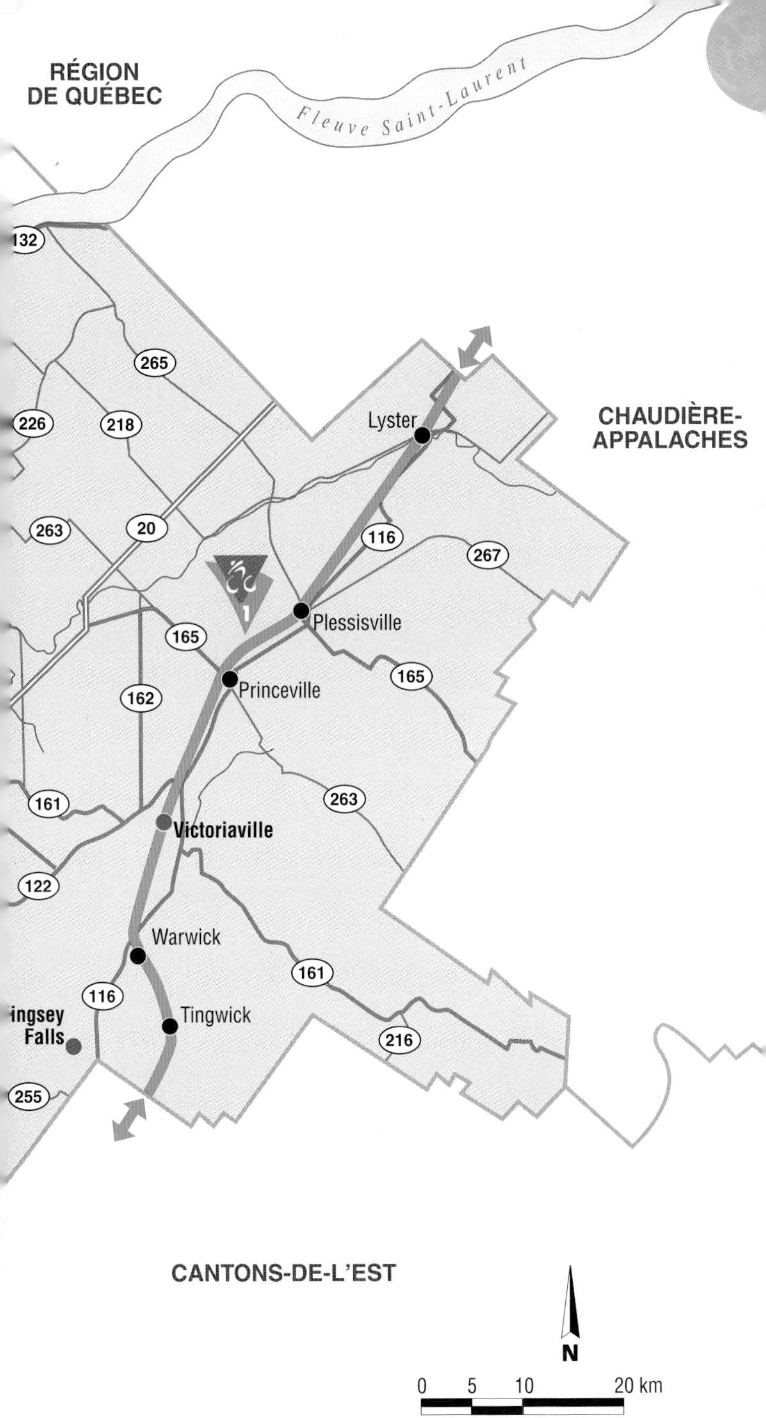
RÉGION DE QUÉBEC
Fleuve Saint-Laurent
CHAUDIÈRE-APPALACHES
CANTONS-DE-L'EST
132
265
226
218
263
20
116
267
165
162
161
122
263
161
116
216
255
Lyster
Plessisville
Princeville
Victoriaville
Warwick
Tingwick
ingsey Falls
1
N
0
5
10
20 km

PARC LINÉAIRE DES BOIS-FRANCS
VOIE CYCLABLE INTERMUNICIPALE

☎ (819) 758-6414

🚲 Dès que la
température le permet

		KM	PISTE CYCLABLE ■	BANDE CYCLABLE ■	CHAUSSÉE DÉSIGNÉE ■
1	Parc linéaire des Bois-Francs	77,0	77,0		

MRC NICOLET-YAMASKA

☎ (819) 293-6158

🚲 Avril à octobre

Carte page 200

		KM	PISTE CYCLABLE ■	BANDE CYCLABLE ■	CHAUSSÉE DÉSIGNÉE ■
1	Route verte 4	67,1	3,2	4,9	59,0
2	Fréchette/Victorin	2,5		2,5	
3	La Salle/Brunault	1,2		1,2	
4	Rivière/Fleuve	5,8		5,8	
5	Route du Port	7,0		7,0	
	Total	**83,6**			

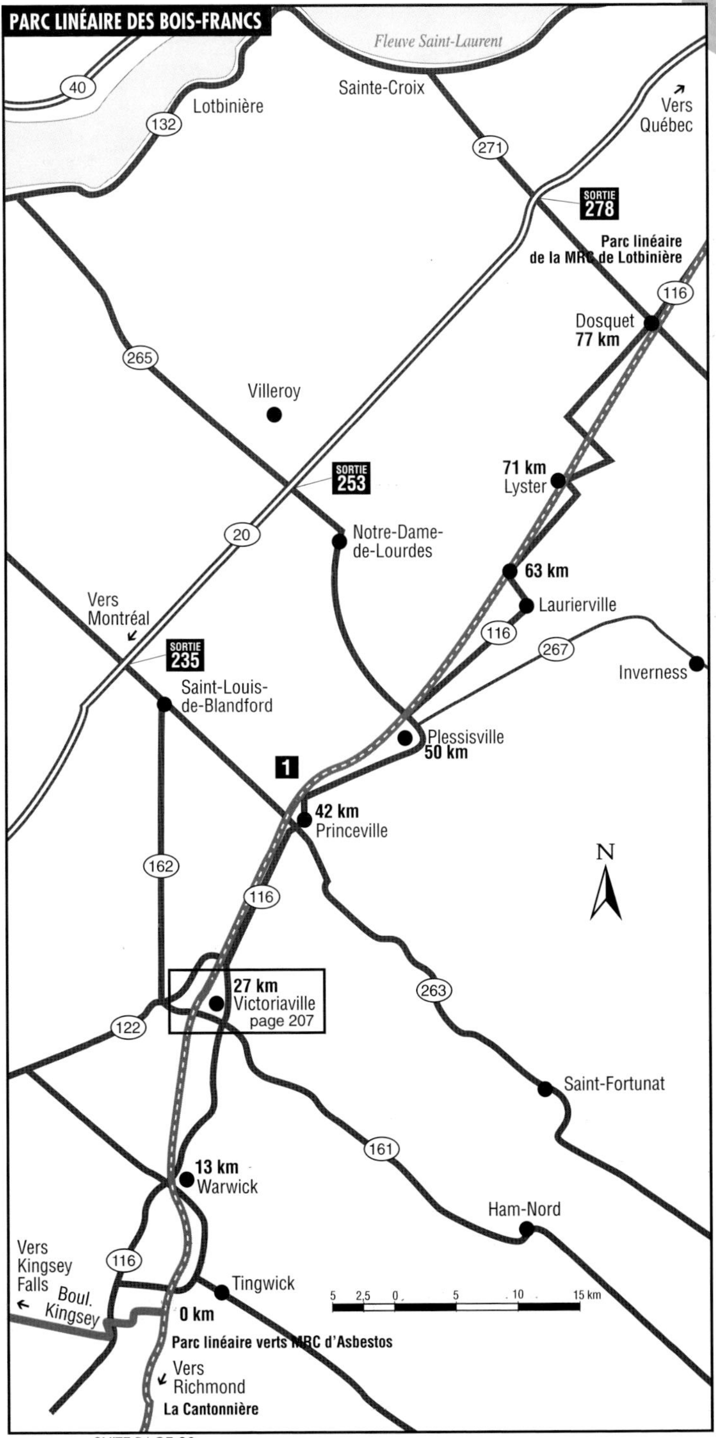
PARC LINÉAIRE DES BOIS-FRANCS
Fleuve Saint-Laurent
40
132
Lotbinière
Sainte-Croix
271
Vers Québec
SORTIE 278
Parc linéaire de la MRC de Lotbinière
116
Dosquet
77 km
265
Villeroy
71 km
Lyster
SORTIE 253
20
Notre-Dame-de-Lourdes
63 km
Laurierville
Vers Montréal
SORTIE 235
116
267
Inverness
Saint-Louis-de-Blandford
Plessisville
50 km
1
42 km
Princeville
N
162
116
263
27 km
Victoriaville
page 207
122
Saint-Fortunat
161
13 km
Warwick
Ham-Nord
Vers Kingsey Falls
116
Boul. Kingsey
Tingwick
0 km
5 2,5 0 5 10 15 km
Parc linéaire verts MRC d'Asbestos
Vers Richmond
La Cantonnière

SUITE PAGE 39

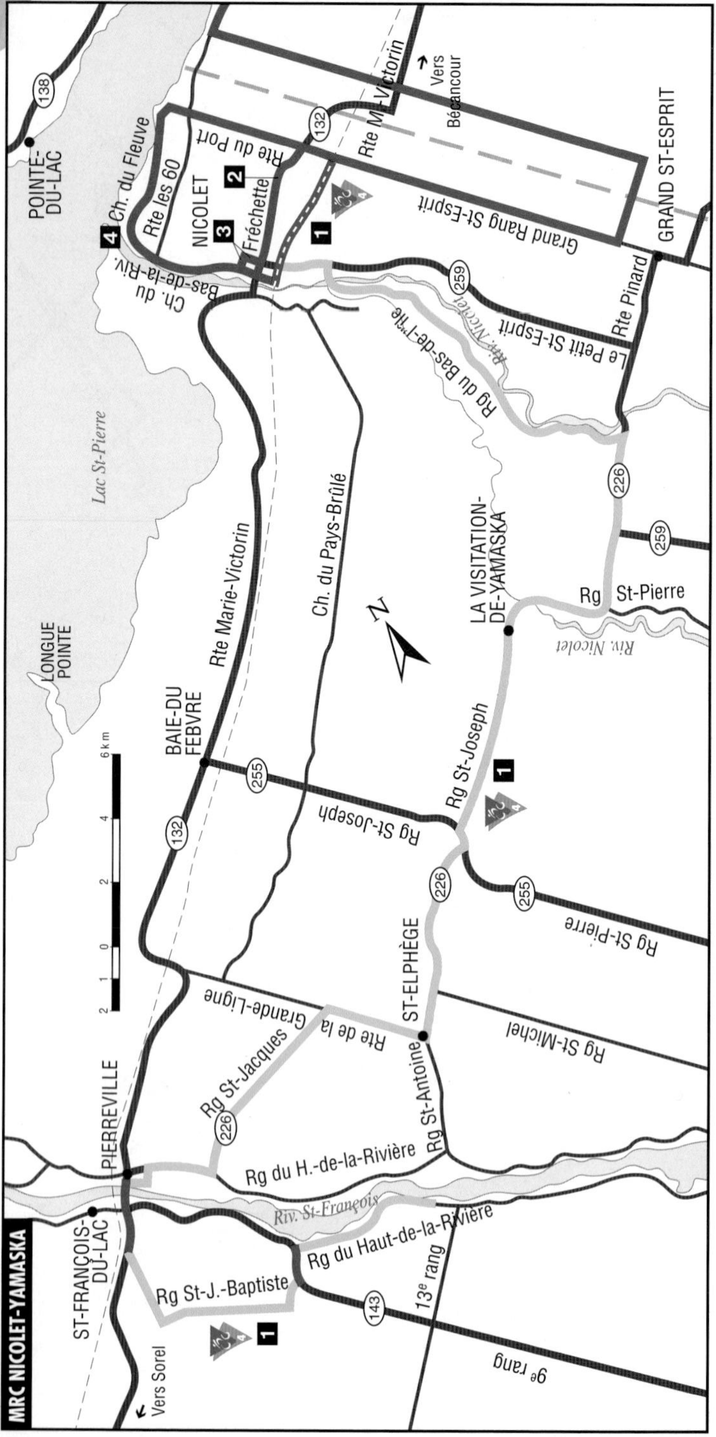

MRC NICOLET-YAMASKA
ST-FRANÇOIS-DU-LAC
PIERREVILLE
Vers Sorel
Riv. St-François
Rg St-J.-Baptiste
Rg du Haut-de-la-Rivière
Rg du H.-de-la-Rivière
13e rang
9e rang
143
226
Rg St-Jacques
Rg St-Antoine
Rte de la Grande-Ligne
ST-ELPHÈGE
Rg St-Michel
Rg St-Pierre
255
Rg St-Joseph
132
BAIE-DU FEBVRE
Rte Marie-Victorin
Ch. du Pays-Brûlé
LONGUE POINTE
Lac St-Pierre
LA VISITATION-DE-YAMASKA
Riv. Nicolet
259
Rg du Bas-de-l'île
Le Petit St-Esprit
Rte Pinard
GRAND ST-ESPRIT
Grand Rang St-Esprit
Ch. du Bas-de-la-Riv.
NICOLET
Fréchette
Rte les 60
Ch. du Fleuve
Rte du Port
Rte M.-Victorin
POINTE-DU-LAC
138
Vers Bécancour
0
1
2
4
6 km

MRC DRUMMOND

	KM	PISTE CYCLABLE	BANDE CYCLABLE	CHAUSSÉE DÉSIGNÉE	ACCO-TEMENT
1 Route verte 4	57,5	30,2	6,3	20,0	1,0
2 La Plaine	90,6	17,5	4,2	67,7	1,2
3 Des Vergers	19,9	10,1	3,6	6,2	
4 Des 2 rivières	26,6	2,0	2,0	21,2	1,4
5 Du Moulin	44,0	15,8	6,4	21,8	
Total	**238,6**				

(819) 477-5995
15 avril au 15 octobre

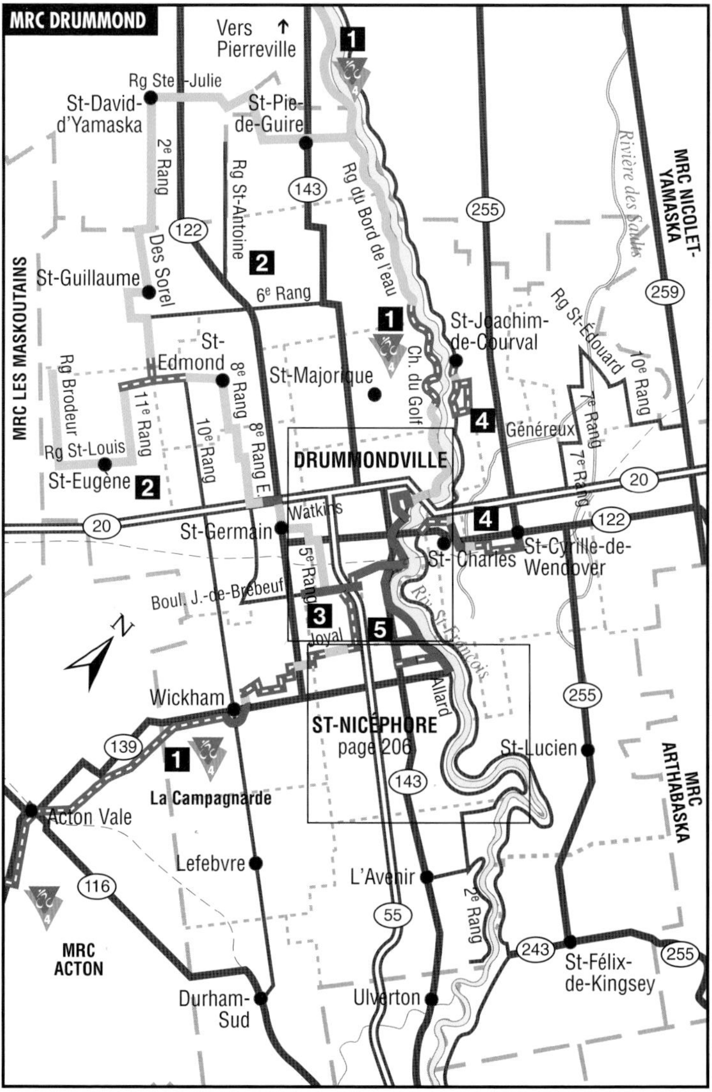

SUITE PAGE 37

BÉCANCOUR

		KM	PISTE CYCLABLE ■	BANDE CYCLABLE ■	CHAUSSÉE DÉSIGNÉE ■
1	Route verte 4	23,5	6,2	2,0	15,3
2	Les Découvertes	92,9	3,5	20,8	68,6
	Total	**116,4**			

☎ (819) 294-6500
CLD Tourisme
(819) 298-2070

🚲 1er mai au
15 novembre

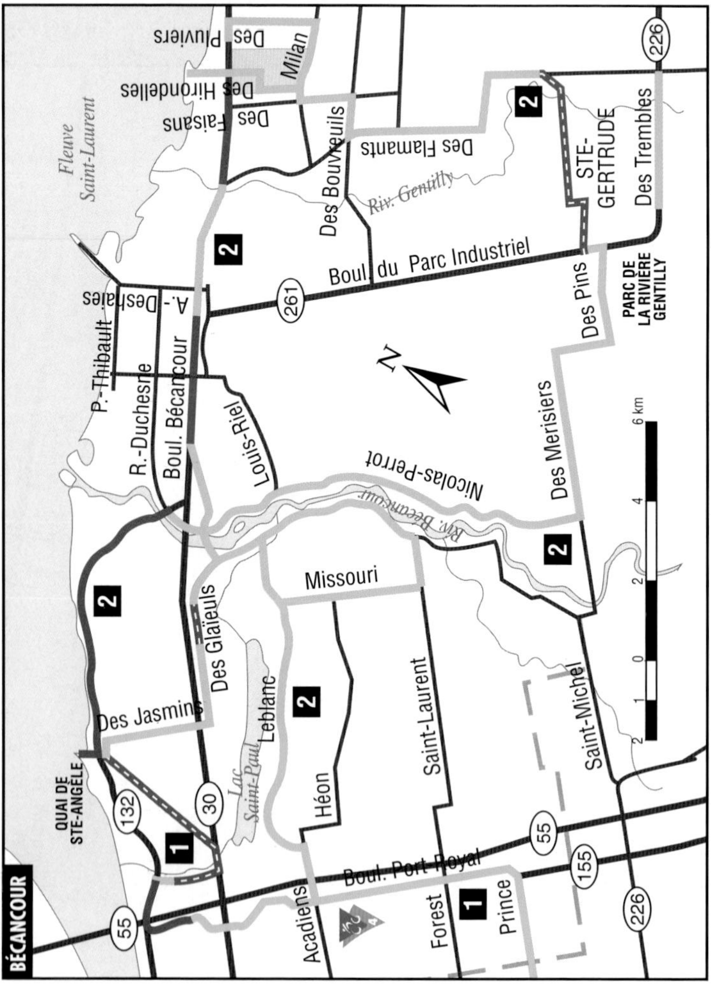

DRUMMONDVILLE

☎ (819) 477-5995
🚲 15 avril au 15 octobre

Carte page 204

		KM	PISTE CYCLABLE ■	BANDE CYCLABLE ■	CHAUSSÉE DÉSIGNÉE ▪
1	René-Lévesque	3,2	2,6	0,6	
2	Cormier	2,2		2,2	
3	Guilbault/Ringuet	1,6		1,6	
4	Saint-Georges Rte 122	2,8		2,8	
5	Marchand	1,3		1,3	
6	St-Frédéric	1,9		1,9	
7	Celanese	1,2		1,2	
8	Boul. Allard	5,6		5,6	
9	St-Jean/Des Forges	2,4	2,4		
10	Boul. Lemire	3,2	3,2		
11	Des Pins/Golf	2,2	1,0	1,2	
12	Lemire/Des Chutes	4,0	4,0		
	Total	**31,6**			

SUITE PAGE 206

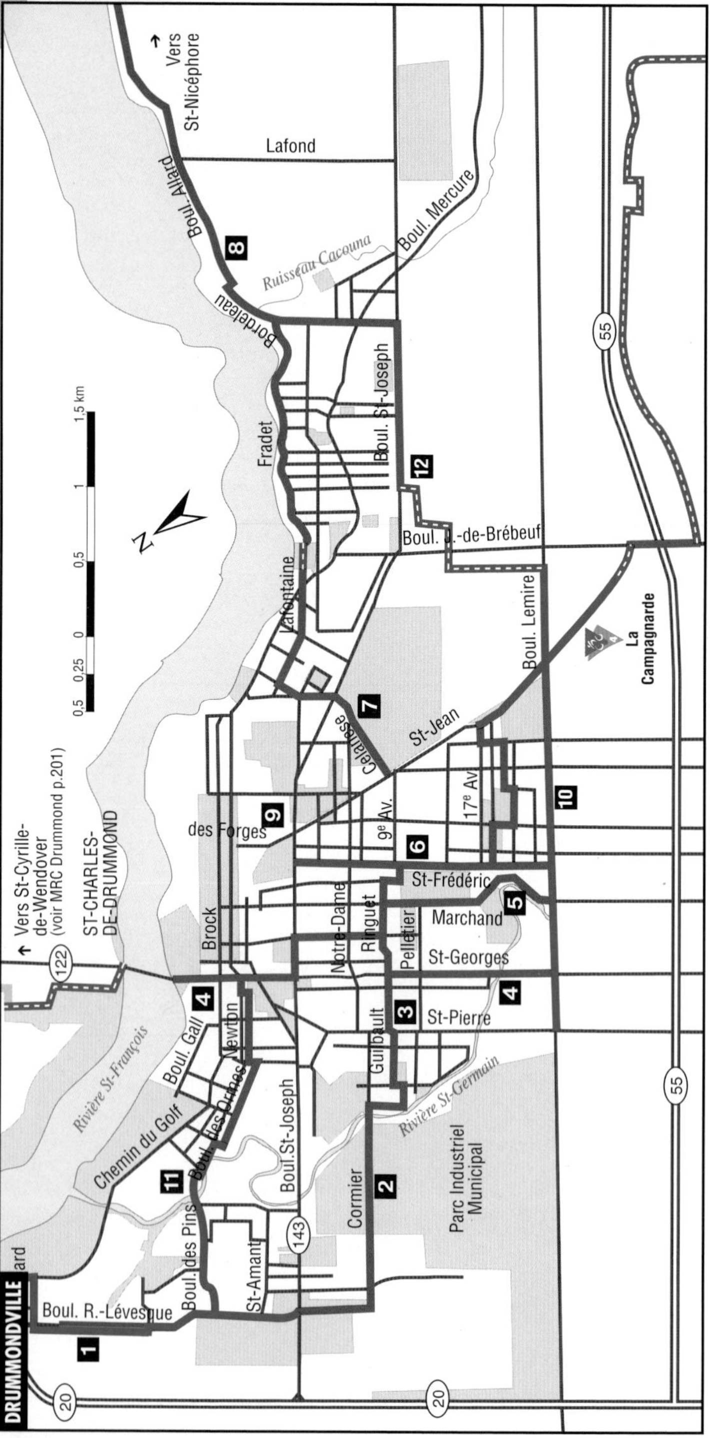

KINGSEY FALLS

	KM	PISTE CYCLABLE	BANDE CYCLABLE	CHAUSSÉE DÉSIGNÉE
1 Route « Vert » le village fleuri	8,0	8,0		

(819) 363-3810
Mai à octobre

SUITE PAGE 199

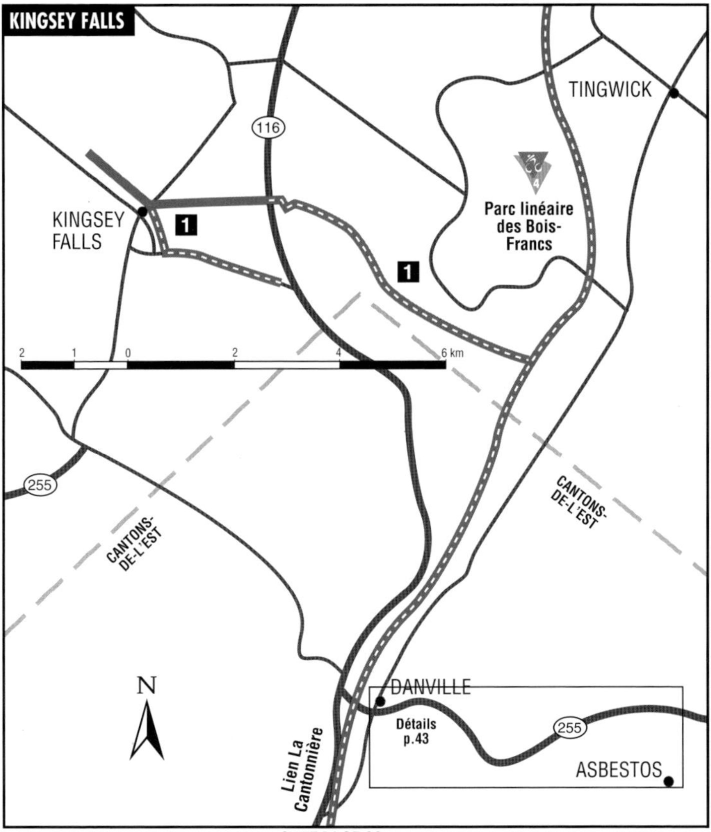

SUITE PAGE 39

SAINT-NICÉPHORE

	KM	PISTE CYCLABLE ■	BANDE CYCLABLE ■	CHAUSSÉE DÉSIGNÉE ■
1 Le Citoyen	8,0	2,0	6,0	

☎ (819) 477-5144
🚲 Mai à novembre

Map labels: L'AVENIR, ST-NICÉPHORE, 143, Route Caya, Rivière St-François, Boul. St-Joseph, Chemin Tourville, Chemin du 7e rang, WICKHAM, 55, 139, Chemin de l'aéroport, Montmigny, Perron, Brouillette, Boul. Mercure, DRUMMONDVILLE, Boul. Allard, ST-CHARLES-DE-DRUMMOND, Boul. St-Joseph, DRUMMONDVILLE, SAINT-NICÉPHORE, 3 km scale

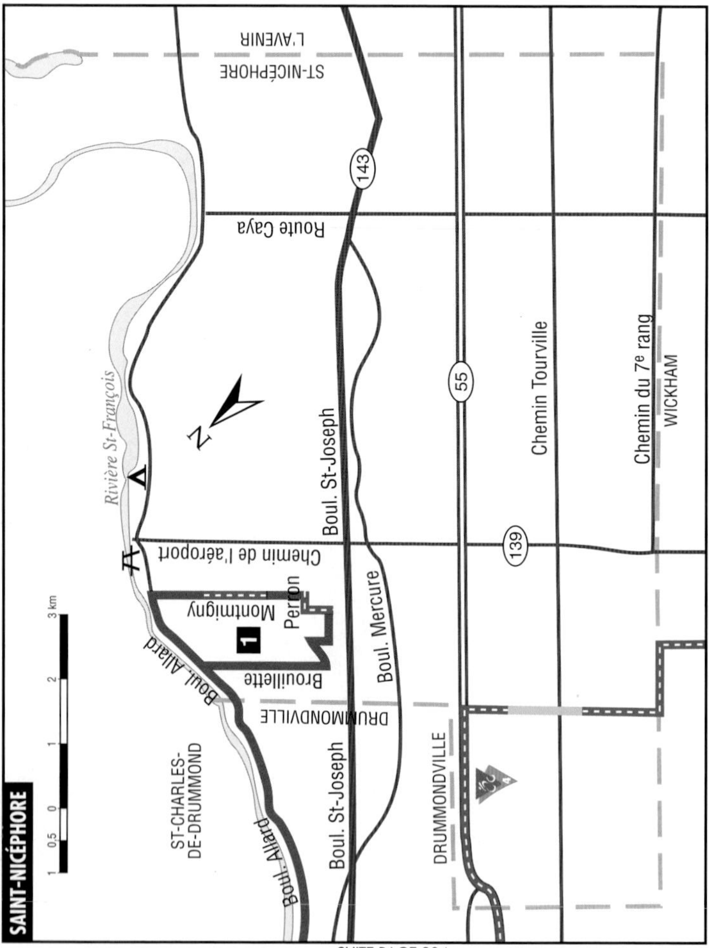

SUITE PAGE 204

VICTORIAVILLE

	KM	PISTE CYCLABLE	BANDE CYCLABLE	CHAUSSÉE DÉSIGNÉE
1 Sans nom	33,0	16,5	7,5	9,0

Ville de Victoriaville
(819) 357-8247
Tourisme Bois-Francs
1 888 758-9451
Parc linéaire
des Bois-Francs
(819) 758-6414

Mai à octobre

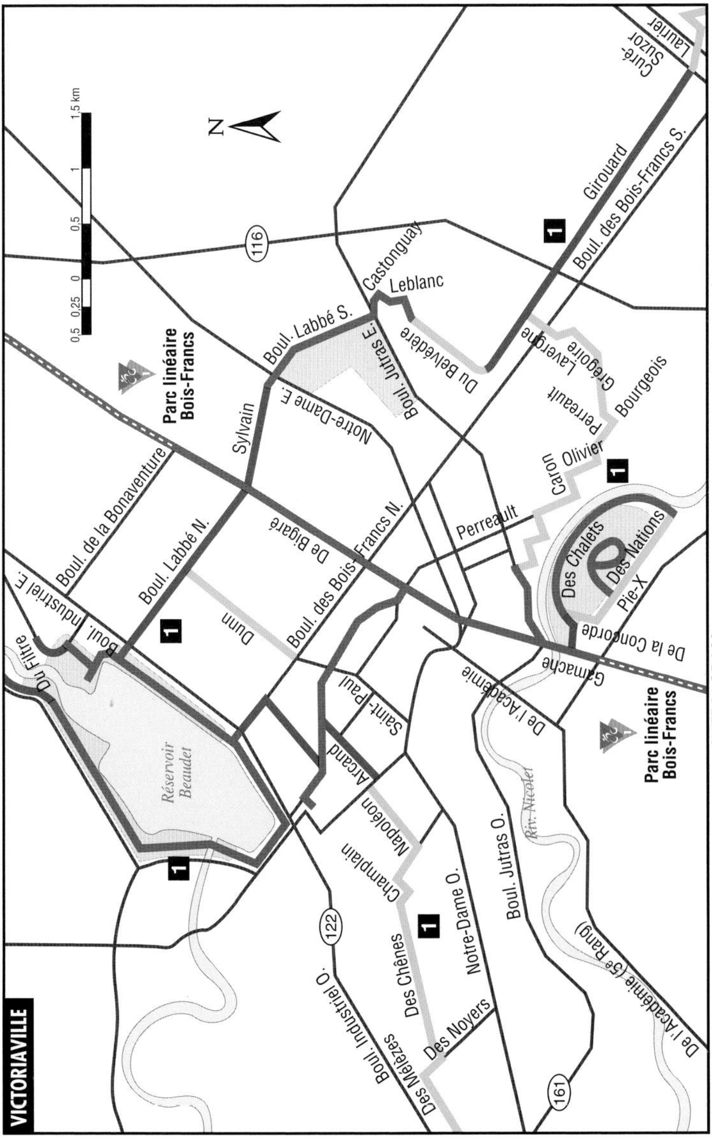

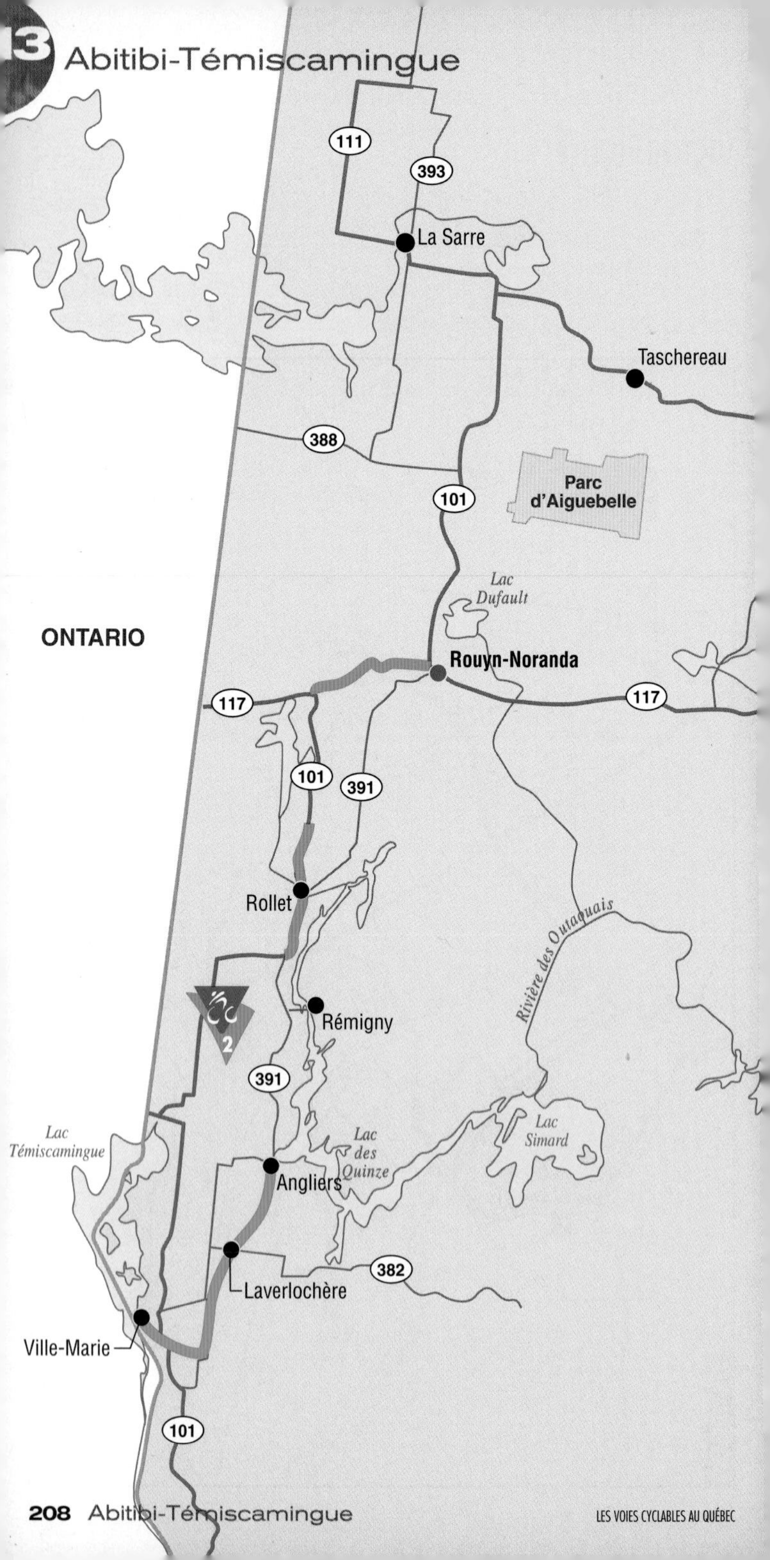
111
393
La Sarre
Taschereau
388
101
Parc d'Aiguebelle
Lac Dufault
ONTARIO
Rouyn-Noranda
117
117
101
391
Rollet
Rivière des Outaouais
2
Rémigny
391
Lac Témiscamingue
Lac des Quinze
Lac Simard
Angliers
382
Laverlochère
Ville-Marie
101

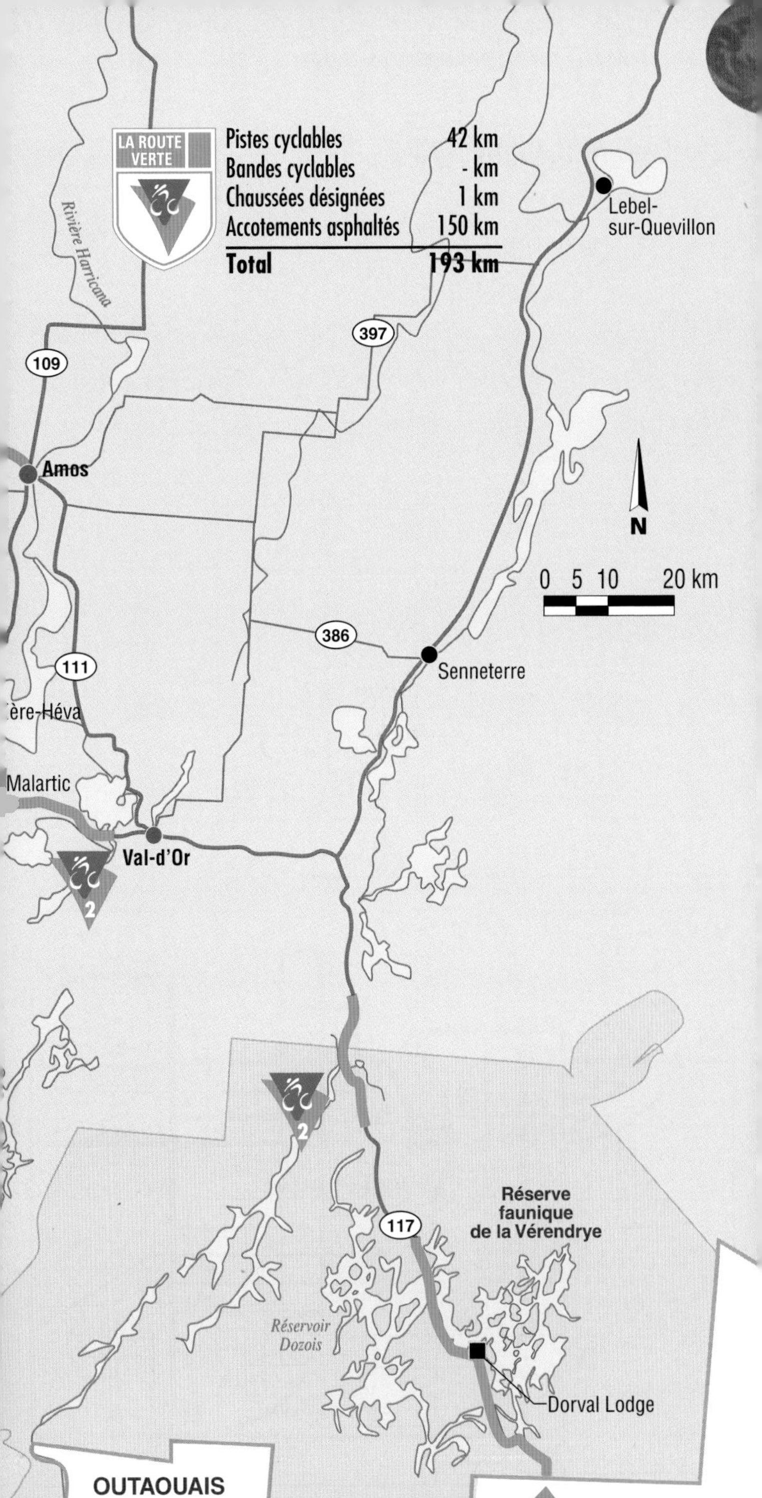

LA ROUTE VERTE
Pistes cyclables 42 km
Bandes cyclables - km
Chaussées désignées 1 km
Accotements asphaltés 150 km
Total 193 km
Rivière Harricana
Lebel-sur-Quevillon
397
109
Amos
N
0 5 10 20 km
386
Senneterre
111
ère-Héva
Malartic
Val-d'Or
2
2
Réserve faunique de la Vérendrye
117
Réservoir Dozois
Dorval Lodge
OUTAOUAIS

LIGNE DU MOCASSIN

	KM	PISTE CYCLABLE	BANDE CYCLABLE	CHAUSSÉE DÉSIGNÉE
1 Ligne du Mocassin	45,0	45,0		

(819) 629-2959

Dès que la température le permet

AMOS

	KM	PISTE CYCLABLE	BANDE CYCLABLE	CHAUSSÉE DÉSIGNÉE
1 Sans nom	30,2	6,5		23,7
2 Amos	10,0		10,0	
Total	**40,2**			

1 800 670-0499 ou (819) 727-1242

23 mai au 28 août

AMOS (agrandissement)

111
8e Ave. E.
Des Pins
6e Ave. O.
6e Ave. E.
4e Rue E.
5e Ave. O.
1
Bouchard
4e Ave. O.
4e Ave. E.
2
DÉPART Ancien cimetière
6e Rue O.
2
Rivière Harricana
3e Ave. E.
2e Ave. E.
1ère Rue E.
2e Rue E.
3e Rue E.
9e Rue O.
1ère Ave. O.
PONT DESMARAIS
1ère Ave. E.
ARRIVÉE Cathédrale
10e Ave. O.
10e Ave. O.
10e Ave. E.
11e Ave. O.
6e Rue O.
Principal N.
12e Ave. E.
Taschereau
12e Ave. E.
Trudel
Grenier
Des Forestiers
15e Ave. E.
De l'Industrie
16e Ave. E.
4e Rue E.
1
Du Parc
PONT ÉDOUARD-PARÉ
2
395
111
De la Brasserie
109
Ch. de la Marina

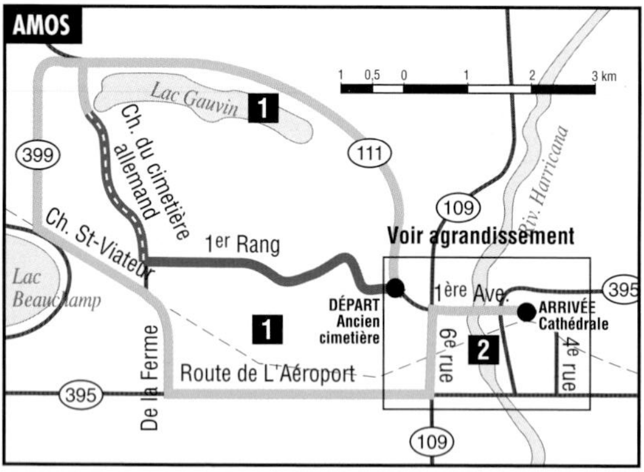

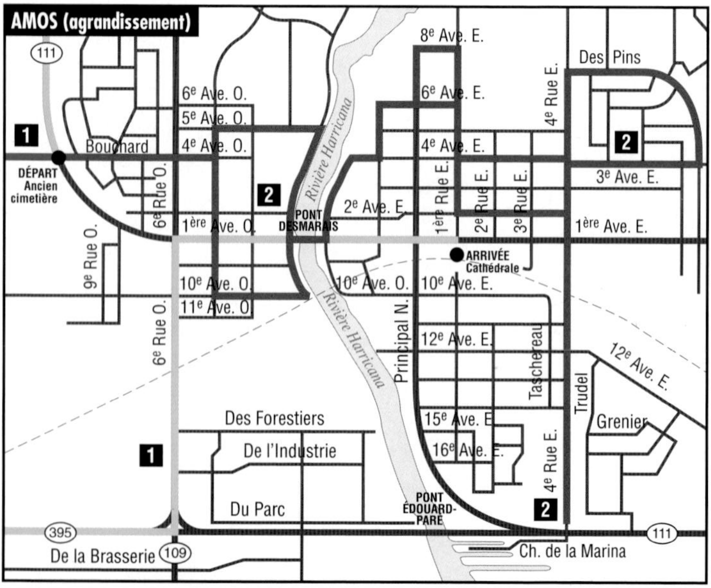

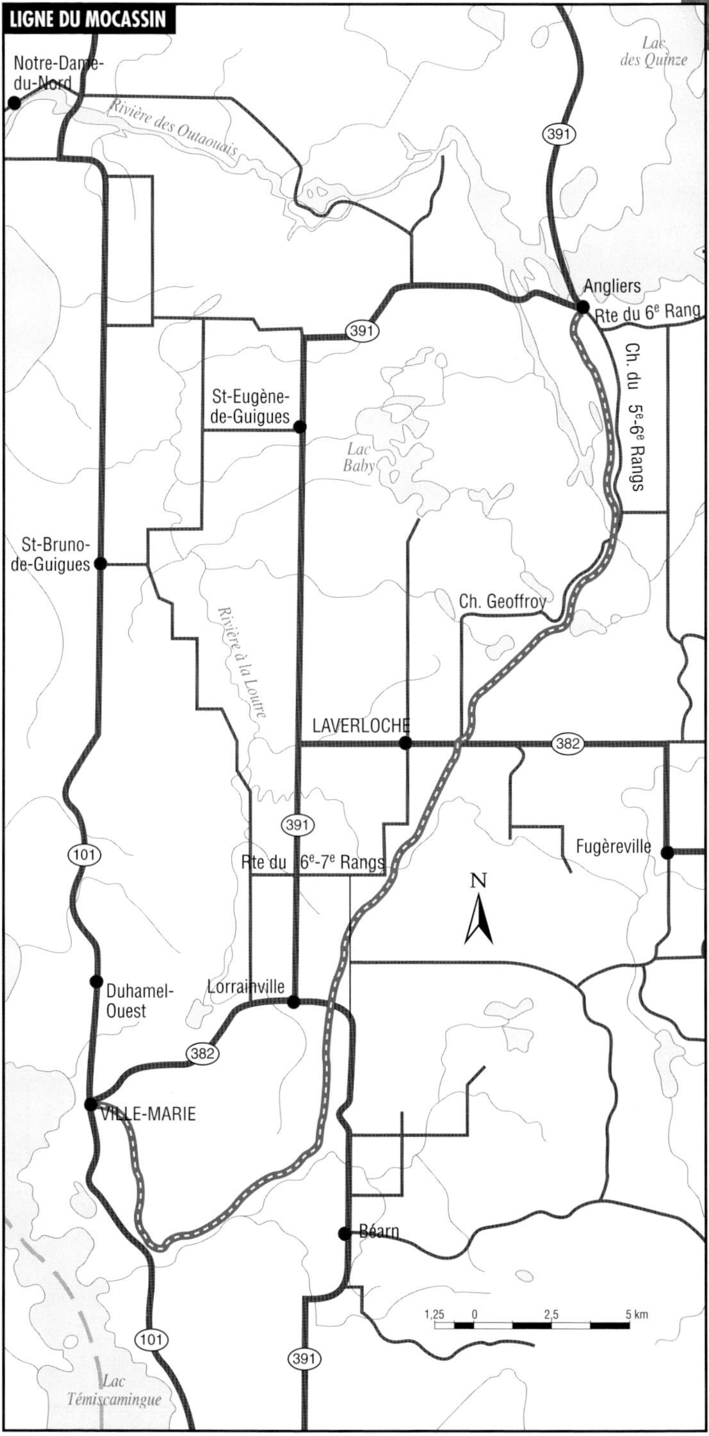
LIGNE DU MOCASSIN
Notre-Dame-du-Nord
Rivière des Outaouais
Lac des Quinze
391
Angliers
Rte du 6e Rang
Ch. du 5e-6e Rangs
St-Eugène-de-Guigues
Lac Baby
St-Bruno-de-Guigues
Rivière à la Loutre
Ch. Geoffroy
LAVERLOCHE
382
391
Rte du 6e-7e Rangs
Fugèreville
N
101
Duhamel-Ouest
Lorrainville
382
VILLE-MARIE
Béarn
1,25
0
2,5
5 km
101
391
Lac Témiscamingue

ROUYN-NORANDA

☎ (819) 762-0500
🚲 Mai à octobre

		KM	PISTE CYCLABLE ■	BANDE CYCLABLE ■	CHAUSSÉE DÉSIGNÉE ■
1	Parc régional linéaire	10,5	10,5		
2	Saguenay	4,8		4,8	
3	Mouska	0,9	0,9		
4	Osisko	8,4		8,4	
5	Rouyn-sud	1,3	1,3		
6	Granada (Moreau)	3,1	3,1		
7	Noranda	1,5		1,5	
8	Lien Osisko-Granada	3,0			3,0
9	Rouyn/Evain	2,7	2,7		
	Total	**36,2**			

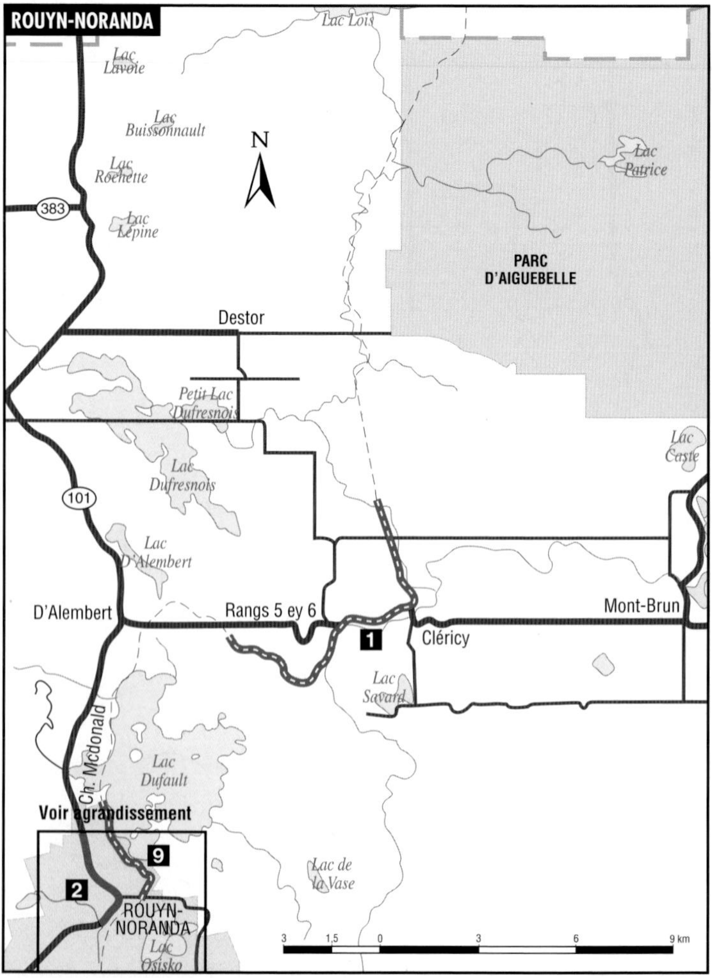

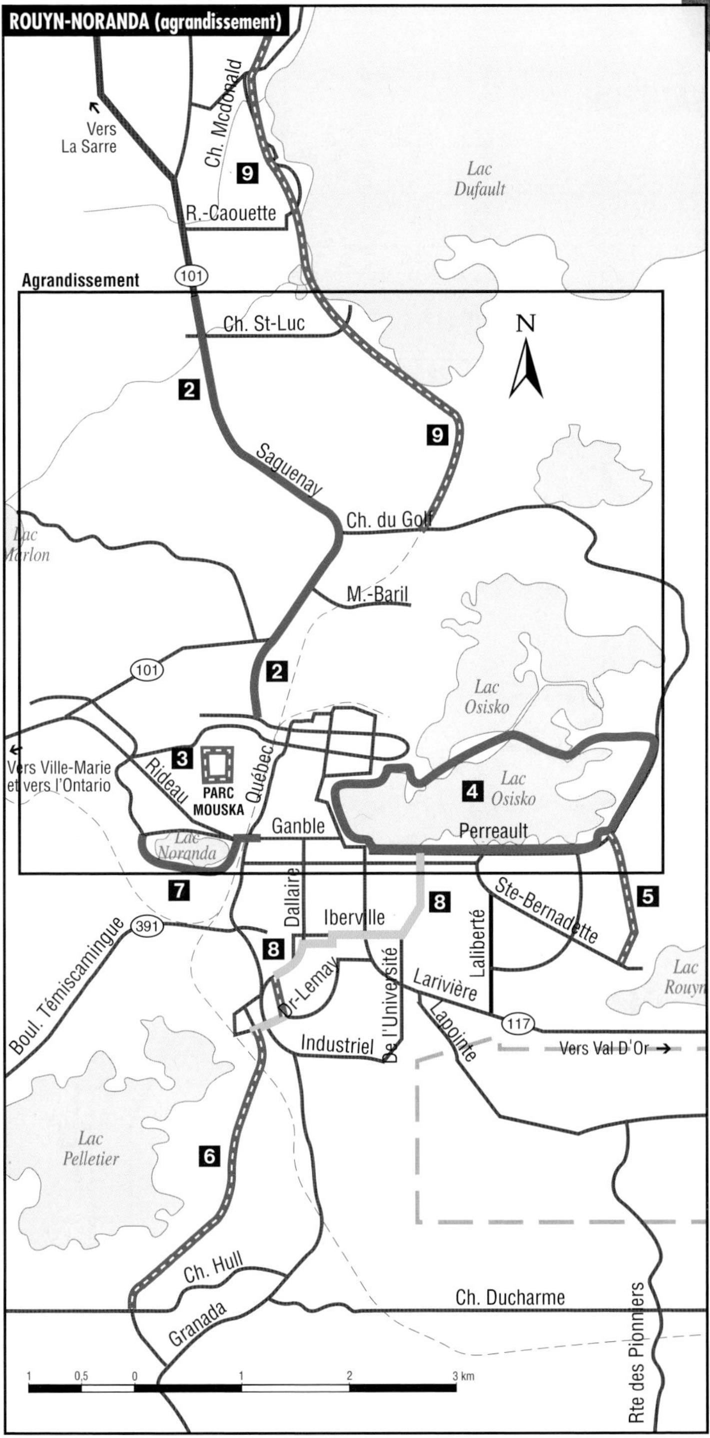
ROUYN-NORANDA (agrandissement)
Vers La Sarre
Ch. Mcdonald
9
Lac Dufault
R.-Caouette
101
Agrandissement
Ch. St-Luc
N
2
9
Saguenay
Ch. du Golf
Lac Marlon
M.-Baril
101
2
Lac Osisko
Vers Ville-Marie et vers l'Ontario
3
Rideau
PARC MOUSKA
Québec
4
Lac Osisko
Ganble
Perreault
Lac Noranda
7
8
5
Dallaire
Iberville
Ste-Bernadette
Laliberté
391
Boul. Témiscamingue
8
Dr-Lemay
De l'Université
Larivière
Lac Rouyn
Lapointe
117
Industriel
Vers Val D'Or →
Lac Pelletier
6
Ch. Hull
Ch. Ducharme
Granada
Rte des Pionniers
1 0,5 0 1 2 3 km

VAL-D'OR

	KM	PISTE CYCLABLE ■	BANDE CYCLABLE ■	CHAUSSÉE DÉSIGNÉE ■
1 Municipale	7,0		7,0	
2 Aéroport	2,6		2,6	
3 ndustriel	0,9		0,9	
4 Forêt récréative	14,0	14,0		
5 Cossette	3,5	3,5		
Total	**28,0**			

☎ (819) 824-9613
🚲 Mai à octobre

VAL-D'OR (agrandissement)

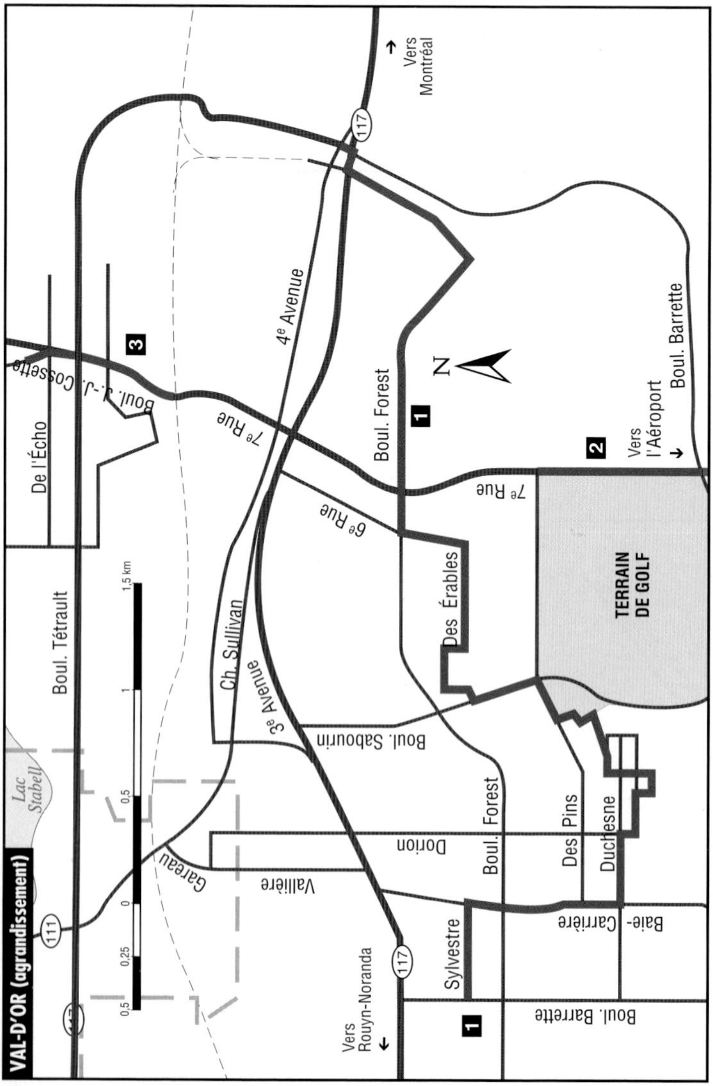

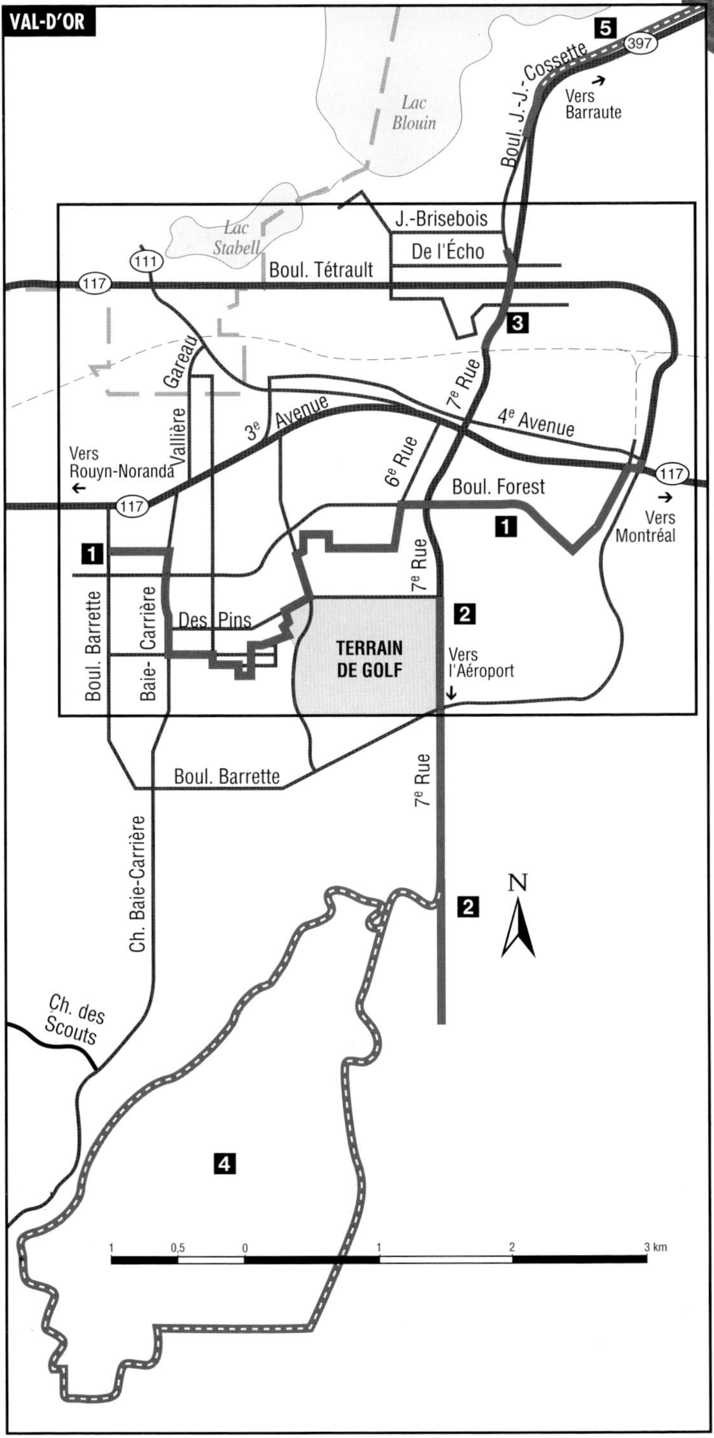
VAL-D'OR
Lac Blouin
Lac Stabell
5
397
Boul. J.-J.-Cossette
Vers Barraute
J.-Brisebois
De l'Écho
111
117
Boul. Tétrault
3
Gareau
Vallière
7e Rue
3e Avenue
4e Avenue
6e Rue
Vers Rouyn-Noranda
117
117
Boul. Forest
1
Vers Montréal
1
7e Rue
Boul. Barrette
Baie-Carrière
Des Pins
TERRAIN DE GOLF
2
Vers l'Aéroport
Boul. Barrette
7e Rue
Ch. Baie-Carrière
N
2
Ch. des Scouts
4
1
0,5
0
1
2
3 km

14 Saguenay–Lac-Saint-Jean

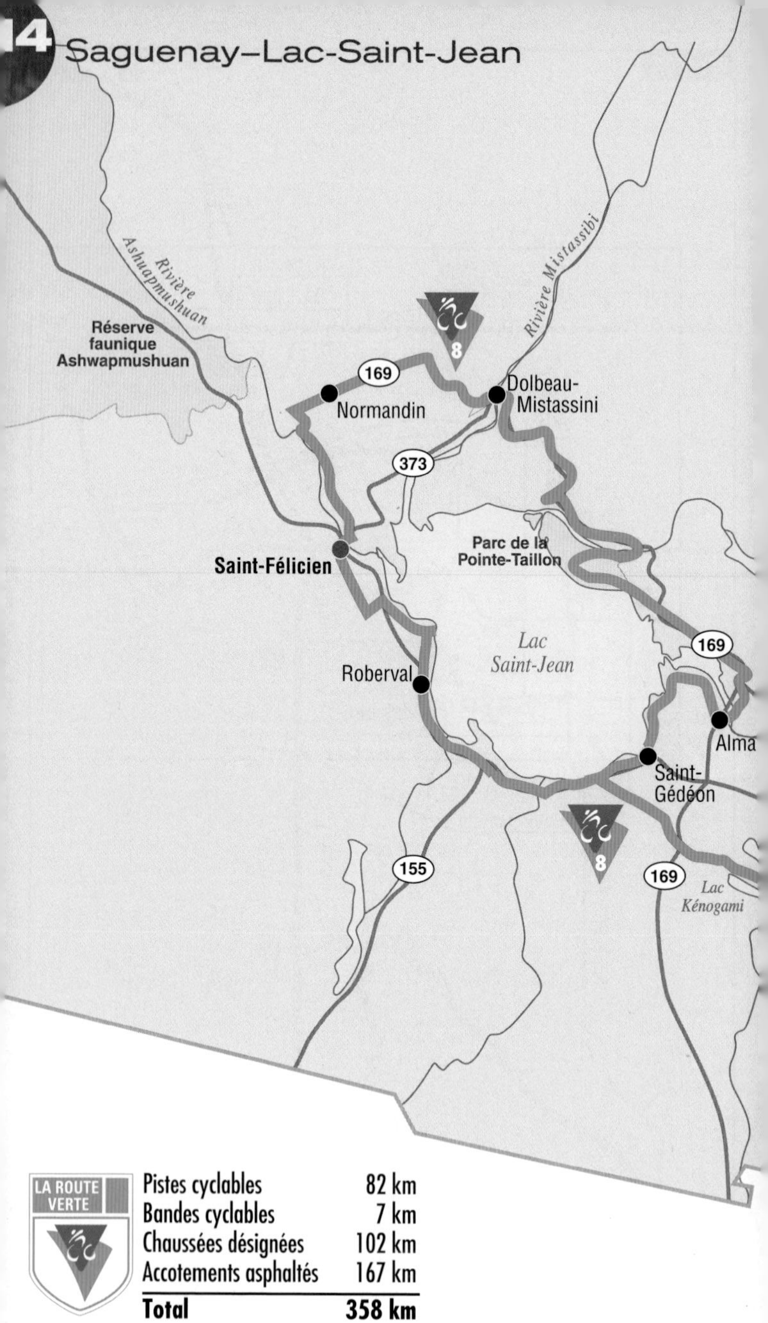

LA ROUTE VERTE

Pistes cyclables	82 km
Bandes cyclables	7 km
Chaussées désignées	102 km
Accotements asphaltés	167 km
Total	**358 km**

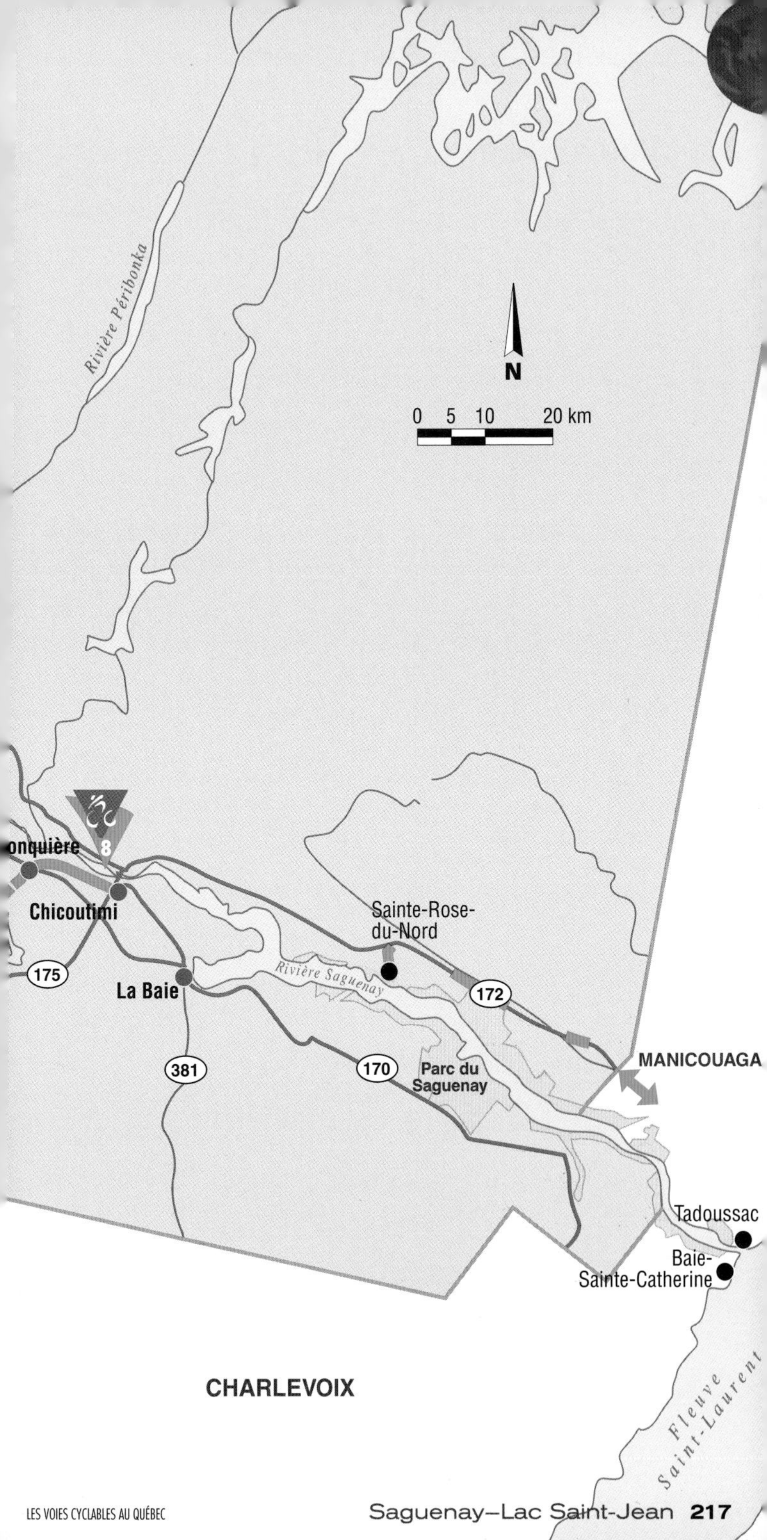
Rivière Péribonka
N
0 5 10 20 km
8
onquière
Chicoutimi
175
La Baie
381
Sainte-Rose-
du-Nord
Rivière Saguenay
172
170
Parc du
Saguenay
MANICOUAGA
Tadoussac
Baie-
Sainte-Catherine
CHARLEVOIX
Fleuve
Saint-Laurent

SAGUENAY (Chicoutimi)

	KM	PISTE CYCLABLE	BANDE CYCLABLE	CHAUSSÉE DÉSIGNÉE	ACCOTEMENT
1 Georges-Vanier	2,6	1,9	0,7		
2 Riv. du Moulin	3,5	3,5			
3 Route verte 8	4,0	4,0			
4 Pont Ste-Anne	1,2	1,2			
5 Roussel-Vimy	2,6	2,0	0,6		
6 Réserve	2,5	1,5			1,0
7 Malraux/Barrette	2,9	1,5	1,4		
8 Des Roitelets	2,0	2,0			
9 Pont Dubuc	1,0	1,0			
Total	**22,3**				

(418) 698-3000
Mai aux neiges

SAGUENAY (Jonquière)

	KM	PISTE CYCLABLE	BANDE CYCLABLE	CHAUSSÉE DÉSIGNÉE
1 Saguenay/ Route verte 8	9,1	7,1		2,0
2 R.-Lévesque/Panet/ Route verte 8	7,7	6,0	0,2	1,5
3 De la Rivière/ Route verte 8	13,8	2,5	11,0	0,3
4 Mellon	1,8	1,8		
5 Du Royaume	4,2	2,2	2,0	
6 Roi-Georges	1,0	0,3	0,7	
Total	**37,6**			

(418) 699-6030
Mai à novembre

Carte page 220

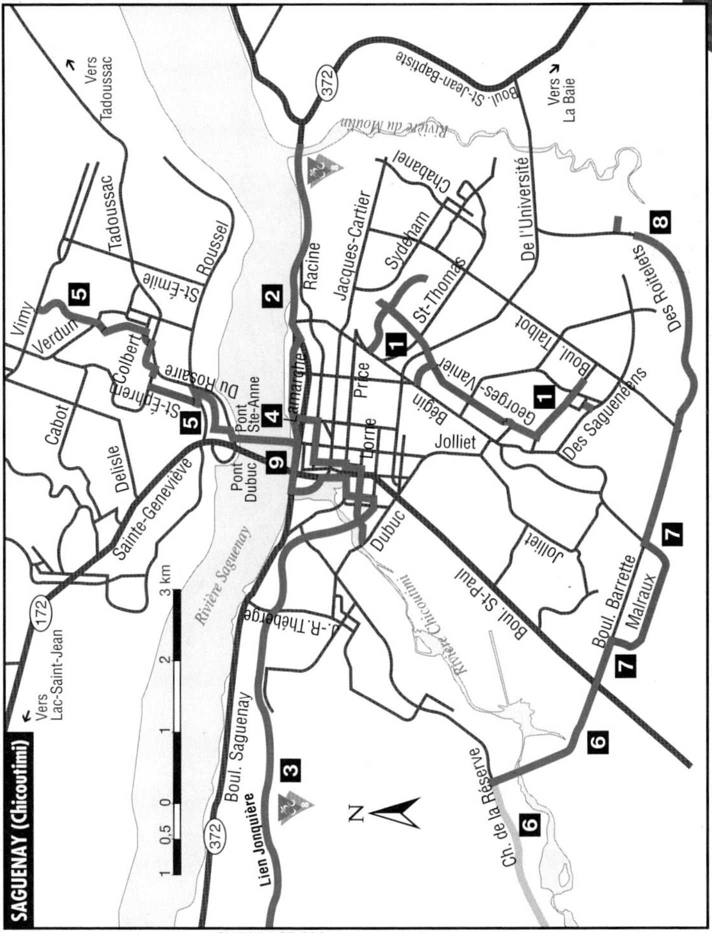

SUITE PAGE 220

SUITE PAGE 219

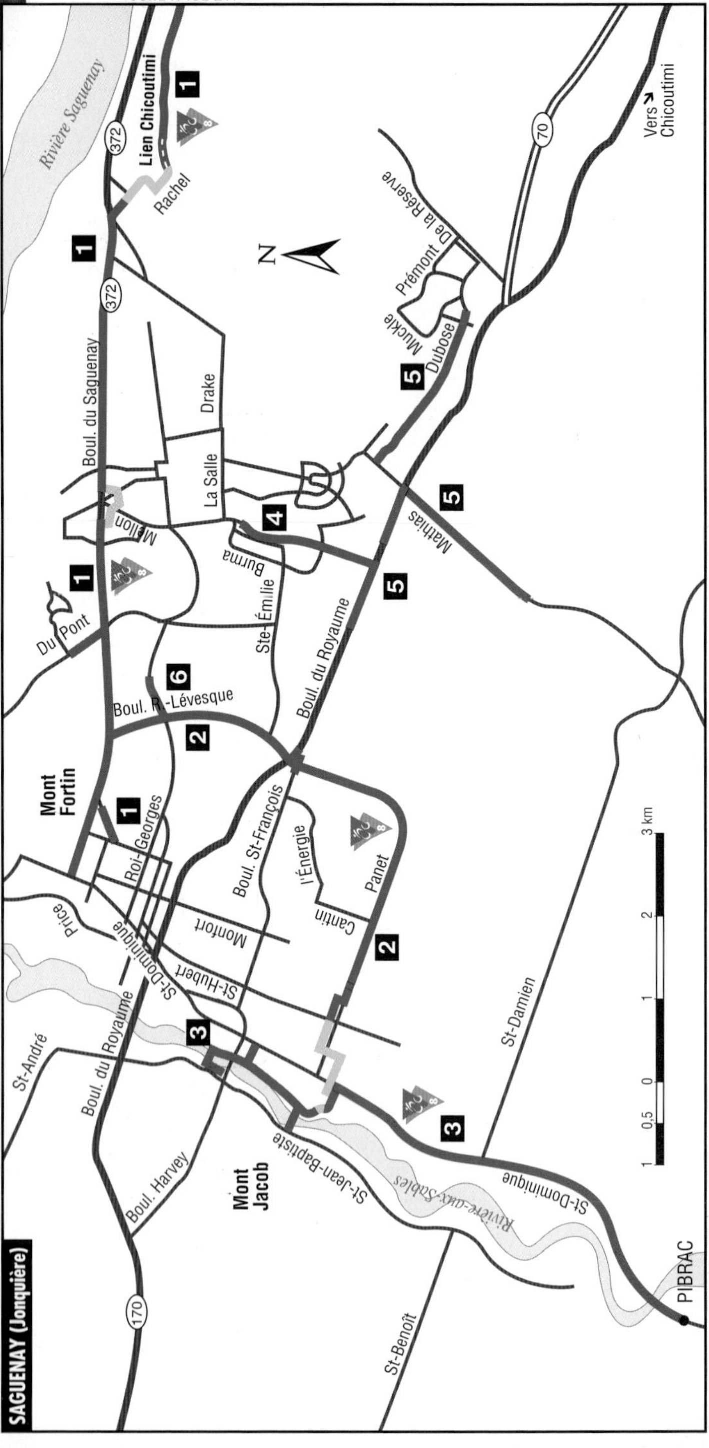

SAGUENAY (La Baie)

	KM	PISTE CYCLABLE	BANDE CYCLABLE	CHAUSSÉE DÉSIGNÉE
1 Axe nord-sud	5,3	5,0	0,3	
2 Mgr-Dufour	0,5	0,5		
3 6e rue/du Petit Parc	2,5		2,5	
Total	**8,3**			

(418) 697-5000
Mai à octobre

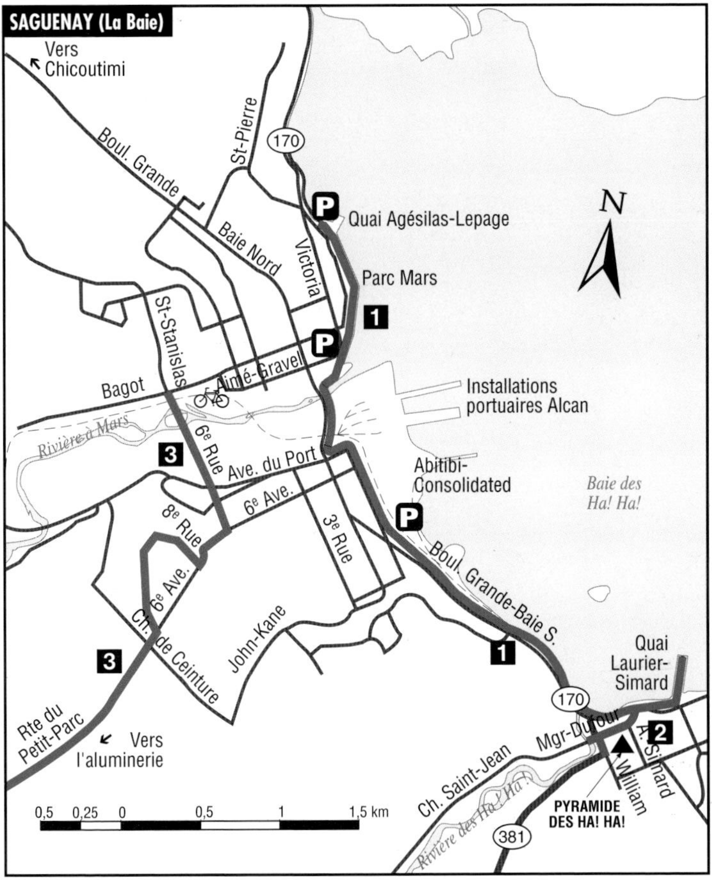

SAINT-FÉLICIEN

	KM	PISTE CYCLABLE ■	BANDE CYCLABLE ■	CHAUSSÉE DÉSIGNÉE ■
1 Réseau cyclable	21,0	2,5	15,5	3,0

☎ (418) 679-9888
🚲 Début mai
à la fin octobre

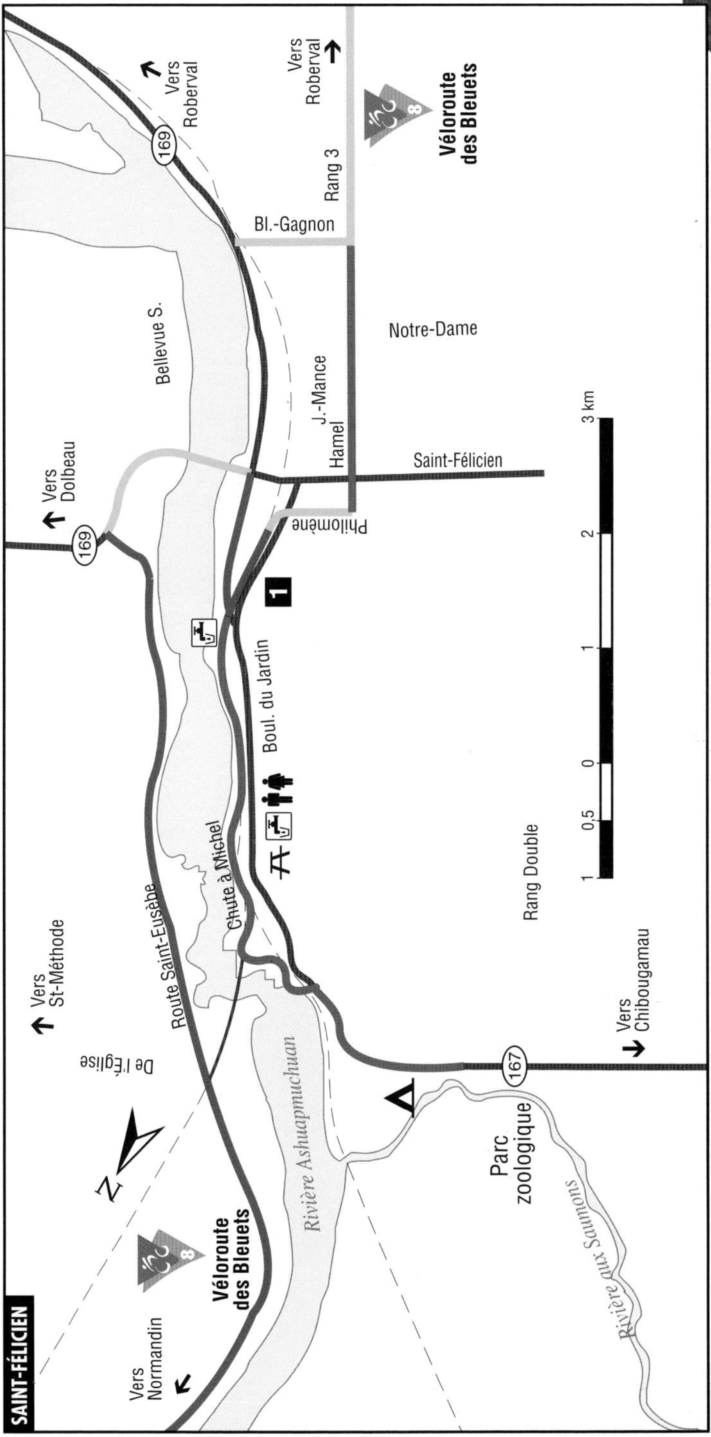
SAINT-FÉLICIEN
Vers Roberval
169
Vers Roberval
Véloroute des Bleuets
8
Rang 3
Bl.-Gagnon
Bellevue S.
Notre-Dame
J.-Mance
Hamel
Saint-Félicien
Vers Dolbeau
169
Philomène
1
Boul. du Jardin
Chute à Michel
Route Saint-Eusèbe
Rang Double
Vers St-Méthode
De l'Église
Vers Chibougamau
167
Rivière Ashuapmuchuan
Parc zoologique
Rivière aux Saumons
Véloroute des Bleuets
8
Vers Normandin
N
1 0,5 0 1 2 3 km

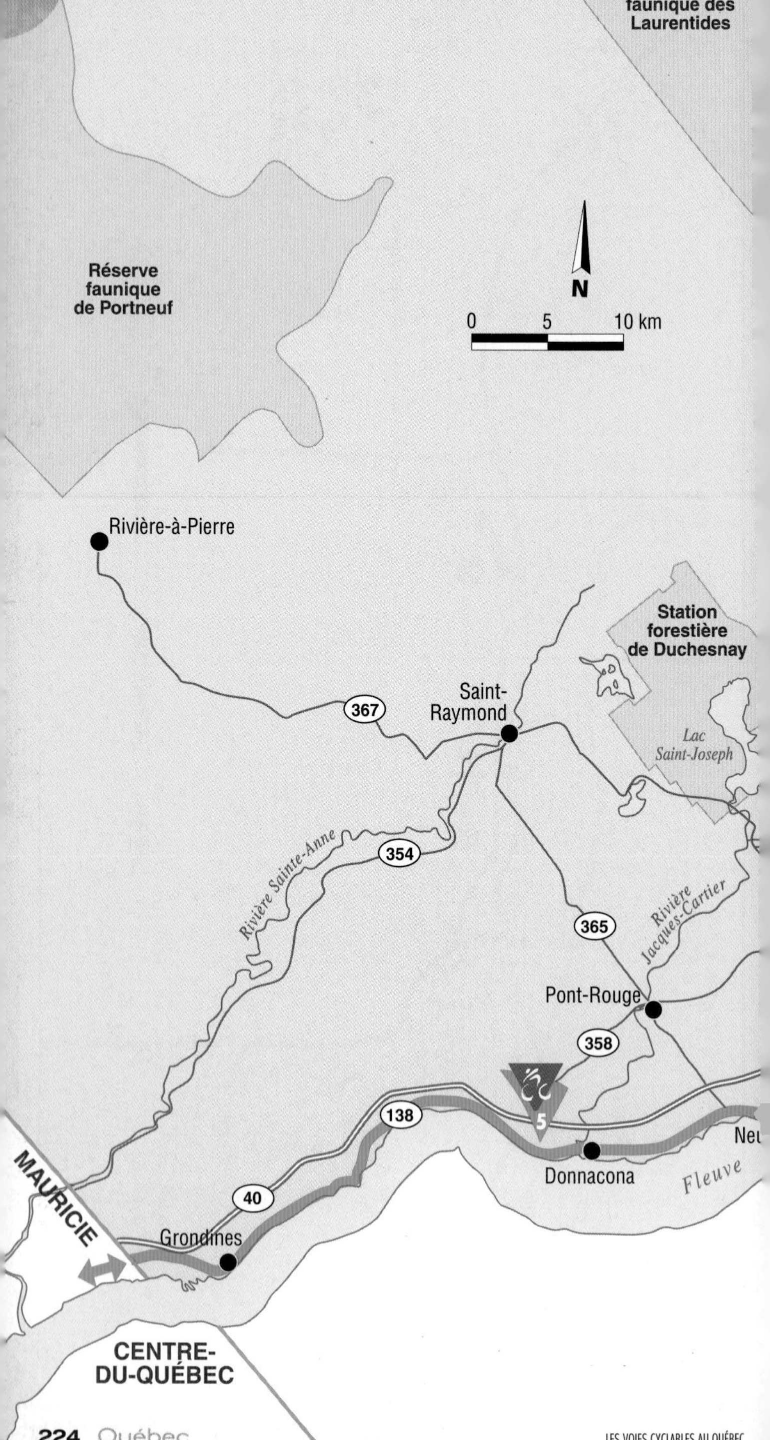
Réserve faunique des Laurentides
Réserve faunique de Portneuf
N
0 5 10 km
Rivière-à-Pierre
Station forestière de Duchesnay
Lac Saint-Joseph
Saint-Raymond
367
354
Rivière Sainte-Anne
365
Rivière Jacques-Cartier
Pont-Rouge
358
5
138
Donnacona
Neu
Fleuve
40
Grondines
MAURICIE
CENTRE-DU-QUÉBEC

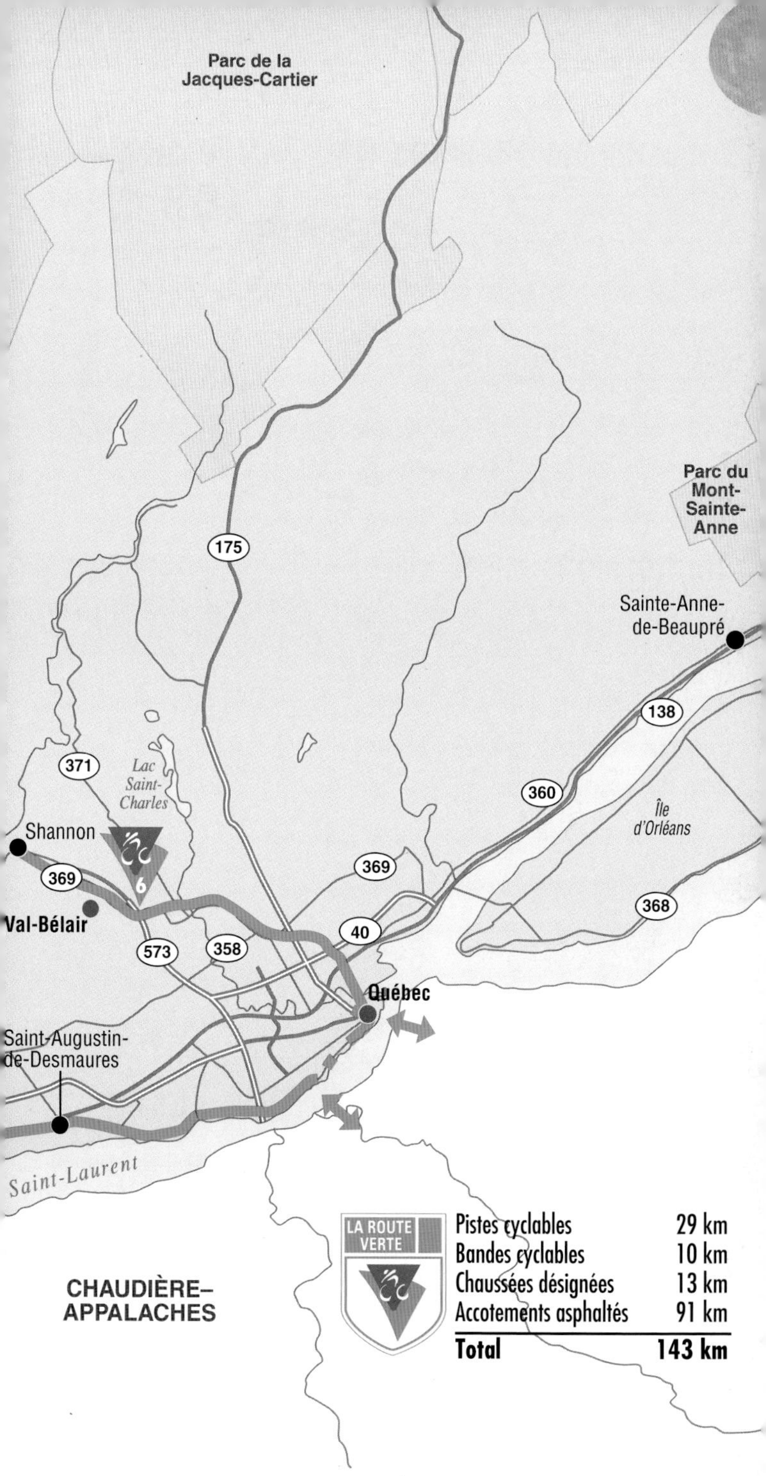

Pistes cyclables	29 km
Bandes cyclables	10 km
Chaussées désignées	13 km
Accotements asphaltés	91 km
Total	**143 km**

CORRIDOR DES CHEMINOTS

VOIE CYCLABLE INTERMUNICIPALE

(418) 649-2636
Mai à octobre

	KM	PISTE CYCLABLE	BANDE CYCLABLE	CHAUSSÉE DÉSIGNÉE
1 Shannon/Québec	22,0	22,0		
Total	**22,0**			

JACQUES-CARTIER/PORTNEUF

VOIE CYCLABLE INTERMUNICIPALE

(418) 337-7525
1 800 409-2012
Mi-mai à novembre

Carte page 228

	KM	PISTE CYCLABLE	BANDE CYCLABLE	CHAUSSÉE DÉSIGNÉE
1 Jacques-Cartier/ Portneuf	68,0	68,0		
Total	**68,0**			

STATION MONT-SAINTE-ANNE

(418) 827-4561
1er juin au 11 octobre

Carte page 229

	KM	PISTE CYCLABLE	BANDE CYCLABLE	CHAUSSÉE DÉSIGNÉE
1 Chemin St-Julien	1,4			1,4
2 Chemin du Golf	0,7	0,7		
3 Tour du Lac	2,0	2,0		
4 Circuit Jean-Larose	7,5	7,5		
5 Le Corridor	1,7	1,7		
Total	**13,3**			

PAGES 227-234 33

CORRIDOR DES CHEMINOTS

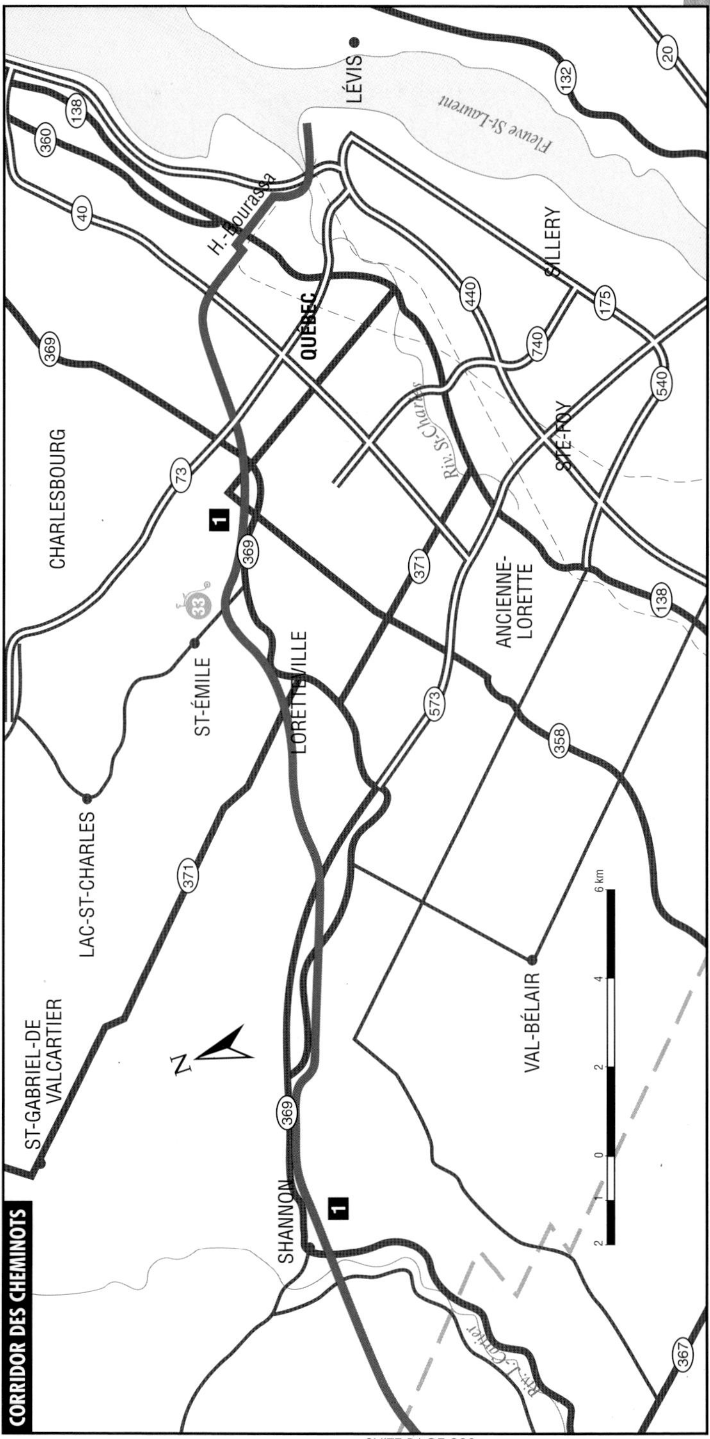

SUITE PAGE 228

SUITE PAGE 227

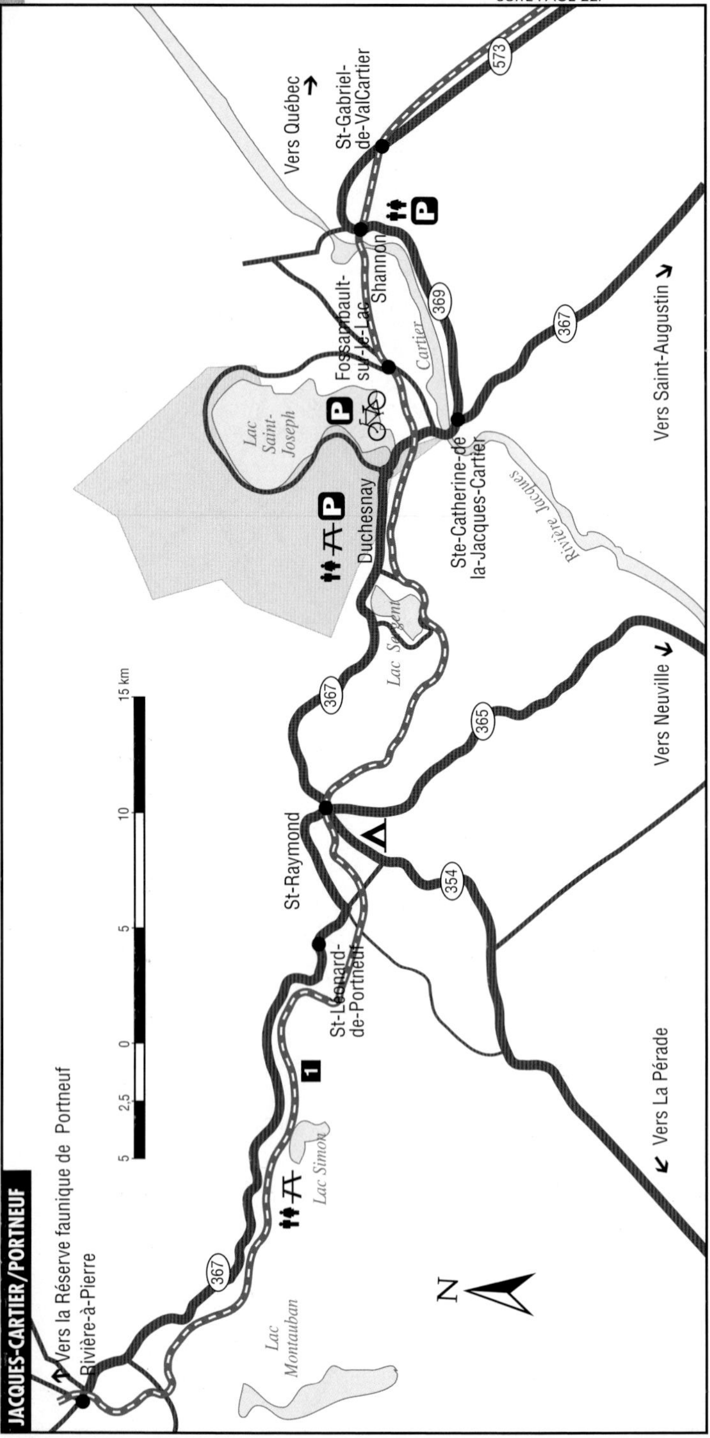

JACQUES-CARTIER/PORTNEUF
Vers la Réserve faunique de Portneuf
Rivière-à-Pierre
367
Lac Montauban
Lac Simon
1
5
2,5
0
5
10
15 km
St-Léonard-de-Portneuf
St-Raymond
354
365
367
Lac Sergent
Duchesnay
Lac Saint-Joseph
Fossambault-sur-le-Lac
Ste-Catherine-de-la-Jacques-Cartier
Rivière Jacques
Cartier
369
367
Shannon
St-Gabriel-de-ValCartier
573
Vers Québec
Vers Saint-Augustin
Vers Neuville
Vers La Pérade
N
P

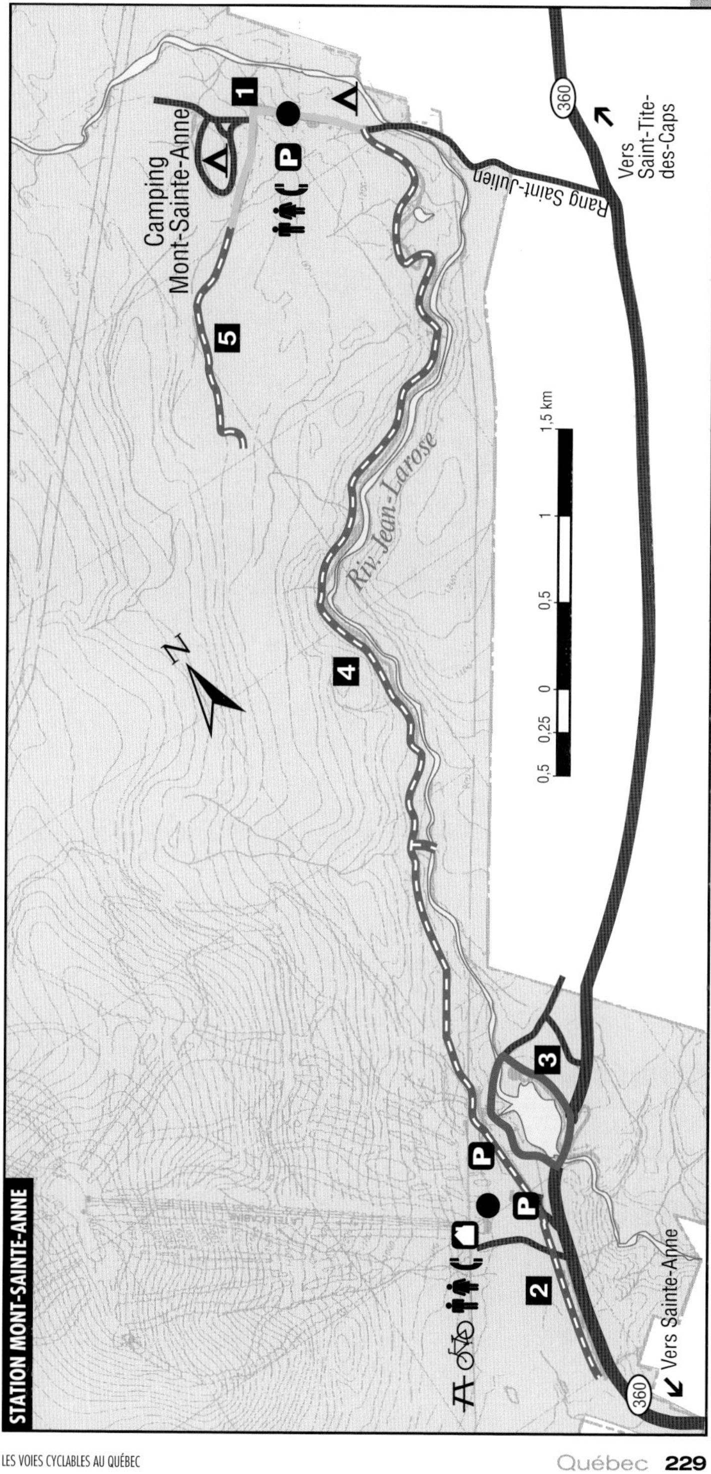
STATION MONT-SAINTE-ANNE
Camping Mont-Sainte-Anne
1
2
3
4
5
Riv. Jean-Larose
Rang Saint-Julien
360
Vers Saint-Tite-des-Caps
Vers Sainte-Anne
N
0,5
0,25
0
0,5
1
1,5 km

La présentation des voies cyclables de la ville de Québec est différente de celle que vous retrouvez ailleurs dans ce guide. Afin de faciliter la consultation, la ville a été divisée en quatre cartes.

QUÉBEC (Laurentien)

	KM	PISTE CYCLABLE ■	BANDE CYCLABLE ■	CHAUSSÉE DÉSIGNÉE
Total	90,0	20,6	54,2	15,2

☎ (418) 641-6224
🚲 1er mai au 30 septembre

Cartes Québec pages 232 à 235

QUÉBEC (Sainte-Foy-Sillery)

	KM	PISTE CYCLABLE ■	BANDE CYCLABLE ■	CHAUSSÉE DÉSIGNÉE
Total	38,3	15,4	14,9	8,0

QUÉBEC (Les Rivières)

	KM	PISTE CYCLABLE ■	BANDE CYCLABLE ■	CHAUSSÉE DÉSIGNÉE ■
Total	33,9	20,4	10,6	2,9

QUÉBEC (La Haute Saint-Charles)

	KM	PISTE CYCLABLE ■	BANDE CYCLABLE ■	CHAUSSÉE DÉSIGNÉE ■
Total	19,4	5,5	12,8	1,1

QUÉBEC (Charlesbourg)

	KM	PISTE CYCLABLE ■	BANDE CYCLABLE ■	CHAUSSÉE DÉSIGNÉE ■
Total	25,8	5,4	12,0	8,4

QUÉBEC (Beauport)

	KM	PISTE CYCLABLE ■	BANDE CYCLABLE ■	CHAUSSÉE DÉSIGNÉE ■
Total	26,6	23,9	1,7	1,0

QUÉBEC (Limoilou)

	KM	PISTE CYCLABLE ■	BANDE CYCLABLE ■	CHAUSSÉE DÉSIGNÉE ■
Total	19,8	9,3	4,1	6,4

QUÉBEC (La Cité)

	KM	PISTE CYCLABLE ■	BANDE CYCLABLE ■	CHAUSSÉE DÉSIGNÉE ■
Total	19,8	10,8	0,6	8,4

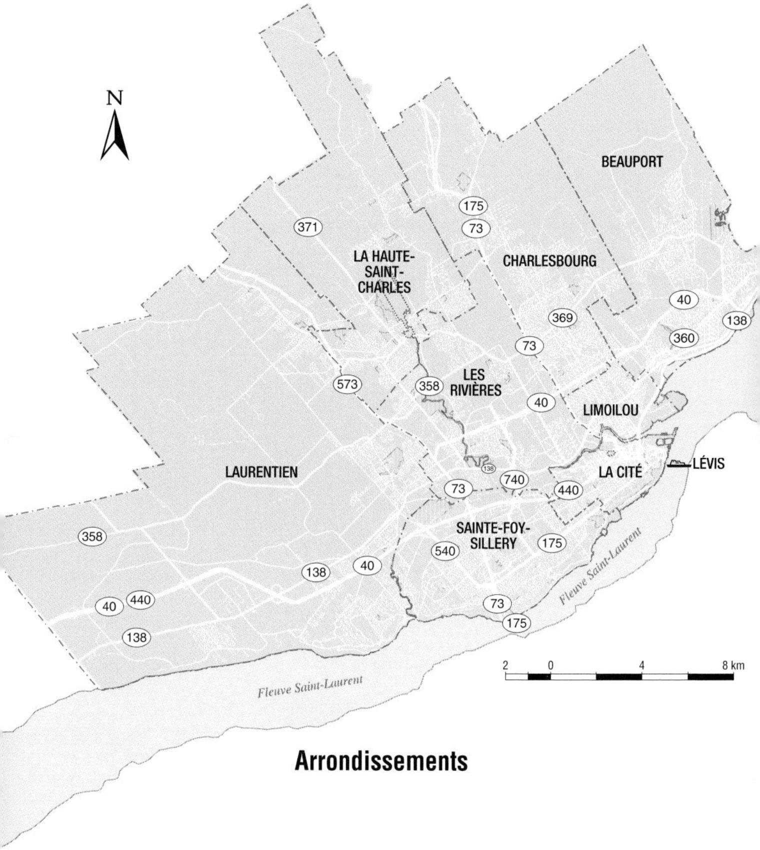

Arrondissements

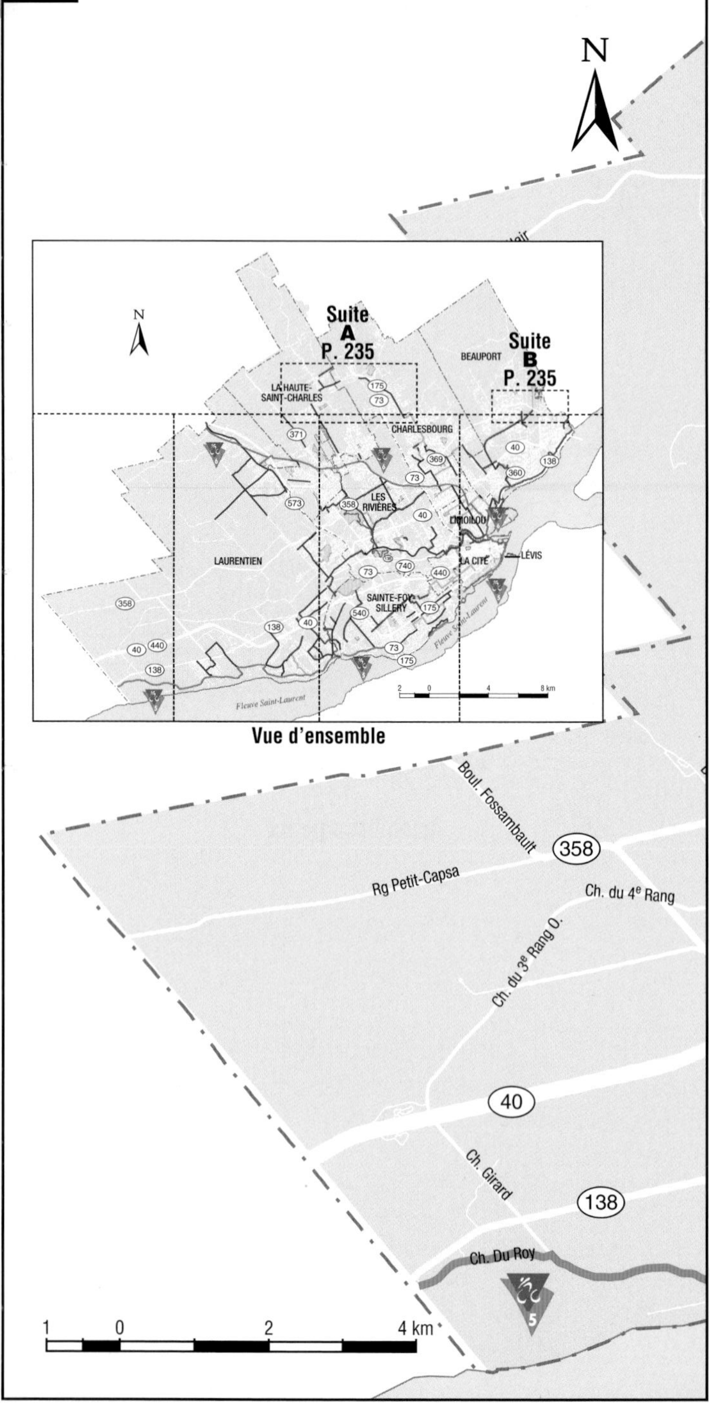
N
Suite
A
P. 235
Suite
B
P. 235
BEAUPORT
LA HAUTE-SAINT-CHARLES
CHARLESBOURG
LES RIVIÈRES
LIMOILOU
LA CITÉ
LÉVIS
LAURENTIEN
SAINTE-FOY–SILLERY
Fleuve Saint-Laurent
Vue d'ensemble
Boul. Fossambault
Rg Petit-Capsa
Ch. du 4e Rang
Ch. du 3e Rang O.
Ch. Girard
Ch. Du Roy
358
40
138
1 0 2 4 km

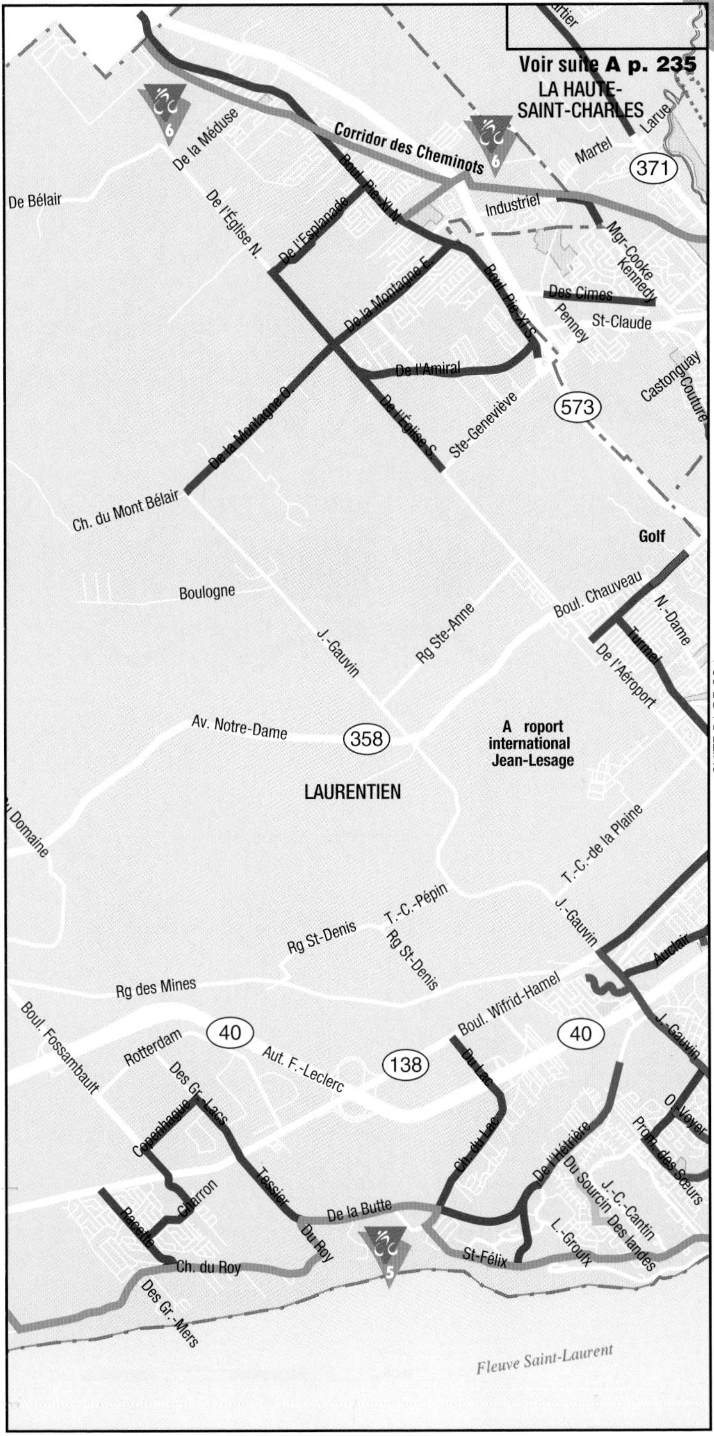
Voir suite A p. 235
LA HAUTE-SAINT-CHARLES
Corridor des Cheminots
De la Méduse
De Bélair
De l'Église N.
De l'Esplanade
Boul. Pie-XI N.
Martel
Larue
371
Industriel
Mgr-Cooke
Kennedy
Des Cimes
St-Claude
Penney
Boul. Pie-XI S.
De la Montagne E.
De l'Amiral
De la Montagne O.
De l'Église S.
Ste-Geneviève
573
Castonguay
Couture
Ch. du Mont Bélair
Golf
Boulogne
Boul. Chauveau
N.-Dame
Turmel
De l'Aéroport
J.-Gauvin
Rg Ste-Anne
Av. Notre-Dame
358
A roport international Jean-Lesage
LAURENTIEN
Du Domaine
T.-C.-de la Plaine
T.-C.-Pépin
Rg St-Denis
Rg St-Denis
J.-Gauvin
Auclair
Rg des Mines
Boul. Wilfrid-Hamel
Boul. Fossambault
Rotterdam
40
Aut. F.-Leclerc
138
40
J.-Gauvin
Des Gr.-Lacs
Du Lac
Copenhague
Ch. du Lac
O.-Voyer
Prom. des Sœurs
De l'Hêtrière
Du Sourcin
J.-C.-Cantin
Des landes
Charron
Tessier
De la Butte
L.-Groulx
Racette
Du Roy
St-Félix
Ch. du Roy
Des Gr.-Mers
Fleuve Saint-Laurent
SUITE PAGE 234

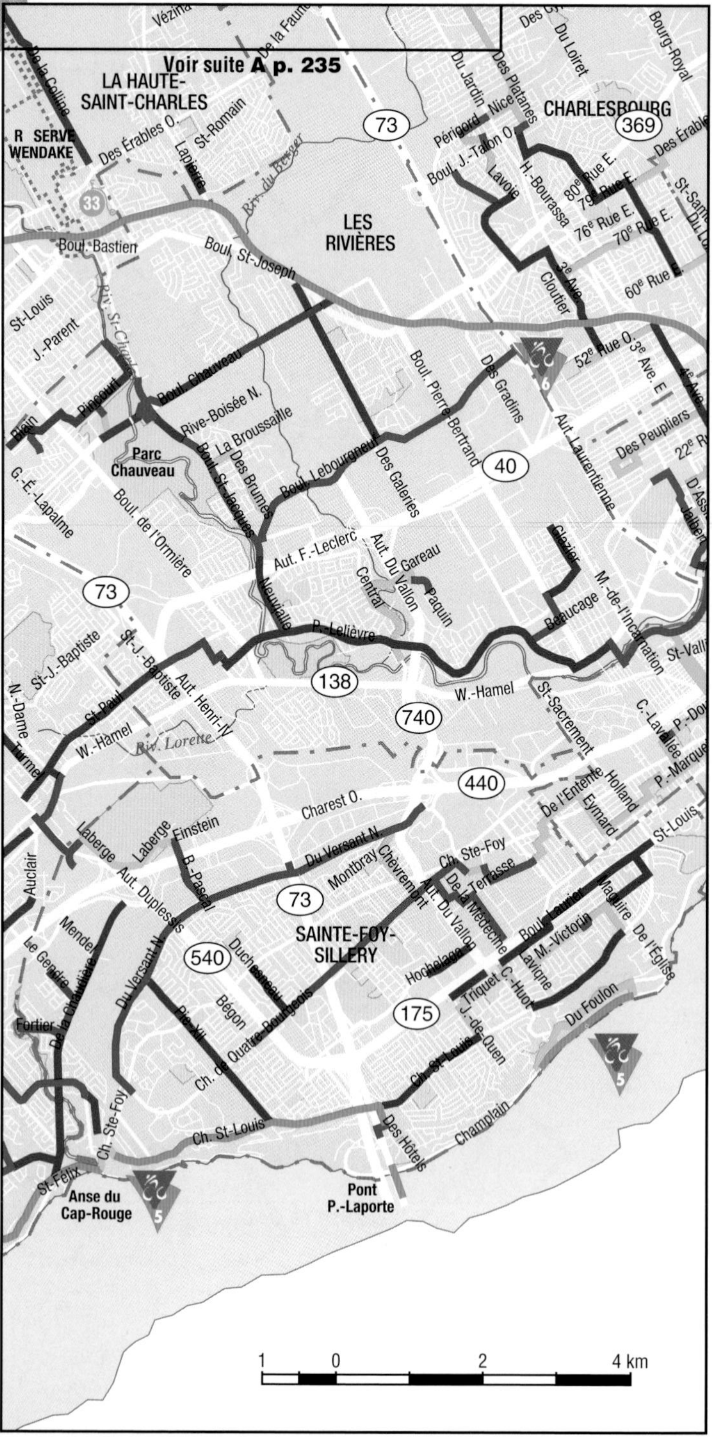

Voir suite A p. 235
LA HAUTE-SAINT-CHARLES
RÉSERVE WENDAKE
CHARLESBOURG
LES RIVIÈRES
Parc Chauveau
SAINTE-FOY-SILLERY
Anse du Cap-Rouge
Pont P.-Laporte
SUITE PAGE 233
Boul. Bastien
Boul. St-Joseph
Boul. Chauveau
Boul. Lebourgneuf
Boul. Pierre-Bertrand
Boul. St-Jacques
Boul. de l'Ormière
Aut. Laurentienne
Aut. F.-Leclerc
Aut. Du Vallon
Aut. Henri-IV
Aut. Duplessis
P.-Lelièvre
W.-Hamel
Charest O.
Du Versant N.
Ch. Ste-Foy
Ch. St-Louis
Boul. Laurier
Champlain
Du Foulon
Des Hôtels
Ch. de Quatre-Bourgeois
Pie-XII
St-Sacrement
M.-de-l'Incarnation
Riv. St-Charles
Riv. Lorette
Riv. du Berger
73
369
33
40
138
740
440
540
175
6
5
1
0
2
4 km

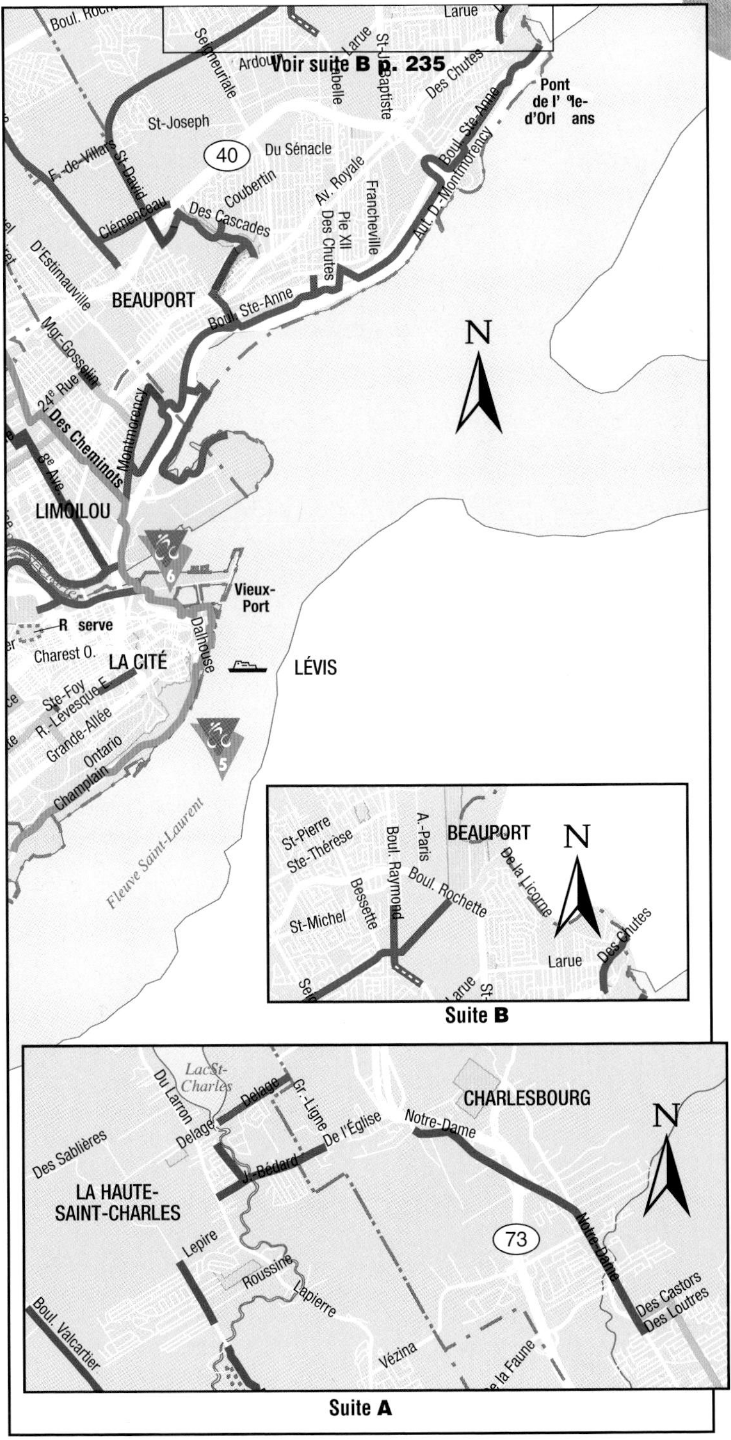
Voir suite B p. 235
Boul. Rochette
Larue
Seigneuriale
Ardouin
Isabelle
St-Jean-Baptiste
Des Chutes
Pont de l'Île-d'Orléans
St-Joseph
40
Du Sénacle
F.-de-Villars
St-David
Coubertin
Av. Royale
Boul. Ste-Anne
Aut. D.-Montmorency
Clémenceau
Des Cascades
Pie XII
Des Chutes
Francheville
D'Estimauville
BEAUPORT
Boul. Ste-Anne
N
Mgr-Gosselin
24e Rue
Des Cheminots
Montmorency
8e Ave.
LIMOILOU
6
Vieux-Port
Réserve
Charest O.
LA CITÉ
Dalhousie
LÉVIS
Ste-Foy
R.-Lévesque E.
Grande-Allée
Ontario
Champlain
5
Fleuve Saint-Laurent
St-Pierre
Ste-Thérèse
Boul. Raymond
A.-Paris
BEAUPORT
N
De la Licorne
Boul. Rochette
Bessette
St-Michel
Larue
Des Chutes
Suite B
Lac St-Charles
Du Larron
Delage
Gr.-Ligne
CHARLESBOURG
De l'Église
Notre-Dame
N
Des Sablières
J.-Bédard
LA HAUTE-SAINT-CHARLES
73
Notre-Dame
Lepire
Roussine
Lapierre
Des Castors
Des Loutres
Boul. Valcartier
Vézina
De la Faune
Suite A

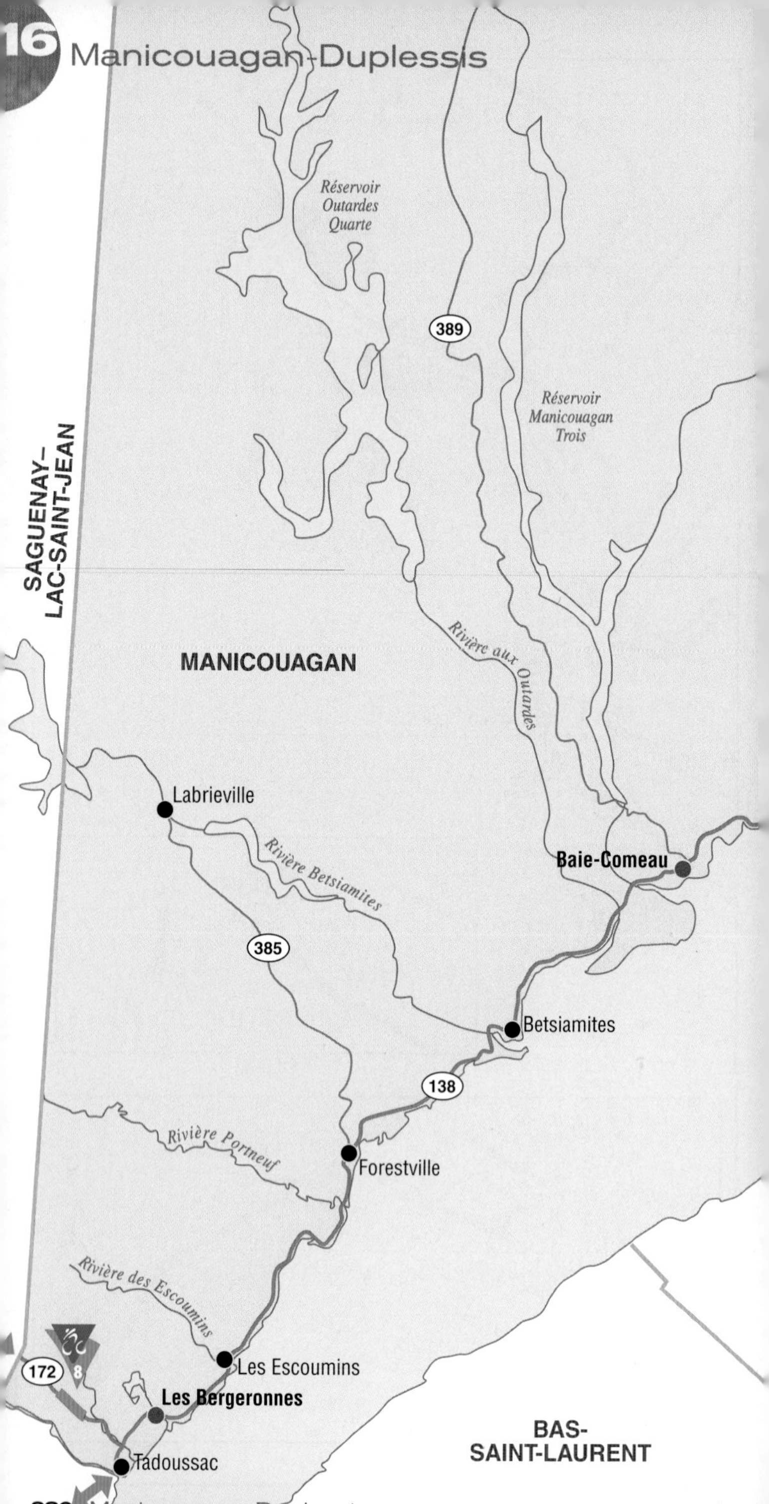
Réservoir Outardes Quarte
389
Réservoir Manicouagan Trois
SAGUENAY–LAC-SAINT-JEAN
MANICOUAGAN
Rivière aux Outardes
Labrieville
Rivière Betsiamites
Baie-Comeau
385
Betsiamites
138
Rivière Portneuf
Forestville
Rivière des Escoumins
8
172
Les Escoumins
Les Bergeronnes
Tadoussac
BAS-SAINT-LAURENT

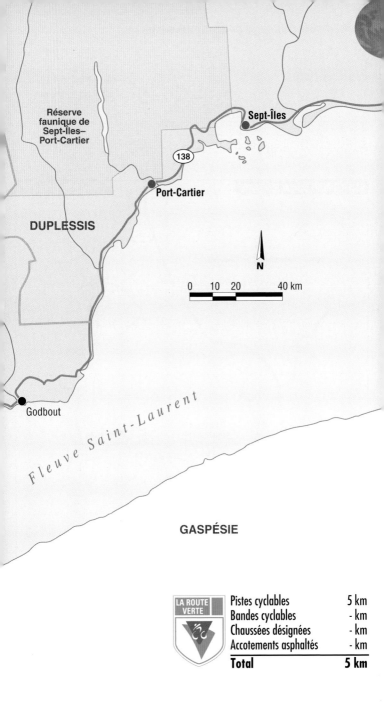

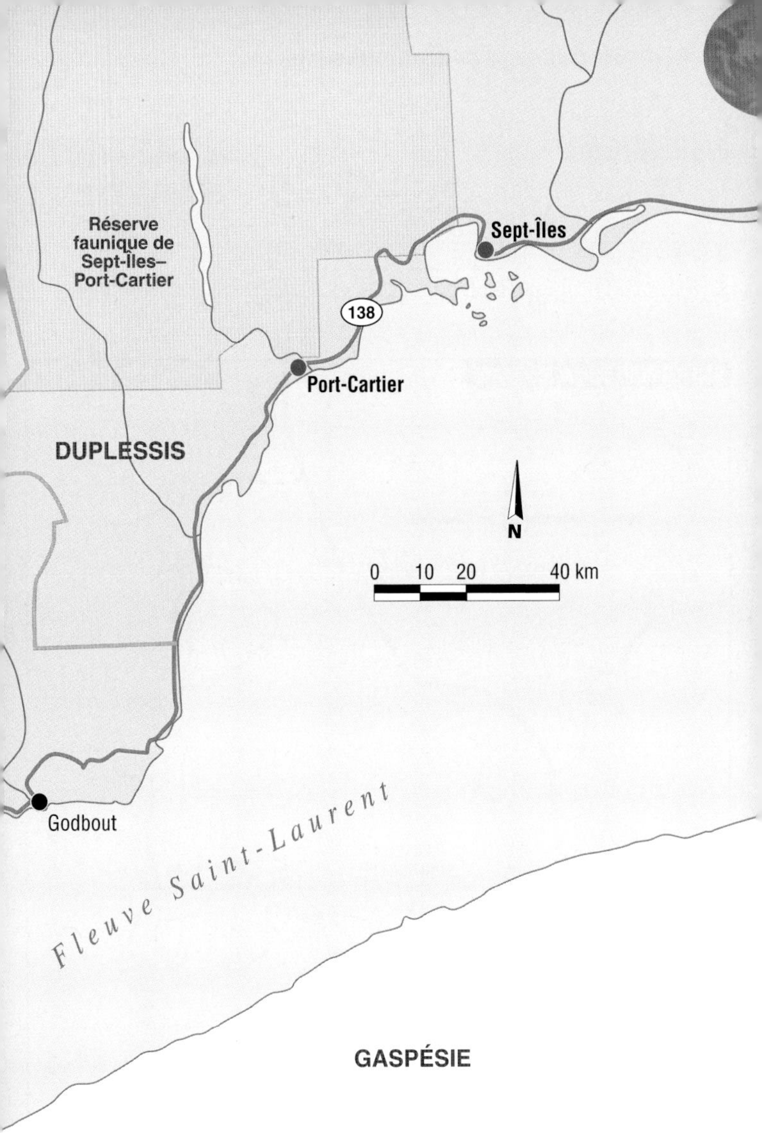

LA ROUTE VERTE

Pistes cyclables	5 km
Bandes cyclables	- km
Chaussées désignées	- km
Accotements asphaltés	- km
Total	**5 km**

BAIE-COMEAU

		KM	PISTE CYCLABLE ■	BANDE CYCLABLE ■	CHAUSSÉE DÉSIGNÉE ■	ACCO-TEMENT ■
1	Secteur Mingan	8,7	2,6	6,1		
2	Secteur Marquette	8,6	1,7	6,7	0,2	
3	Boul. P.-Ouellet	7,5	7,5			
	Total	**24,8**				

☎ (418) 296-4931
🚲 Avril à novembre

BAIE-COMEAU secteur Marquette

Vers Sept-Îles

0,5 0,25 0 0,5 1 1,5 km

389

Lac à la chasse

138

Lac Aber

Lac Leven

Route Maritime

Traversier Matane

N

Lac Comeau

Maisonneuve

Cartier

PARC DES PIONNIERS

2

2

SECTEUR MARQUETTE

Talon

Arnaud

Boul LaSalle

Babel

Duplessis

M.-Hémon

Laval

Champlain

Fleuve Saint-Laurent

Vers Secteur Mingan
←
138

2

Bérin

D.-Potvin

Du Parc

Donald Smith

3

2

SUITE PAGE 239

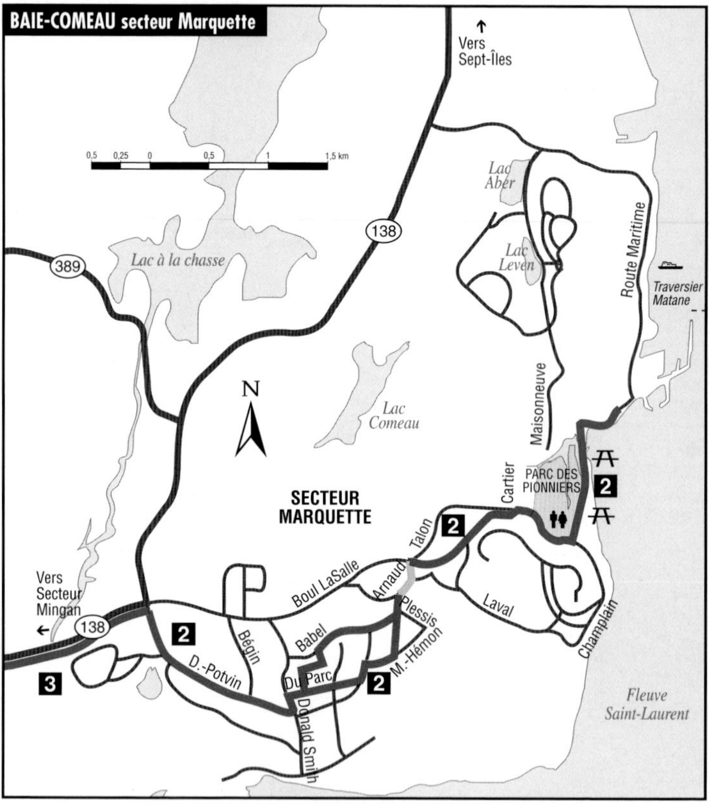

LES BERGERONNES

		KM	PISTE CYCLABLE ■	BANDE CYCLABLE ■	CHAUSSÉE DÉSIGNÉE ■
1	Accès village	5,0			5,0
2	Rang St-Joseph	15,0			15,0
3	Sentier	16,0	16,0		
	Total	**36,0**			

☎ (418) 232-6453
🚲 1er mai au 1er décembre

Carte page 240

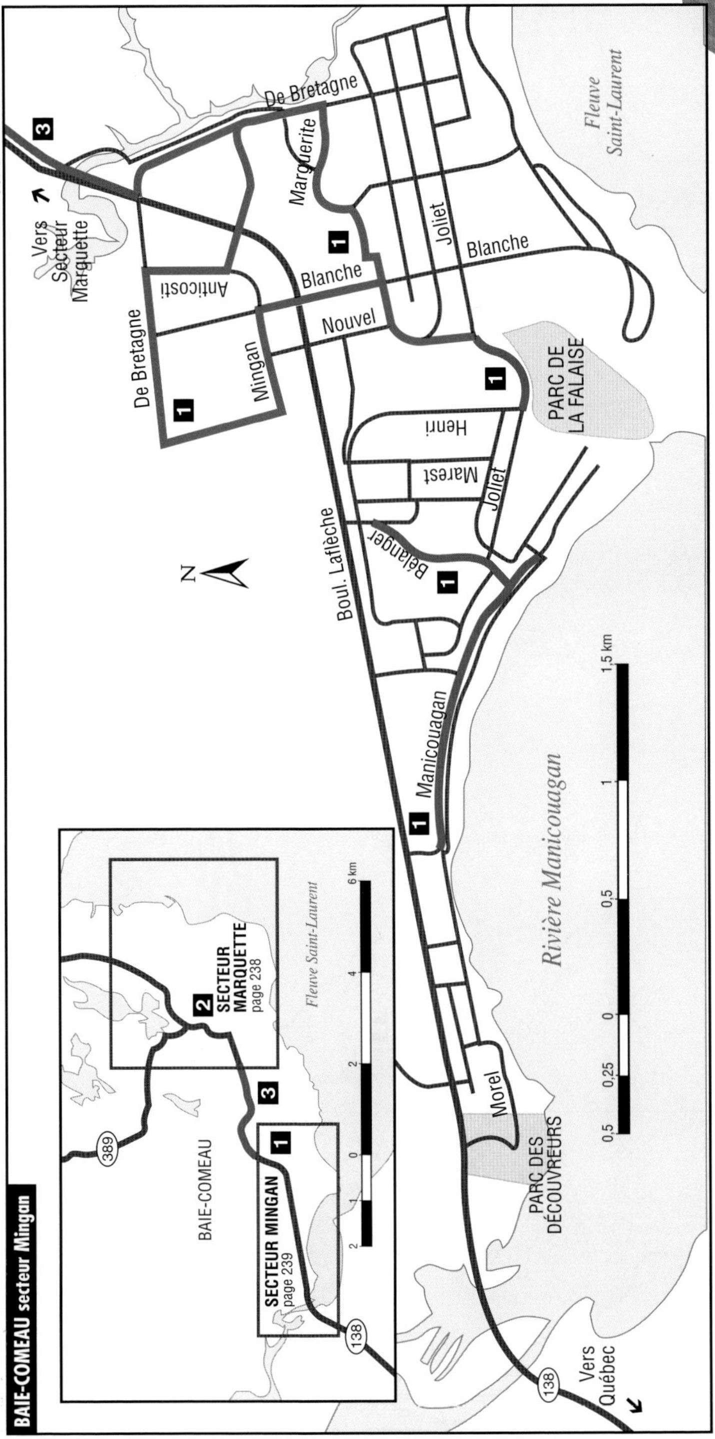

BAIE-COMEAU secteur Mingan
SUITE PAGE 238
Vers Secteur Marquette
De Bretagne
Marguerite
Anticosti
Blanche
Nouvel
Mingan
Joliet
Henri
Marest
Bélanger
Boul. Laflèche
Manicouagan
Morel
PARC DE LA FALAISE
PARC DES DÉCOUVREURS
Fleuve Saint-Laurent
Rivière Manicouagan
Vers Québec
138
0,5 0,25 0 0,5 1 1,5 km
BAIE-COMEAU
389
SECTEUR MINGAN page 239
SECTEUR MARQUETTE page 238
2 1 0 2 4 6 km

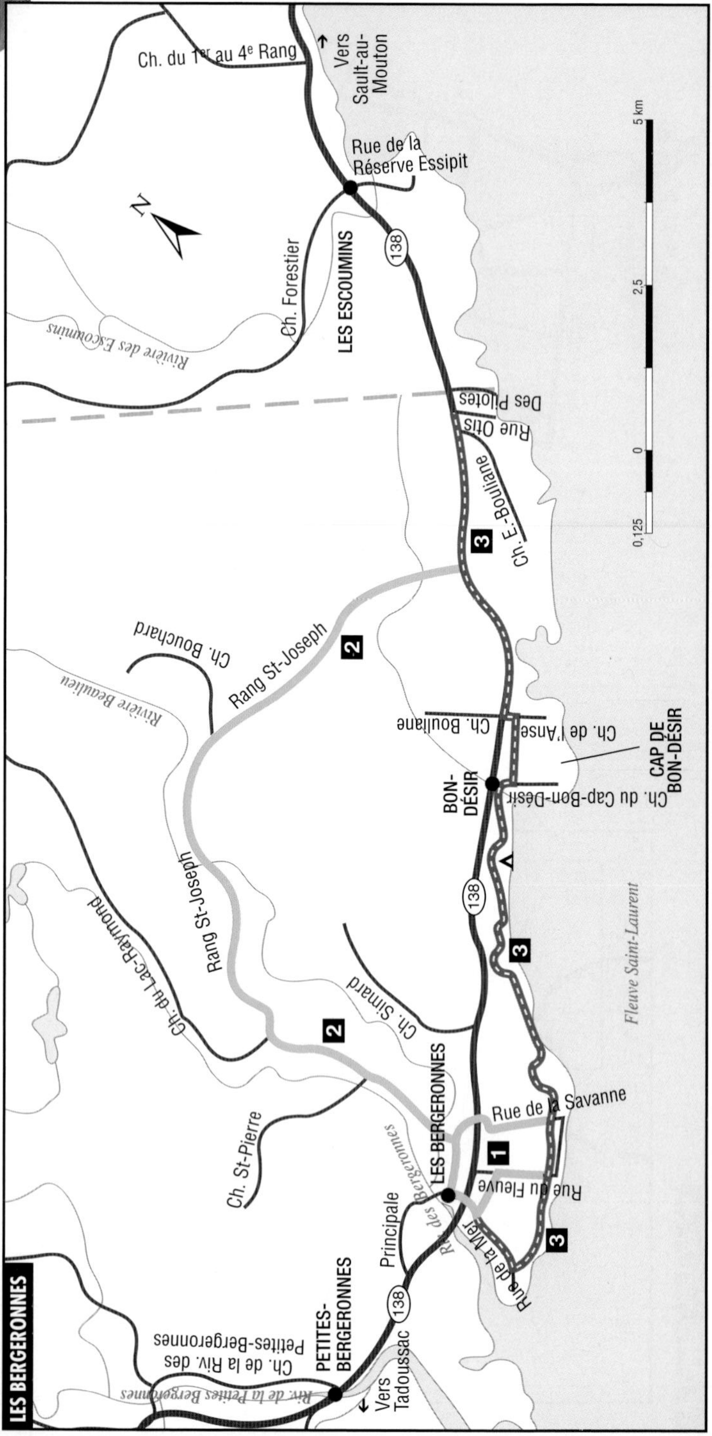
LES BERGERONNES
Ch. du 1er au 4e Rang
Vers Sault-au-Mouton
Rue de la Réserve Essipit
N
Ch. Forestier
LES ESCOUMINS
138
Rivière des Escoumins
Des Pilotes
Rue Otis
Ch. E.-Bouliane
3
Ch. Bouchard
Rang St-Joseph
2
Rivière Beaulieu
Ch. Bouliane
Ch. de l'Anse
CAP DE BON-DÉSIR
BON-DÉSIR
Ch. du Cap-Bon-Désir
Fleuve Saint-Laurent
Ch. du Lac-Raymond
Ch. Simard
Rue de la Savanne
1
LES BERGERONNES
Ch. St-Pierre
Riv. des Bergeronnes
Rue du Fleuve
Principale
Rue de la Mer
PETITES-BERGERONNES
Ch. de la Riv. des Petites-Bergeronnes
Riv. de la Petites Bergeronnes
Vers Tadoussac
0,125
0
2,5
5 km

PORT-CARTIER

(418) 766-5590
Mai à septembre

Carte page 242

	KM	PISTE CYCLABLE	BANDE CYCLABLE	CHAUSSÉE DÉSIGNÉE
1 Boulevard des Iles	3,0	3,0		
2 Rue de la Rivière	2,4		2,4	
3 Avenue Boisvert	0,9		0,9	
4 Boulevard Portage des Mousses	3,5	3,5		
5 Rue Rochelois	1,7		1,7	
6 Ile Patterson	2,5	2,5		
7 Ile McCormick	1,5	1,5		
8 Rue Élie-Rochefort	1,9		1,9	
9 Rue Gagnon	0,5		0,5	
10 Rue Girard	0,4		0,4	
11 Rue Maisonneuve	0,7		0,7	
12 Avenue Parent	0,5		0,5	
13 Rue Carbonneau	0,3		0,3	
Total	**19,8**			

SEPT-ÎLES

(418) 964-3341
Avril à novembre

Carte page 243

	KM	PISTE CYCLABLE	BANDE CYCLABLE	CHAUSSÉE DÉSIGNÉE
1 Laure	4,4	4,4		
2 Fiset/Lemaire	1,9			1,9
3 Bourgeois/ Comeau	2,5			2,5
4 Des Montagnais/ Arnaud	4,9			4,9
5 La Vérendrye/ Père-Divet	5,2			5,2
6 Iberville/Mgr Blanche	1,1			1,1
7 Gamache/Retty	1,1			1,1
8 Parc Rivière des Rapides	3,5			3,5
9 Comeau	1,8	0,8		1,0
10 Père-Divet	2,2			2,2
Total	**28,6**			

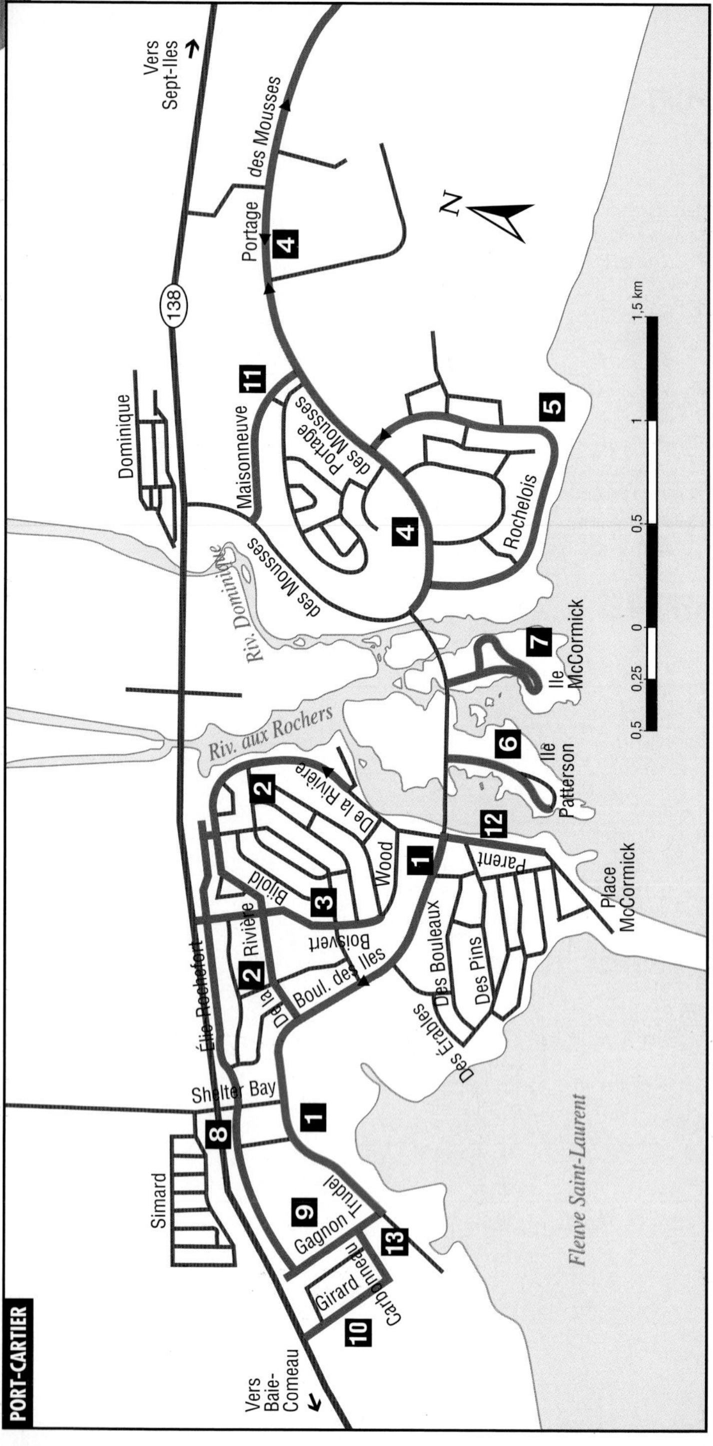
PORT-CARTIER
Vers Sept-Iles
Vers Baie-Comeau
138
Dominique
Simard
Portage des Mousses
Maisonneuve
des Mousses
Rochelois
Riv. Dominique
Riv. aux Rochers
Ile McCormick
Ile Patterson
Place McCormick
Parent
Wood
De la Rivière
Boisvert
Boul. des Iles
Des Bouleaux
Des Pins
Des Érables
Élie-Rochefort
Shelter Bay
Gagnon
Trudel
Girard
Carbonneau
Fleuve Saint-Laurent
N
0,5
0,25
0
0,5
1
1,5 km
1
2
3
4
5
6
7
8
9
10
11
12
13

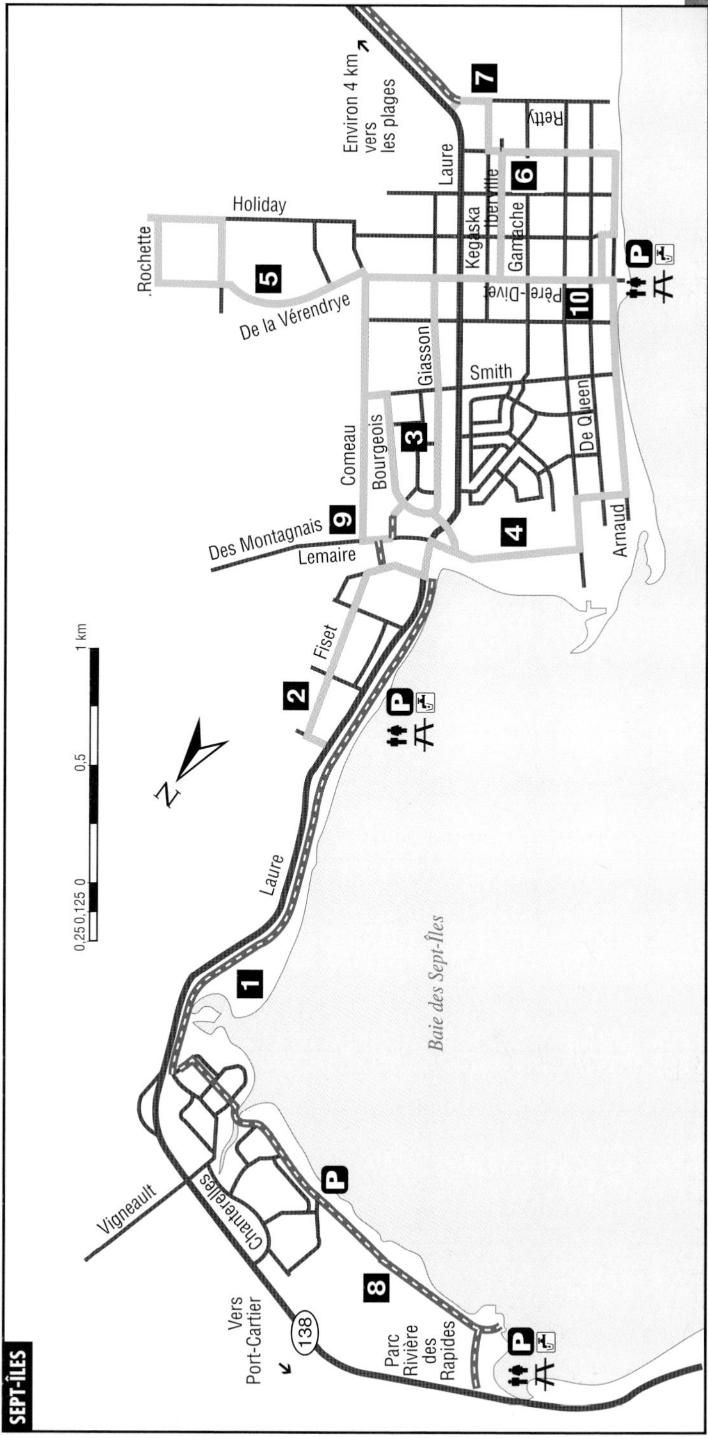
SEPT-ÎLES
Environ 4 km vers les plages
Holiday
Rochette
De la Vérendrye
Laure
Kegaska
Iberville
Gamache
Retty
Père-Divet
Smith
Giasson
Bourgeois
Comeau
De Queen
Des Montagnais
Lemaire
Arnaud
Fiset
Laure
Baie des Sept-Îles
Vigneault
Chanterelles
Vers Port-Cartier
138
Parc Rivière des Rapides
0,25 0,125 0 0,5 1 km
N
1
2
3
4
5
6
7
8
9
10
P

NOTES

NOTES

NOTES

NOTES